Neue Aussichten
Etappen

Jeannie McNeill, Judith Ram Prasad, Steve Williams

Hodder & Stoughton

A MEMBER OF THE HODDER HEADLINE GROUP

Contents

Introduction

Students –
What you need to know about *Etappen*

Etappen is a one year course for students of German, preparing you for AS level, or the first year of your A2 course (you will then move on to stage two, *Ziele*).

Etappen starts with a fresh look at familiar language to help you get started, then quickly progresses to a range of new and relevant topics, reflecting today's issues in German speaking countries and young people's interests and concerns. How difficult is the German driving test? Are genetically modified crops dangerous? Why choose Internet shopping? The course will enable you to extend your vocabulary greatly, build a solid understanding of German grammar, and use German with confidence in a wide range of situations.

Etappen covers all the language topics and grammar required by your exam board for AS. The tasks and activities are designed to help you prepare for your exam papers, and for written coursework projects and oral presentations.

Etappen is arranged in six 'Einheiten' (Units). Each 'Einheit' looks at a major topic area, and is divided into 'Themen' (each usually a double page, sometimes more), examining specific themes and issues and helping you with a wide range of skills. In addition, each 'Einheit' has a regional focus, so that you will become more familiar with different areas of Germany, Austria and Switzerland.

The **Kultur SPOT** in the middle of each 'Einheit' gives you the chance to find out about the arts, music, literature, celebrations, beer and more …

Finding your way around *Etappen*:

Look out for these words and symbols, which will help you to find your way around each 'Thema':

Einstieg – a first task to get you thinking about a particular issue, or to find out what you already know.

? – a reading text, perhaps from the press or the Internet (this symbol also appears next to the instructions relating to that text)

?))) – a recorded item from the cassette set (this symbol also appears next to the instructions relating to that item)

Denken Sie dran! – an information box reminding you about a grammar point that you have probably come across before.

■ **Grammatik** – more detailed information about grammar that may well be new to you.

At the back of the book is a grammar summary, in English, including all the basics as well as the more advanced items you will learn.

1 Heimat und Ausland:

Die deutschsprachige Welt

Wer spricht Deutsch und wo?

Die Begegnung mit einer anderen Kultur

Die Heimat: Was ist Heimat und wo ist sie?

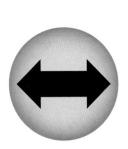

Austausch

Sehen Sie sich die Leute auf den Fotos an. Raten Sie: Wer ist das? Wie alt ist er/sie? Aus welchem Land kommt er/sie? Wählen Sie jeweils eine Person und ein Land aus dem Kästchen aus.

Richtig geraten? Machen Sie jetzt Übung 1, um es herauszufinden!

- Anja Schmidt   Beate Pokan   Eva Lechner   Guido Wolters   Manja Arnold   Uschi Tauber   Ute Werth   Uwe Vogts
- 19   20   21   22   23   24   25   26   27
- Deutschland   Österreich   Schweiz

A))) Man stellt sich vor

1 Wer sind die Leute?   A)))

Jedes Jahr gehen viele Studentinnen und Studenten aus deutschsprachigen Ländern als Austauschstudenten nach Oxford. Vier von ihnen stellen sich vor.

Hören Sie die Aufnahme und füllen Sie dann die Kärtchen aus.

> **Name:** Manja Arnold   **Alter:** _____
> **Heimatstadt:** Kammburg
> **Heimatland:** _____

> **Name:** _____   **Alter:** _____
> **Heimatstadt:** Viersen
> **Heimatland:** _____

> **Name:** _____   **Alter:** 24
> **Heimatstadt:** _____
> **Heimatland:** Deutschland

> **Name:** _____   **Alter:** 21
> **Heimatstadt:** Sankt Georgen an der Stiefing
> **Heimatland:** _____

Wer nennt sein Alter nicht?

Wofür ist Ulm bekannt?

B))) Oxford finde ich ...

2 Im Vergleich   B)))

Die vier Studenten und Studentinnen reden weiter. Sie vergleichen Oxford mit ihrer Heimatstadt.

Sehen Sie sich die Sprechblasen an. Bevor Sie die Aufnahme hören, raten Sie: Welches Wort aus dem Kästchen gehört in welche Lücke?

> Oxford ist sehr _____(1)_____ ,
> aber sehr sehr _____(2)_____ .
> Man braucht eine Menge Geld, um hier leben zu können.

> Die _____(3)_____ sind besser,
> die _____(4)_____ zeigen interessantere Filme und mir gefällt, dass es in Oxford sehr viele Studententheater gibt.

> Oxford ist eine _____(5)_____ Stadt und hat sehr viel mehr zu bieten als meine Heimatstadt. Da sind einmal die _____(6)_____ Gebäude und die vielen kulturellen Veranstaltungen.

> Was mir hier sehr gut gefällt, ist einfach, dass man so viele _____(7)_____ hat.
> Zum Beispiel kann ich hier am _____(8)_____ einkaufen gehen oder ich kann ins _____(9)_____ gehen.

• Sportzentrum	• Diskotheken	• fantastische
• schön	• Möglichkeiten	• alten
• teuer	• Kinos	• Sonntag

Hören Sie jetzt die Aufnahme und korrigieren Sie Ihre eigenen Antworten.

3 Austausch

Sie gehen als Austausch-Student/in nach Köln. Das ist eine Großstadt im Westen von Deutschland mit 900 000 Einwohnern. Dort kann man wunderbar einkaufen, es gibt viele Kinos und schöne Sportzentren. Die Stadt ist sehr modern.

Stellen Sie sich und Ihre Heimatstadt kurz vor. Was unterscheidet Köln von Ihrer Heimatstadt?

Hier sind einige Anregungen, die Ihnen dabei helfen könnten:

- Köln ist größer/kleiner/lebendiger/ruhiger/...
- Es gibt hier / zu Hause / abends / am Wochenende/ mehr/weniger zu tun.
- Man kann hier / zu Hause (nicht) ...
- Was mir hier / zu Hause besser gefällt, ist/sind ...

*B*ei uns

Sehen Sie sich das Foto an. Lesen Sie dann die Wörter im Kästchen: Das sind alles Adjektive, mit denen sich diese Gegend beschreiben lässt. Was meinen Sie: Sind die Wörter positiv, negativ oder können sie sowohl eine negative wie positive Bedeutung haben?

- einsam
- grün
- isoliert
- langweilig
- rein
- ruhig
- sauber
- schön
- unverschmutzt

A

Daniela und Ilona besuchen dieselbe Schule in Stams, Tirol. Hier sind ihre Beschreibungen der Gegend.

Das Wichtigste in meiner Heimat Tirol sind die Berge, die frische Luft, die Kultur unseres Landes und die natürliche Lebensweise. Tirol gehört zwar zu Österreich, aber es ist ganz anders als die anderen Bundesländer. So schöne und mächtige Berge wie hier gibt es nicht in ganz Österreich. In meiner Heimat gibt es noch was Typisches, nämlich die Sprache. Bei uns haben wir einen ganz anderen Dialekt als in Ostösterreich. Es ist für mich amüsant, wenn ich mit einer Oberösterreicherin oder Wienerin spreche. Ich verstehe alles was gesprochen wird, jedoch mich versteht keiner. Im Prinzip bin ich mit meiner Heimat ganz zufrieden und sie bedeutet mir und meiner Familie auch viel.

Daniela Neururer

Ich lebe in Reutte im Nordwesten von Tirol. Reutte hat ca. 6 000 Einwohner und ist der Hauptort eines der Tiroler Bezirke – dem Außerfern. Es gibt im Außerfern Orte, die in den kleinen Tälern liegen und nur um die 50 Einwohner haben. Diese Menschen, die dort leben, brauchen trotz ihres Autos schon bald eine Stunde um überhaupt nach Reutte zu kommen und dann noch 1½ Stunden um Innsbruck zu erreichen.

Es gibt vor allem ältere Menschen, die noch nie außerhalb des Außerferns waren – kein Wunder, dass es da zu eher negativen Perspektiven und Beziehungsschwierigkeiten mit anderen kommt.

Meine Eltern sind beide zur Hälfte italienischer Herkunft, meine Mutter zur anderen Hälfte tschechischer und mein Vater oberösterreichischer Herkunft. Somit bin ich ein echtes Völkergemisch, spreche den Dialekt nicht und kann versichern: Meinen Arbeitsplatz suche ich mir sicher außerhalb des Außerferns.

Ilona Steppan

1 Textverständnis

Wer ...

1 ... fühlt sich dort wohl?

2 ... möchte wegziehen?

3 ... spricht Dialekt?

4 ... hat dort Familie?

5 ... findet die Gegend unfreundlich?

2 Bedeutungen

Suchen Sie die deutschen Ausdrücke in den Texten, die Folgendes bedeuten:

1 wo ich zu Hause bin

2 wie man lebt

3 ist für mich und meine Familie wichtig

4 meine Herkunft ist gemischt

5 niemand versteht mich

6 ist ein Teil von

7 wie man die Welt sieht

B))) Wie wohnt es sich bei Ihnen?

3 Hörverständnis B)))

Hören Sie jetzt fünf junge Leute, die über ihr Zuhause sprechen. Kreuzen Sie Zutreffendes in der Liste an.

	Martin	Guido	Christina	Konrad	Silke
1 ist auf dem Land aufgewachsen	✗				
2 wohnt in einer großen Stadt	✗				
3 wohnt gerne auf dem Land					
4 liebt das Stadtleben	✗				
5 hat sehr nette Nachbarn					
6 hält die Familie für sehr wichtig					

4 Schreibaufgabe

Wählen Sie entweder Karl oder Daniel und schreiben Sie in wenigen Worten seine Ansichten über das Leben in Österreich.

Name: *Daniel Möhren*

Wohnort: *Inntal, Tirol, 900 Einwohner*

Vorteile: *Snowboarding, Mountainbiken können*

Nachteile: *Kino, Disko in Innsbruck, Einkaufsmöglichkeiten 25 km entfernt, 1,5 Stunden um die Schule zu erreichen*

Name: *Karl Jelinek*

Wohnort: *Salzburg, 145 000 Einwohner*

Vorteile: *Theater, Kino, Musik, viele Studenten, schöne Skiregion*

Nachteile: *zu viele Touristen, hohe Kosten*

5 Ihre Meinung

Wie wohnt es sich bei Ihnen? Wohnen Sie gerne dort?

5

Weltsprache Deutsch

Warum lernt man Deutsch? Warum lernen _Sie_ Deutsch? Im Kästchen sind einige Gründe. Können Sie sich weitere Gründe vorstellen? Erstellen Sie eine Liste.

Die deutschsprachige Welt

Mehr als 100 Millionen Menschen sprechen Deutsch als Muttersprache, nicht nur in Europa, sondern auch in Amerika, Asien, Afrika und Ozeanien.

- Es macht Spaß.
- Es ist eine Herausforderung.
- Ich habe deutsche Verwandte.

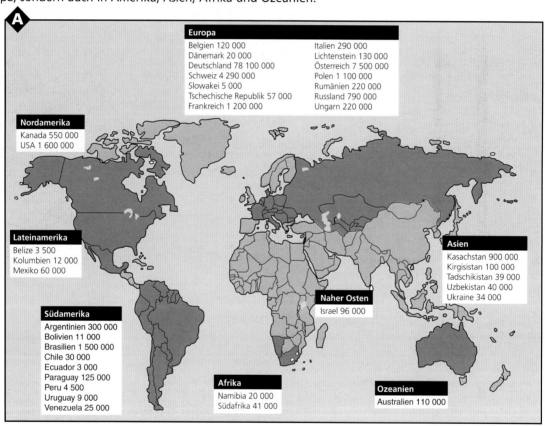

A

Europa
Belgien 120 000
Dänemark 20 000
Deutschland 78 100 000
Schweiz 4 290 000
Slowakei 5 000
Tschechische Republik 57 000
Frankreich 1 200 000

Italien 290 000
Lichtenstein 130 000
Österreich 7 500 000
Polen 1 100 000
Rumänien 220 000
Russland 790 000
Ungarn 220 000

Nordamerika
Kanada 550 000
USA 1 600 000

Lateinamerika
Belize 3 500
Kolumbien 12 000
Mexiko 60 000

Asien
Kasachstan 900 000
Kirgisistan 100 000
Tadschikistan 39 000
Uzbekistan 40 000
Ukraine 34 000

Naher Osten
Israel 96 000

Südamerika
Argentinien 300 000
Bolivien 11 000
Brasilien 1 500 000
Chile 30 000
Ecuador 3 000
Paraguay 125 000
Peru 4 500
Uruguay 9 000
Venezuela 25 000

Afrika
Namibia 20 000
Südafrika 41 000

Ozeanien
Australien 110 000

B))) Länderstatistik

1 Länder und Zahlen **A B**)))

Betrachten Sie die Weltkarte. Können Sie alle Ländernamen aussprechen? Und die Zahlen? Testen Sie sich.

Schließen Sie das Buch. Hören Sie das Gespräch und füllen Sie die Tabelle aus. Vorsicht beim Zahlenschreiben!

Beispiele

1,3 Millionen; 30 000

Wenn Sie fertig sind, überprüfen Sie Ihre Antworten mit Hilfe der Weltkarte.

Brasilien		Namibia	
	300 000		41 000
Paraguay			790 000
Mexiko		Kasachstan	
Kanada		Kirgisistan	
USA			

Zweisprachig? *ABER NATÜRLICH!*

Deutschsprechende bilden oft kleine Minderheiten in den Ländern, in denen sie leben. Da ist es völlig normal, dass man mehr als eine Sprache spricht.

„Ich bin zweisprachig, ich spreche Englisch und Deutsch, aber ich kann auch Französisch. Zu Hause spreche ich Deutsch, sonst spreche ich Englisch. Französisch habe ich in der Schule lernen müssen.“

Martin Hofer, Vancouver

„Meine Muttersprache ist Spanisch, aber meine Großmutter hat mir Deutsch beigebracht. Wenn meine Großeltern zu Besuch sind, sprechen wir Deutsch in der Familie.“

Maria Gonsen, Mexiko City

„Deutsch ist meine Muttersprache und ich besuche eine deutsche Schule. Dafür habe ich Italienisch als erste Fremdsprache. Außerdem lerne ich Englisch in der Schule.“

Heiko Janz, Meran, Italien

2 | Textverständnis

Beantworten Sie die Fragen.

1 Wer kann Spanisch?
2 Wer kann Englisch?
3 Wer lernt Englisch in der Schule?

4 Wer spricht Deutsch als Muttersprache?
5 Wo spricht Martin Deutsch?
6 Mit wem spricht Maria Deutsch?

3 | Was spricht man und wo?

Was würden Svetlana und José sagen? (Sehen Sie Übung 2.) Schreiben Sie deren Aussagen für sie. (Entscheiden Sie: Welche Sprache betrachten Svetlana und José als ihre Muttersprache?)

Im Kästchen sind einige nützliche Ausdrücke.

Svetlana Hansen (St. Petersburg, Russland)

Sprachen:	Russisch und Deutsch
Mit Vater und Opa:	Deutsch
Mit Mutter:	Russisch

José Ramos (Santa Rosa, Brasilien)

Sprachen:	Portugiesisch, Deutsch und Englisch
In der Kirche:	Deutsch
Zu Hause:	Deutsch
In der Schule:	Portugiesisch, Englisch (als Schulfach)

Meine Muttersprache ist …	Ich lerne …
Ich spreche … mit …	Meine erste Fremdsprache ist …
Mit … spreche ich …	Ich habe … als erste Fremdsprache.

4 | Ihre Sprachkenntnisse

Und Sie? Welche Sprachen beherrschen Sie? Wo sprechen Sie Deutsch?

Zu Hause in der Fremde

Einstieg

Diskutieren Sie: Wer sind die Amisch? In welchem Land wohnen sie? Welche Sprache oder Sprachen sprechen sie? Wissen Sie noch mehr über sie? (Tipp: Haben Sie den Film *Witness* gesehen? Dann wissen Sie einiges über die Amisch!)

A

Die Amisch – weder Telefon noch fließend Wasser

Sie haben weder Telefon noch fließend Wasser, sie sprechen „Deitsch" und fahren Pferdekutschen: die Amish in den USA. Vor rund 250 Jahren haben die ersten Mitglieder der streng christlichen Gruppe aus Europa eine neue Heimat in Amerika gefunden. Ihre heutigen Nachfahren leben nach denselben Grundsätzen wie die Pioniere von damals.

Dunkel ist das Holz der schweren Schränke und der breiten Dielen in Mattis Küche, in hellem Grau gestrichen sind die Fensterrahmen und die Türen. Bilder gibt es nicht. Keine Tapeten, keine Teppiche. Nur ein schmuckloser Kalender und ein paar altmodische Gaslampen brechen mit der Monotonie der weißen Wände. Die Amisch verzichten fast vollständig auf technische Errungenschaften. Sie benutzen keinen elektrischen Strom und keine Motoren, in ihren Häusern gibt es weder Telefon noch fließend Wasser. Ihre Möbel schreinern sie selbst und die "horse-buggies" ersetzen Autos und auch Fahrräder. Weitgehend in Subsistenzwirtschaft lebend, bauen sie Getreide, Gemüse und Obst an. Kühe, Schweine und Hühner liefern Milchprodukte, Fleisch und Eier. Und die amischen Frauen kochen nicht nur Ahornsirup und Marmeladen, sie

backen auch schwere Kuchen, Kekse und Brote.

Die Millers gehören zu den ersten Amishs, die in den 70er Jahren aus dichter besiedelten Gegenden in Ohio, aber auch aus der kanadischen Provinz Ontario hierher nach Saint Lawrence County, PA, gekommen sind. John und Anna waren auf der Suche nach günstigem Farmland und nach einem zurückgezogenen Leben. Und sie dachten an ihre 15 Kinder, von denen heute fast alle eine eigene Familie haben. "Get married at 21 and hope to get as many babies as God will provide", fasst Betsy den Lebensplan der Amisch

zusammen.

Obwohl die Amisch sowohl aus dem Rheinland und der Schweiz als auch aus dem französischen Lothringen und dem Elsass nach Amerika gekommen sind, stammen sie doch aus demselben – deutschen – Sprachraum. Während sie mit den „English" in deren Sprache parlieren, und während ihre Kinder beim Eintritt in die Schule Englisch sprechen und schreiben lernen, unterhalten sich die Amisch untereinander in „Pennsylvania German" oder „Pennsylvania Dutch".

Denken Sie dran!

VERNEINUNG MIT *KEIN*-:

*Es gibt **keinen** Teppich in der Küche.*
*Die Amisch haben **keine** Teppiche.*

*Es gibt **keine** Tapete an der Wand.*
*Die Amisch haben **keine** Tapeten.*

*Die Millers haben **kein** Auto.*
*Die Amisch haben **keine** Autos.*

■ Grammatik zum Nachschlagen, S.170

---

1 Wir haben (kein) ...

Was haben die Amisch und was haben sie nicht?

	ja	nein
Telefon	☐	☐
Wasserhahn	☐	☐
Möbel	☐	☐
Teppich	☐	☐
Tapete	☐	☐
Gaslicht	☐	☐
Elektrisches Licht	☐	☐
Auto	☐	☐
Fahrrad	☐	☐

---

2 Textverständnis

1 Woher kommen die Amisch? Nennen Sie vier Gebiete in Europa.

2 In welchen Gebieten wohnen sie jetzt? Nennen Sie drei Gebiete in Nordamerika.

3 Was bedeutet dieser Satz aus dem Text? „Die Amisch verzichten fast vollständig auf technische Errungenschaften." Erklären Sie dies in Ihren eigenen Worten. (Tipp: Der nächste Satz „Sie benutzen ... Wasser." gibt Ihnen einen Hinweis.)

4 Was essen die Amisch hauptsächlich?

---

3 Lückentext

Setzen Sie die richtige Form von *kein* und die richtige Form des Substantivs (Singular oder Plural?) ein.

Alles bei den Amisch ist schlicht und einfach. Sie haben **keine Tapeten** (Tapete) und _____ (Teppich).
Sie haben _____ (Bild) an den Wänden. Sie haben _____ (Strom) und _____ (fließend Wasser). Die Amisch verzichten auf die moderne Technik. Sie haben _____ (Auto) und _____ (Fahrrad).

---

4 Pluralformen

Wie viele Pluralformen von Substantiven können Sie im zweiten Absatz („Dunkel ... Brote.") im Text finden? Erstellen Sie eine Liste.

Singular	Plural	Endung	Englische Bedeutung
der Schrank	die Schränke	¨e	cupboard
...	...	...	...

---

5 Ihre Meinung

Wie beurteilen Sie das Leben der Amisch? Wählen Sie fünf Adjektive aus dem Kästchen, mit denen sich diese Lebensweise beschreiben lässt.

• abgeschlossen	• hart
• altmodisch	• interessant
• außerordentlich	• kreativ
• beeindruckend	• langweilig
• bewundernswert	• lustig
• billig	• praktisch
• doof	• primitiv
• egoistisch	• religiös
• einfach	• schön
• eintönig	• schwierig
• entspannend	• sinnlos
• frauenfeindlich	• streng
• gefährlich	• umweltfreundlich
• gesund	

Vergleichen Sie Ihre Meinungen und diskutieren Sie: Was finden Sie an dieser Lebensweise gut? Was finden Sie daran schlecht?

Kein Touristentrip!

AFS bietet Jugendlichen aus fast 60 Ländern der Welt die Chance, im Ausland zu leben und zu studieren oder zu arbeiten. Viele junge Teilnehmer aus Deutschland und auch deutsche Gastfamilien sowie freiwillige Mitarbeiter machen dabei unvergessliche Erfahrungen.

A

AFS Interkulturelle Begegnungen e.V.

Über AFS

INHALT:

| **1** Über AFS ... | **2** Die Gastfamilie | **3** "Community Service" |
| **4** Komm mit | **5** Praktikantenprogramme | **6** Mach mit! |

a Fremdsprachenkenntnisse und Auslandserfahrung sind auf dem Arbeitsmarkt sehr gefragt. Wie soll man ohne Kontakte eine Arbeitsstelle und eine Wohnung finden? Teilnehmer der Programme für junge Arbeitnehmer besuchen im Gastland einen vierwöchigen Sprachkurs und machen dann ein zweimonatiges Praktikum bei einer Firma.

b Der AFS lebt von dem Engagement, der Begeisterung und Erfahrung der freiwilligen Mitarbeiter, die alles organisieren. Es gibt fast 70 lokale AFS-Komitees in Deutschland. Wir brauchen immer Hilfe und es macht Spaß, ob Jung oder Alt!

c Ein Jahr ins Ausland zu fahren, ein Land und seine Menschen zu erleben, ist eine Chance für die persönliche Entwicklung und bietet die Möglichkeit, eine andere Kultur besser verstehen zu lernen.

d Sich die Welt nach Hause holen! Das kann jeder, der aufgeschlossen und bereit ist, mit einem ausländischen Jungen oder Mädchen den deutschen Alltag zu erleben. Die Familie gibt dem jungen Menschen ein „Zuhause auf Zeit" und behandelt ihn wie ein eigenes Kind – mit allen Rechten und Pflichten.

e Es waren junge Ambulanzfahrer des American Field Service, kurz AFS, die nach den Erlebnissen des Ersten und Zweiten Weltkriegs den internationalen Jugendaustausch gründeten. AFS-Austauschprogramme verbinden heute alle Kontinente. Fast 60 Länder sind Teil der „AFS-Welt".

f Diese Programme bieten Praktika in vier Bereichen – Jugendarbeit (auch Arbeit mit Kindern), Umwelt- und Naturschutz, Gesundheit und Soziales. Die freiwillige Mitarbeit in einem Projekt dauert drei bis maximal sechs Monate.

1 Hyperlinks

Wählen Sie den passenden Absatz (a–f) für jeden
Hyperlink (1–6) von der AFS-Webseite.

Beispiel

1 Über AFS: e

2 Textverständnis

Suchen Sie im Text Möglichkeiten, um diese Sätze zu
vervollständigen:

Beispiel

AFS organisiert (…) Austauschprogramme für Jugendliche aus
fast 60 Ländern.

1 Die Gründer des AFS waren …

2 Mit AFS können Jugendliche ein Jahr …

3 Die Gastfamilie …

4 Außer Austauschprogramme organisiert AFS auch …

5 Für die Organisationsarbeit braucht AFS …

B))) Auskünfte für Gastfamilien

3 Hörverständnis B)))

Hören Sie die Auskünfte für AFS-Gastfamilien und
vervollständigen Sie die Sätze:

1 Auch Alleinstehende und ____(1)____ ohne ____(2)____
können Gastschüler aufnehmen.

2 Die Gastschüler bekommen ____(3)____ aus dem
Heimatland.

3 Eine Gastfamilie braucht kein großes ____(4)____.

4 Es kommen Jungen und Mädchen zwischen
____(5)____ und ____(6)____ aus ____(7)____ Ländern.

5 Das Gastkind besucht eine deutsche ____(8)____.

Denken Sie dran!

FRAGEN STELLEN

was?	*was für (ein/eine usw.)?*	*wer?*
wo?	*wie?*	*wie viel(e)?*
wann?	*warum?*	*welche?*

■ Grammatik zum Nachschlagen, S.167

---

4 Partnerarbeit

Benutzen Sie jetzt die Sätze aus Übungen 2 und 3, um
Fragen über AFS zu stellen und zu beantworten.

Beispiel

5 Internetsuche

Suchen Sie selbst die AFS-Webseite im Internet.

Können Sie auch die Webseiten von anderen
internationalen Jugendverbänden im deutschen
Sprachraum finden?

Beispiele

Europäischer Freiwilligendienst

Internationaler Jugendaustausch und
Besucherdienst (IJAB)

Internationale Begegnung in
Gemeinschaftsdiensten (IBG)

Internationale Jugendgemeinschaftsdienste
(IJGD)

Machen Sie sich Notizen und berichten Sie der Klasse
darüber.

6 Projekt

Füllen Sie jetzt das AFS-Bewerbungsformular für sich selbst
aus.

Schreiben Sie dazu einen Bewerbungsbrief. Gehen Sie auf
folgende Punkte ein:

- Hobbys
- Lieblingsschulfächer
- Ihren Familienalltag
- Ihren Freundeskreis
- Alles, was Ihnen wichtig ist

Kultur SPOT

Deutschland – ein multikulturelles Land

Frage: Welche dieser Menschen und Szenen sind typisch deutsch?

Antwort: Alle!

Eine griechische Hochzeit, Kempten

Die Schule fängt gleich an, Eutin

Türkische Spezialitäten sind beliebt, Berlin-Kreuzberg

Die türkische Gruppe „Anilar", Hamburg-Altona

Eine Gaudi auf dem Oktoberfest, München

Golfproduktion bei VW, Dresden

Mehr als 7 000 000 Ausländer leben in Deutschland: Sie bilden 9% der Gesamtbevölkerung. Die größte ausländische Volksgruppe stammt aus der Türkei (mehr als 2 000 000), gefolgt von der Bundesrepublik Jugoslawien (Serbien und Montenegro; ca. 700 000) und Italien (ca. 600 000). Weitere bedeutende Herkunftsländer sind Griechenland (ca. 360 000), Bosnien-Herzegowina (ca. 280 000), Polen (ca. 280 000), Kroatien (ca. 200 000), Österreich (ca. 180 000), Spanien und Portugal (beide ca. 130 000). Ungefähr die Hälfte von diesen Menschen leben seit mehr als zehn Jahren und fast ein Drittel seit mehr als 20 Jahren in Deutschland. In Deutschland gibt es fast 50 000 türkische Unternehmen, die ca. 200 000 Menschen beschäftigen.

Unser Ausland!
Was ausländischen Mitbürgern an Deutschland auffällt

„Wenn ich die Teenys hier mit den Jugendlichen in Taiwan vergleiche, dann entdecke ich äußerlich kaum Unterschiede, das Outfit ist hier wie da sehr wichtig, aber es wäre doch undenkbar, dass in Deutschland 15- oder 16-jährige mit Aktien spielen und manche schon ihren Mercedes verdient haben, bevor sie überhaupt einen Führerschein machen können. Die Taiwanesen denken sehr früh ans Geldverdienen. Dafür sind die deutschen Jugendlichen viel umweltbewusster, machen sich Gedanken über Politik oder organisieren Schülerdemos und Projekte. Das finde ich sehr positiv."

Angela, aus Taiwan

„Wenn ich die Männer hier mit den französischen Jungs vergleiche, dann haben hier alle Handschuhe an! Sie gehen viel vorsichtiger mit Frauen um, hören besser zu und sind nicht so sehr Machos wie die französischen Jungs. Und sie sind romantischer, stehen auf diese kleinen Natursachen – Muscheln, Blumen, Blätter –, das gefällt mir, obwohl es manchmal auch lästig ist, wenn so ein Typ unbedingt mit seiner Prinzessin im Wald Pilze suchen will. Das ist wohl ein Überbleibsel von früher, denn die Deutschen stammen ja von den Germanen ab, und die haben sich auch ständig im Wald aufgehalten. Viele Männer haben Probleme, mit der Wirklichkeit umzugehen – sie haben ein ganz festes Ideal von ihrer Traumfrau."

Françoise, aus Frankreich

„Was mir in Deutschland gut gefällt, ist die Angewohnheit, ab und zu nach der Arbeit mit Kollegen in die Kneipe zu gehen und ein Bier zu trinken. Man pflegt hier einen wirklich anderen Umgang mit Alkohol! Ich erinnere mich noch ganz genau, als ich das erste Mal nach Deutschland kam und meine Tante besuchte. Wir kamen an einer Baustelle vorbei, wo die Arbeiter am helllichten Tage Bier tranken. Ich war völlig schockiert und machte meine Tante auf die Szene aufmerksam, die in Kanada als ‚öffentliches Ärgernis‘ gelten würde. Sie beruhigte mich, die Arbeiter würden doch lediglich ihre ganz normale Mittagspause machen."

Suzanne, aus Kanada

„Viele Deutsche reagieren böse auf die Arbeitslosigkeit – an der Tankstelle, auf der Straße, im Fahrstuhl, nirgendwo wird man mehr angelächelt. Es ist auch schwer für arbeitslose Deutsche, wenn sie sehen, dass viele Ausländer mehr Geld verdienen als sie. Ich kann diese Leute verstehen – in der Türkei wären die Deutschen in so einer Situation auch nicht beliebt. Dabei sollte man sich freuen, dass es hier zumindest Sozialhilfe gibt! In der Türkei muss man selber sehen, wo man Geld herkriegt, wenn man keine Arbeit findet. Leider befürchte ich, dass die Probleme in nächster Zeit nicht weniger werden. Wie viele meiner Landsleute habe auch ich schon überlegt, ob ich nicht wieder in die Türkei zurückgehen soll."

Zeki, aus der Türkei

*E*ben anders ...

Rückblickend ...

„Ich bin froh, den Mut gefunden zu haben, für ein Jahr ein neues Leben mit fremden Leuten in einem fremden Land zu leben. Es ist nicht immer einfach, so weit weg von Zuhause und für so eine lange Zeit."

Stephan, Kanada

Das Land ...

„Man kommt hier in Kolumbien an und ist zuerst etwas überrascht, dass es hier nicht nur Guerilla gibt, dass man nicht an jeder Ecke Drogen verkauft und nicht alles Dschungel ist."

Antje, Kolumbien

Die Familie ...

„In den ersten Wochen war ich noch wie ein Gast, aber es wurde immer besser und ich habe mich super eingelebt. Mit meiner Gastmutter konnte ich über fast alles sprechen."

Stefan, Portugal

Die Schule ...

„Die Mädchen schminken sich im Klassenzimmer und gehen in jeder Pause zur Toilette, um sich vor dem Spiegel schön zu machen."

Nadja, USA

„Ich besuche mit meinem Gastbruder das *Colegio Nacional de Monserrat*, eine sehr traditionsreiche Schule im Zentrum von Cordoba. Das Gebäude ist über 400 Jahre alt, die Mauern sind 1,6 m dick, es gibt keine Türen."

Olaf, Argentinien

Die Sprache ...

„Am Anfang konnte ich so gut wie gar nichts sagen. Aber mit einzelnen Worten und Sätzen wie ‚Erdbeeren' oder ‚reiche mir bitte die Marmelade' fing es an. Und oft habe ich einfach ‚ja' gesagt, ohne zu verstehen. Nach zwei Monaten konnte ich ziemlich fließend sprechen."

Martina, Norwegen

„Als ich nach drei Monaten zum ersten Mal meine Familie in Deutschland angerufen habe, war es fast ein Schock, noch Deutsch sprechen zu können."

Ilona, Neuseeland

1 Textverständnis

Lesen Sie die Berichte der AFS-Schüler und Schülerinnen und verbinden Sie die passenden Hälften dieser Sätze:

1 Martina konnte am Anfang
2 Stefan hat sich besonders gut
3 Olaf hat eine sehr
4 Stephan fand es nicht sehr leicht,

5 Antje hatte vorher negative
6 In Nadjas Gastschule

7 Ilona hat erst nach drei Monaten

a den Austausch zu machen.
b nach Hause telefoniert.
c nicht sehr gut Norwegisch.
d waren die Lehrer nicht immer sehr streng.
e alte Schule besucht.
f mit seiner Gastmutter verstanden.
g Vorstellungen von Kolumbien.

Denken Sie dran!

ZUSAMMENGESETZTE SUBSTANTIVE

der Bruder   *der Gastbruder*
die Brüder   *die Gastbrüder*

die Familie   *die Gastfamilie*
die Familien   *die Gastfamilien*

das Kind   *das Gastkind*
die Kinder   *die Gastkinder*

Achten Sie auf *der/die/das* und Pluralformen!

■ Grammatik zum Nachschlagen, S.169

B

VERTRAUTES ANDERS SEHEN – ERLEBNISSE EINIGER GASTFAMILIEN

„Wir haben mit Carlos aus Südamerika viel Spaß gehabt – zum Beispiel, wenn er mit unserer Tochter und anderen Südamerikanern singend die Straße entlangkam."

Familie Hublitz mit Gastsohn Carlos aus Venezuela

„Es war für uns alle ein sehr schönes und lehrreiches Jahr. Dieses Jahr möchten wir nicht missen!"

Familie Neis mit Gasttochter Anna aus Schweden

„Tomoko war lernfreudig sowie kulturell und geschichtlich sehr interessiert, so dass es sehr viel Spaß machte, ihr Dinge zu zeigen."

Familie Feyerabend mit Gasttochter Tomoko aus Japan

„Mein Sohn Florian und Edward waren im gleichen Alter und haben sich von Anfang an sehr gut vertragen."

Frau Kionka mit Gastsohn Edward aus den USA

„Durch Marias Aufenthalt haben wir die deutsche Wirklichkeit mit anderen Augen betrachtet. Maria war eine Bereicherung und eine Erweiterung unseres Horizonts."

Familie Laspeyres mit Gasttochter Maria aus Spanien

„Wir hatten viele Gespräche über die Rolle des Mannes in der Familie (absoluter Macho) und über viele politische Themen."

Familie Lindemann mit Gastsohn Yamil aus Bolivien

---

2 Im Wörterbuch

Erstellen Sie mit Hilfe eines Wörterbuchs und der AFS-Berichte eine Liste von mindestens 20 Wörtern, die mit „Gast" anfangen.

3 Synonyme

Lesen Sie die Erfahrungsberichte der AFS-Gastfamilien und suchen Sie für diese Wörter ein Synonym.

1 Besuch
2 verstanden
3 Diskussionen
4 gesehen
5 Freude
6 Sachen
7 verpassen

C))) Gasteltern berichten

4 Hörverständnis

Welche Familie spricht (1–5)?

5 Ihre Meinung

1 Welche Vorteile hat ein Austausch für die Gastfamilie?
2 Denken Sie an mögliche Nachteile für die Gastfamilien.

6 Werbung für AFS

Sie schreiben den Text für ein Flugblatt, das für AFS wirbt. Schreiben Sie ca. 100 Wörter von einem deutschen Gastkind in den USA und ca. 100 Wörter von der amerikanischen Gastfamilie.

Heimat – was ist das überhaupt?

Einstieg

Schlagen Sie das Wort „Heimat" in verschiedenen (deutschen und deutsch–englischen) Wörterbüchern nach. Vergleichen Sie die Definitionen, die Sie gefunden haben, mit den Definitionen auf dieser Seite. Gibt es Unterschiede? Welche?

Hei·mat <f. 20; unz.; i. e. S.> *Ort, an dem man zu Hause ist, Geburts-, Wohnort;* <i. w. S.> *Vaterland;* die ~ dieser Pflanze, dieses Tiers ist Südamerika; die alte ~ wieder einmal besuchen; keine ~ mehr haben; die ewige ~ <poet.> *das Jenseits;* diese Stadt ist meine zweite ~ geworden; in meiner ~ ist es Brauch … [<ahd. *heimuoti, heimoti* <ahd. *heim* + Suffix *…uoti, …oti;* → *Heim*]

Hei·mat *die; -; nur Sg* **1** das Land, die Gegend od. der Ort, wo j-d (geboren u.) aufgewachsen ist od. wo j-d e-e sehr lange Zeit gelebt hat u. wo er sich (wie) zu Hause fühlt <seine H. verlieren; (irgendwo) e-e neue H. finden>; *Nach zwanzig Jahren kehrten sie in ihre alte H. zurück* || **K- Heimat-, -dorf, -land, -liebe, -museum, -ort, -stadt 2 die zweite H.** ein fremdes Land, e-e fremde Gegend, ein fremder Ort, wo man sich nach einiger Zeit sehr wohl fühlt: *Sie stammt aus Hamburg, aber inzwischen ist Würzburg zu ihrer zweiten H. geworden* || **-K: Wahl- 3** das Land, die Gegend od. der Ort, wo etw. seinen Ursprung hat: *Australien ist die H. des Känguruhs; Die H. der „Commedia dell' arte" ist Italien* || zu **1 hei·mat·los** *Adj*

b Heimat ist für mich ein Ort, mit dem ich vertraut bin, an dem Menschen leben, die ich verstehe – sprachlich und kulturell. Heimat muss daher nicht unbedingt der Ort sein, an dem man aufgewachsen ist, obwohl man diesen natürlich am besten zu kennen glaubt. Man kann sich durchaus anderswo heimisch fühlen oder im Laufe seines Lebens mehrere „Heimaten" gewinnen.

Bettina

a **Heimat bedeutet für mich meine Familie und meine Freunde, meine Stadt und Deutschland. Heimat ist für mich heimkommen und sich wohl und anerkannt fühlen.**

Tina

c *Heimat ist für mich nicht mehr so sehr eine Frage der Geografie als vielmehr der Menschen, die mich umgeben bzw. mit denen ich zusammen bin. Deshalb werde ich mich dort heimisch fühlen, wo ich nette Leute kennen lerne. Ein schönes Zitat zum Schluss: Heimat ist im Herzen oder nirgendwo!*

Andreas Kahlert

d *Heimat ist für mich a) Hannover, b) Niedersachsen und c) Deutschland, weil ich hier geboren und aufgewachsen bin.*

Jürgen

e Der Platz, an dem ich mich wohlfühle. Das kann überall auf der Welt sein und hängt viel weniger von geografischen Gegebenheiten als von den Menschen, die mich umgeben, ab.

Fritz

1 Textverständnis Ⓐ

Wer sagt was? Lesen Sie die Texte. Entscheiden Sie dann, welcher Text zu welchen Aussagen passt.

Heimat ist für mich:	a	b	c	d	e
1 dort, wo ich geboren bin / meine Jugend verbracht habe	☐	☐	☐	☐	☐
2 dort, wo ich jetzt wohne	☑	☐	☐	☐	☐
3 dort, wo es Menschen gibt, die ich verstehe und liebe	☑	☐	☐	☐	☐
4 kein Ort, sondern im Herzen	☐	☐	☐	☐	☐

Ⓑ

*Heimathafen … Heimatlieder … Heimatvertriebene … Heimatfilme …
Heimatland … Heimatsocken … Heimatsprache … Heimatort …
Heimatlosigkeit … Heimatkunde.*

*Was ist deine Heimat? Braucht man eine Heimat? Oder kann man genauso
gut ohne? Ist Heimat überflüssig? Spießig? Oder seid ihr Weltbürger?*

*Über Heimat gibt es viel zu sagen. 1000 gute Gründe, warum einem
Heimat etwas bedeutet – oder auch nicht. Ist eure Stadt eure Heimat, euer
Dorf, euer Land?*

2 Zusammengesetzte Wörter Ⓑ

In der Sprechblase oben finden Sie einige Zusammen-
setzungen mit „Heimat-". Schlagen Sie in Ihrem Wörterbuch
nach: Wie viele zusammengesetze Wörter und Redewendungen mit „Heimat-" können Sie finden?

3 Text und Bilder Ⓒ

Ordnen Sie jedes Bild (1–6) einem Absatz (a–f) zu.

4 Ihre Meinung

Wo ist Ihre Heimat?

Ⓒ

HEIMAT: Geschichte eines Wortes

a Am Anfang bedeutete »Heimat« nur das enge Zuhause: das eigene Haus und alles, was man besaß.

b Später meinte man damit das Dorf und die Umgebung, in der man aufwuchs.

c Im 19. Jahrhundert entwickelte sich der Begriff des Nationalstaates: Heimat bedeutete nun auch »Vaterland«.

d Die Nazis missbrauchten die Wörter »Heimat«, »Vaterland» und »Volk«, um damit Nichtdeutsche und »Nichtarier« auszugrenzen.

e Nach dem Ende des Zweiten Weltkrieges verlor Deutschland große Teile seiner ehemaligen Gebiete an andere Nationen, wie zum Beispiel Polen. Viele Deutsche mussten diese Länder verlassen. Nachher haben diese »Vertriebenen« das »Recht auf Heimat« gefordert.

f Seit den 70er Jahren ist »Heimat« wieder ein positives Wort: Es gibt Heimatvereine, Heimatmuseen, Heimatabende und Heimatlieder. Der Film *Heimat – Eine deutsche Chronik* (Edgar Reitz, 1984) war in Deutschland ein Riesenerfolg.

*M*eine Heimatstadt

Einstieg

Suchen Sie fünf deutsche Wörter, die Ihre Stadt oder Ihr Dorf gut beschreiben.

Vergleichen Sie diese jetzt mit den Wörtern eines Partners / einer Partnerin. Haben Sie die gleichen Wörter oder andere? Wählen Sie zusammen die fünf besten aus.

A

Meine Stadt

Meine Stadt hat hundert Türme, Brücken, Bögen, Treppen, Gänge. Meine Stadt ist

a hin zu Plätzen, Bäume wiegen sich im Wind, Brunnen plätschern, Leute lachen, eine Mutter ruft

b tags lärmen dort die Spatzen. Auf dem Marktplatz stehen Buden, bunt mit Äpfeln, Birnen, Trauben.

c Verstecken. Sie hat Luken in den Dächern.
Sie hat Mauern, Gärten, und eine

d lichtumwoben, schattendunkel, weit und enge. Gassen führen

e ihr Kind. Meine Stadt hat viele Tiere, Pferde, Esel, Hunde, Katzen. Mäuse piepsen nachts auf Höfen, und

f Meine Stadt ist geheimnisvoll. Sie hat Winkel, Ecken, Speicher, Keller. Sie hat Höhlen zum

g Zahnradbahn hat sie auch. Die führt hinauf zum Gipfel, zum Schloss und in den blauen Himmel. Von dort flieg ich, wohin ich will …

1 Wortschatz

1 Schlagen Sie folgende Wörter im Wörterbuch nach. Wie lauten sie auf Englisch?

Spatz Brunnen Winkel Höhle Zahnradbahn Gipfel

2 Wie lautet der Singular der folgenden Wörter:

Türme Gänge Äpfeln Decken Mäuse Höfen

2 Textwirrwarr

Dieser Text ist durcheinander geraten. Lesen Sie die Teile und bringen Sie sie in die richtige Reihenfolge. Der erste und der letzte Teil sind am richtigen Platz.

B))) **Meine Stadt**

3 Hörverständnis **B**)))

Hören Sie den Text. Vergleichen Sie diesen mit Ihrer Textversion aus Aufgabe 2.

1 Haben Sie die Textteile richtig angeordnet?

2 Was meinen Sie: Ist dies ein Prosatext oder ein Gedicht?

4 Kreative Sprache

1 Lesen Sie laut vor: „Mäuse *piepsen*" und „Brunnen *plätschern*". Wie klingen diese Verben? Ohne Wörterbuch: Wie würden Sie sie ins Englische übersetzen?

2 Die Worte „lichtumwoben" und „schattendunkel" werden Sie nicht im Wörterbuch finden! Wie würden Sie sie sinngemäß übersetzen?

5 Bilder aus der deutschsprachigen Welt

Schauen Sie sich die Bilder auf diesen beiden Seiten an. Wie ist es wohl, dort aufzuwachsen? Suchen Sie fünf Adjektive, die das Leben an diesen Orten beschreiben.

6 Kreatives Schreiben

Schreiben Sie über Ihre Stadt / Ihr Dorf oder einen anderen Ort, den Sie kennen. Wählen Sie unter folgenden Möglichkeiten eine aus:

- ein Prosatext
- ein Gedicht
- ein Akrostichon für „Heimat" oder „Fremde"

Pinnwand

2 Freizeit und Sport:

Kiel und die Ostseeküste

Die Ostsee
Kiel

Die Ostseeküste als Urlaubsgebiet

Sport und Sportler/innen

Das Wetter und die Notdienste

Sommertage in Kiel

1 Suchen Sie im Kästchen die beste Überschrift für jedes Foto.

2 Sehen Sie sich die Fotos an: Was wissen Sie jetzt schon über Kiel?

- Brandstifter macht Fluchtversuch
- Regatta an der Förde
- Sonnenanbeter in jeder Größe
- Verkehrsstau auf See
- Straßenkunst an der Spiellinie
- Aua, das brennt!
- Sonnentag am Strand
- Kiel – ganz schön kalt!
- Zugefrorene Ostsee

A

Freizeit in Kiel

Ob alt oder jung, laut oder leise, satt oder hungrig, dünn oder dick, die Stadt an der Förde bietet für alle die geeigneten Möglichkeiten zur Freizeitgestaltung.

Speziell im Sommer laden die Strände der Kieler Bucht zu Sonnenbädern ein, aber auch die Wälder und Seen der Umgebung geben uns mit ausgedehnten Wander- und Radwegen die Gelegenheit, etwas frische Luft und Ruhe außerhalb der Hektik der Stadt zu genießen.

Für die ganz kleinen Kielerinnen und Kieler gibt es im Stadtgebiet zahlreiche Spielplätze, wo sie sich so richtig austoben können.

1 Was und wann?

Was wird hier erwähnt und in welcher Reihenfolge?

Strand	☐	Kultur	☐
Nachtleben	☐	Wandern	☐
Kinder	☐	Landschaft	☐
Radfahren	☐	Segeln	☐

2 Gegensätze

Im ersten Satz finden Sie einige Adjektivpaare mit gegensätzlicher Bedeutung. Können Sie das Muster mit anderen Paaren fortführen? Finden Sie so viele Paare wie möglich:

Ob alt oder jung, laut oder leise, satt oder hungrig, dünn oder dick, arm oder …

B

DIE KIELER WOCHE: Sport- und Festwoche

Keine Woche ist wie diese: Die Kieler Woche vereint das größte Segelsportereignis der Welt und das größte Sommerfest im Norden Europas. Ende Juni jeden Jahres wird das neuntägige Fest mit Gästen aus rund 70 Nationen gefeiert.

Wohin man schaut: fröhliche Gesichter. Von der Eröffnung auf dem Rathausplatz bis zum Abschlussfeuerwerk über der Kieler Förde erklingt Musik. Überall treten Straßentheater, Gaukler, Spielmannszüge und Folkloregruppen auf. Kinder spielen und lachen. Beim „Holstenbummel" zur Eröffnung wird die gesamte Innenstadt zur Partyfläche. Auf der „Spiellinie" an der Förde können Kinder kreativ werden oder toben. Der internationale Markt vor dem Rathaus lockt mit Speisen, Getränken, Kunsthandwerk und Folklore aus mehr als 30 Ländern. Auf großen und kleinen Bühnen wird die Kieler Woche zum Open-Air-Festival mit deutschen und internationalen Stars. Während die meisten Veranstaltungen in der Innenstadt stattfinden, organisieren die Kielerinnen und Kieler in den Stadtteilen Straßenfeste. Die Kieler Woche ist eben das Fest einer ganzen Stadt.

3 Freizeitangebot

Lesen Sie den Text nochmals. Was kann man in Kiel alles unternehmen? Erstellen Sie eine Liste mit Freizeitmöglichkeiten in Kiel und Umgebung. Vergessen Sie nicht: Infinitiv ans Ende!

Beispiele

Man kann …

Jugendliche können …

Denken Sie dran!

INFINITIV ANS ENDE

Nach einem Hilfsverb (z.B. einem Modalverb) setzt man den Infinitiv des Hauptverbs ans Ende:

*Ich **fahre** nach Kiel.*

*Ich **muss** nach Kiel **fahren**.*

*Ich **bleibe** zu Hause, wenn das Wetter schlecht wird.*

*Ich **möchte** zu Hause **bleiben**, wenn das Wetter schlecht wird.*

---

4 Textverständnis

1 Was ist die Kieler Woche?

2 Wann findet sie statt und wie lange dauert sie?

3 Wo können sich Kinder amüsieren?

4 Wo kann man etwas zu essen und zu trinken bekommen?

5 Was gibt es für Musikfreunde?

5 Diskussionsfragen

1 Wie stellen Sie sich einen Urlaub in Kiel vor?

2 Was ist für Sie im Urlaub wichtig?

6 Grüße aus Kiel

Sie besuchen Kiel während der Kieler Woche. Was gibt es zu sehen? Wie gefällt es Ihnen dort? Schreiben Sie einen Brief an eine/n deutsche/n Freund/in.

Urlaubsziel Ostsee

Einstieg

Wie ist ein typischer Strandurlaub an der britischen Küste? Notieren Sie sich zehn Stichwörter. Diskutieren Sie diese dann in der Gruppe: Wie ist es wohl an der Ostseeküste? Anders als an der britischen Küste oder genauso?

Zum Beispiel: Es ist wahrscheinlich kälter/wärmer usw.

A

Geschichte eines Urlaubsgebietes

Das erste deutsche Seebad ist vor über 200 Jahren an der Ostsee entstanden. Teuere Sommerresidenzen wurden für die vornehmen Badegäste gebaut, die an der Ostsee Erholung und frische Luft suchten. Ende des 19. Jahrhunderts gab es schon viele Seebäder an der Ostsee.

Weniger vornehm ging es in der DDR zu: Für die meisten Bürger der „Arbeiter- und Bauernrepublik" bot die Ostsee die einzige Möglichkeit, einen Urlaub an der Küste zu verbringen, deswegen herrschte an ostdeutschen Stränden der Massentourismus.

Heutzutage reisen viele ostdeutsche Touristen lieber anderswohin – für Sonnenanbeter haben Korfu und Mallorca mehr Anziehungskraft als Fehmarn oder Rügen. Trotzdem bleibt die Ostseeküste ein beliebtes Reiseziel für Wassersportler, Naturfreunde und mutige Menschen, die trotz des kalten Ostseewindes lieber „oben und unten ohne" baden: Wie schon zu DDR-Zeiten ist dieses Gebiet nämlich eine Hochburg der FKK-Bewegung.

1 Textverständnis A

1 Welches Bild passt am besten zu welchem Absatz?

2 Machen Sie sich auf Englisch Notizen über die Entwicklung des Tourismus an der Ostsee.

2 Grammatikübung: Kasus A

Suchen Sie im Text mindestens ein Beispiel für diese in der Tabelle (rechts) angeführten Fälle:

1 xi. a (Dativ nach diesen Präpositionen, wenn sie einen Ort anzeigen)

2 iv (Akkusativ immer nach diesen Präpositionen)

3 vii (Genitiv immer nach diesen Präpositionen)

4 ii (Nominativ als Ergänzung)

5 vi (Genitiv, um Besitz/Zugehörigkeit anzuzeigen)

3 Wie war es wohl? B

Vervollständigen Sie den Text mit Adjektiven. (Tipp: Sie suchen nicht unbedingt *die richtige* Lösung, sondern *eine mögliche* Lösung!)

Vergleichen Sie jetzt die verschiedenen Versionen und besprechen Sie diese mit Ihrem Partner / Ihrer Partnerin in der Klasse: Welche Lösungen gefallen Ihnen am besten?

C))) Die Ostsee

4 Richtig getippt? B C)))

Hören Sie jetzt Marion, Jutta und Uschi. Welche Adjektive verwenden sie tatsächlich?

Die Ostsee: Deutsche beschreiben ihre Erfahrungen und Erwartungen

Einen Urlaub an der Ostsee stelle ich mir eigentlich _____ vor. Bestimmt ist es dort landschaftlich auch so _____ wie auf den Nordseeinseln und im Übrigen ist Seeluft ja echt _____. Ich glaube, an der Ostsee ist es etwas _____er, aber trotzdem kann ich mir _____e Tage am Strand und in den Dünen vorstellen, viel Fisch, und wenn's regnet, nach dem Strand-spaziergang einen steifen Grog oder Pharisäer – lecker!

Marion, aus Regensburg

Besonders _____ hat mir die Landschaft mit_____en Sandstränden, Dünen und Kiefernwäldern gefallen. Leider waren auch _____e Moskitos unterwegs, die uns schon etwas die Freude am Baden und Wandern nahmen. Auf unserer Fahrt kamen wir an vielen _____en Fabriken vorbei; in manchen Städten waren ganze Stadtviertel heruntergekommen und grau. Das waren _____e Bilder.

Jutta, aus Trier

Ich würde auf jeden Fall nochmal hinfahren, da ich fast nur _____es dort erlebt habe. _____es Wetter, _____e Strandtage und das erfrischend _____e Meer – was will das Herz mehr? Das einzig _____e ist, dass man auf Hiddensee nicht viel mehr erleben kann. Die Insel ist nicht für _____e oder unter-nehmungsfreudige Leute geeignet, da sie keine Einkaufsmöglichkeiten und kein _____es Nachtleben bietet.

Uschi, aus Mainz

Grammatik: Der Kasus

Es gibt im Deutschen vier Kasus: *Nominativ, Akkusativ, Genitiv* und *Dativ*. In der Tabelle finden Sie die wichtigsten Informationen über ihren Gebrauch.

Kasus		Gebrauch	Beispiele
Nominativ	i	Subjekt eines Verbs	*Herr Schmidt kauft eine Ferienwohnung.* *Große Hotels wurden dort in den 60er Jahren gebaut.*
	ii	*Ergänzung* nach Verben, die kein Objekt, anschließen z.B. *sein, bleiben, heißen, werden*	*Diese Stadt ist ein Ferienort.* *Travemünde ist ein eleganter Ferienort geblieben.*
Akkusativ	iii	Objekt eines Verbs	*Sie bauten dort einen großen Supermarkt.*
	iv	immer nach diesen Präpositionen: *bis, durch, für, gegen, ohne, um*	*Korfu ist toll für Sonnenanbeter.* *Ohne deinen Führerschein kannst du kein Auto mieten.*
	v	nach diesen Präpositionen: *an, auf, entlang, hinter, in, neben, über, unter, vor, zwischen*	
		a wenn sie Bewegung anzeigen	a *Sie stürzte sich ins Wasser.* *Wir joggten die Strandpromenade entlang.*
		b in bestimmten festen Ausdrücken, z.B. *sich freuen auf; sich ärgern über*	b *Ich freue mich schon auf die Ferien.*
Genitiv	vi	nach einem anderen Substantiv, um Besitz/Zugehörigkeit zu zeigen	*Berlin ist die Hauptstadt der BRD.* *Das Dorf liegt an der anderen Seite des Flusses.*
	vii	immer nach diesen Präpositionen: *(an)statt, trotz, während, wegen, beiderseits, diesseits, jenseits, außerhalb, innerhalb, oberhalb, unterhalb, unweit*	*Trotz des schlechten Wetters fanden wir Hiddensee schön.* *Travemünde lag unweit der Grenze zwischen der BRD und der DDR.*
Dativ	viii	Indirektes Objekt eines Verbs, z.B. *geben, zeigen*	*Wir zeigten ihm das berühmte Holstentor von Lübeck.*
	ix	einziges Objekt bestimmter Verben, z.B. *begegnen, danken, folgen, helfen*	*Während der Reise bin ich vielen interessanten Menschen begegnet.*
	x	immer nach diesen Präpositionen: *aus, außer, bei, gegenüber, mit, nach, seit, von, zu*	*Seit dem 18. Jahrhundert gibt es Seebäder an der Ostsee.*
	xi	nach diesen Präpositionen: *an, auf, entlang, hinter, in, neben, über, unter, vor, zwischen*	
		a wenn sie einen Ort anzeigen	a *An der Ostsee kann es ganz schön kalt werden!*
		b in bestimmten festen Ausdrücken, z.B. *teilnehmen an; sich fürchten vor*	b *Viele Boote nahmen an der Regatta teil.*

*U*rlaubsziel Ostsee

Warum fahren so viele deutsche Familien ans Mittelmeer statt an die deutsche Küste?
Vergleichen Sie die Urlaubsmöglichkeiten. Die Ausdrücke im Kästchen helfen Ihnen dabei.

Warum fahren so viele deutsche Familien ans Mittelmeer?		
Deutschland	die Menschen	**Mittelmeerländer**
kälter	die Hotels	wärmer
teurer	das Essen	billiger
windiger	das Wetter	sonniger
unfreundlicher	die Strände	freundlicher
schlechter	das Meer	besser
weniger interessant	die Landschaft	exotischer

A

Netsite	http://www.all-in-all.com/

Die Ostseeküste in Mecklenburg-Vorpommern

A Die bizarre Küstenlinie weist ebenso Steilküsten wie wald- und dünengesäumte feinsandige Strände auf. Das *Baden* ist zu allen Zeiten gefahrlos möglich.

B Die Hansestädte *Greifswald, Rostock, Wismar* und *Stralsund* blicken auf eine reiche Tradition zurück und bieten ihren Besuchern viel Sehenswertes.

C Um die Jahrhundertwende entstanden an der Ostseeküste zahlreiche Seebäder. Das älteste deutsche Seebad in *Heiligendamm* war schon vor über 200 Jahren exklusiver Sommeraufenthaltsort.

D Die meisten Orte sind stolz auf ihre wiedererrichteten *Seebrücken*, die zum Teil mehr als 100 Meter hinausführen und als Schiffsanleger oder Promenade dienen.

E Die Ostseeküste bietet allen Erholungssuchenden *vielfältige Möglichkeiten* des aktiven und entspannenden Urlaubs – im Hochsommer, an stürmischen Herbsttagen, aber auch im Winter und im Frühjahr begeistert diese Landschaft jeden Naturfreund.

---

1 **Stichwörter**

Hier sind Stichwörter für die Abschnitte des Textes. Ordnen Sie sie zu.

1 die Geschichte
2 die Küste
3 Naturgebiet-Ostseeküste
4 die Seebrücken
5 die Städte

2 **Werbekampagne**

Was vermissen Sie in diesem Text? Was sind die Gründe für einen Urlaub an der Ostsee?

Wofür interessieren sich jüngere Touristen? Denken Sie an die Freizeitmöglichkeiten des Gebietes. Entwickeln Sie Ideen für eine neue Werbekampagne, die auf Jugendliche ausgerichtet ist.

B))) Uns ist es lieber wärmer!

3 Warum wohl? B)))

Leider kommen heutzutage weniger Touristen als zuvor in die Ostseebadeorte. Hier besprechen einige Familien, warum sie lieber woanders ihren Urlaub verbringen. Können Sie im Voraus erraten, warum sie dieses Jahr nicht nach Stralsund kommen?

1 Carla aus München

2 Familie Henk aus Frankfurt am Main

3 Horst aus Leipzig

4 Silke, Heinz und Jan aus Berlin

5 Markus und seine Familie aus Ludwigshafen

a  *das Wetter*

b  *möchte etwas Neues sehen*

c *die Kosten*

d  *das Essen*

e *die Entfernung*

4 Das ist hier die Frage ...

Hier sind einige Antworten zum Text „Urlauber bleiben aus". Wie lauten wohl die Fragen? (Tipp: Die Wörter im Kästchen werden Ihnen helfen.)

1 Nein. Nur ein paar davon werden benutzt.

2 Nein. Im Gegenteil: Es ist herrlich, aber es fehlen trotzdem Urlauber.

3 Weil sie zu jeder Jahreszeit reisen können. Familien sind auf die Schulferienzeit beschränkt.

4 Es bietet zahlreiche Hotels und einen schönen sandigen Strand.

5 Das bedeutet, Urlauber können zu sehr niedrigen Preisen ins Ausland fahren.

6 Es kommen dann hauptsächlich junge Hamburger.

> Dumping-Angebote
> Rentner
> Strandkörbe
> Timmendorf
> Wetter
> Wochenende

C

Urlauber bleiben aus

Timmendorfer Strand – Die 4000 Strandkörbe sind mit Holzgittern verriegelt. Nur vereinzelt lugt ein Rentnerpaar aus einem der besetzten Körbe hervor und blinzelt vergnügt in die Sonne. Strahlend blauer Himmel, kreischende Möwen, das rauschende Meer und Temperaturen um 22 Grad – ein wunderschöner Tag im Mai. „Wir haben zur Zeit nur 30 Prozent Auslastung, und davon sind 80 Prozent Rentner", klagt Timmendorfs Kurdirektor Volker Popp.

Dabei ist das Seebad an der schleswig-holsteinischen Ostseeküste schon seit Ostern gerüstet für die Tourismussaison: 12 000 Gästebetten stehen bereit, der feine Sandstrand wurde gesäubert. „Der Mai ist zu unbeständig und die Urlauber sind nicht spontan genug", meint Popp. Hinzu kommen Dumping-Angebote aus dem Ausland, die den Vermietern an der Nord- und Ostsee das vorsommerliche Geschäft verderben. Selbst Preissenkungen bis zu 30 Prozent reichten nicht, Urlauber während der Vorsaison anzulocken. Lediglich Tagesgäste nützen das schöne Wetter zu einem Abstecher an die Ostsee. Allein am vergangenen Wochenende tummelten sich rund 20 000 Gäste am Strand, meint Popp. Dabei handele es sich vor allem um junge Hamburger, die nach einer Stunde Fahrzeit frische Meeresluft atmen könnten.

Die Welt

D

Tourismus als Zukunftsindustrie

Beste Entwicklungschancen bietet der Fremdenverkehr. 1992 kamen rund 10 Millionen Besucher nach Mecklenburg-Vorpommern. Das Land unternimmt große Anstrengungen, die touristische Infrastruktur auszubauen. Die verantwortlichen Planer sind indessen darauf bedacht, dass der ständig wachsende Tourismus nicht zur Belastung für Landschaft, Natur und Umwelt wird.

5 Textverständnis

1 Warum ist Tourismus für die Gegend wichtig?

2 Was ist Fremdenverkehr?

3 Was bedeutet „touristische Infrastruktur"?

4 Welche Gefahr besteht für die Umwelt?

5 Wenn Sie die Aufgabe hätten, den Tourismus in dieser Region zu fördern, was würden Sie tun?

Freizeit als Industrie

Sie arbeiten als Assistent/in eines Konferenzveranstalters. Sie schicken 20 Wissenschaftler und Studenten auf einen sechstägigen Kongress nach Rostock. Die Teilnehmer werden zwei freie Tage haben. Das Kongress-Programm steht fest und Sie haben schon 20 Plätze reservieren lassen. Auch die Flugtickets haben Sie bestellt. Was müssen Sie sonst noch alles organisieren? Erstellen Sie eine Liste.

Hinweise: Die Teilnehmer/innen müssen:
- irgendwo schlafen
- irgendwo essen
- Abends irgendwas unternehmen usw.

A

Betrifft: _____ (1) _____	**Datum:** 11.03.200_	**TELEFAX**

An: _____ (2) _____	**Von:** Global Village Conferences
Zu Hd. von:	**Tel. Nr.:** +44 020 7233 0000
Fax Nr.: _____ (3) _____	**Fax Nr.:** +44 020 7233 0000
Seitenzahl: 1	**Gesprächspartner:**

Sehr geehrte _____ (4) _____,

zwanzig Kunden unserer Firma werden am _____ (5) _____, der vom _____ (6) _____ bis zum _____ (7) _____ in_____ (8) _____ stattfindet, teilnehmen. Wir haben bereits Flugtickets und Teilnehmerkarten für den Kongress bestellt.

Wir brauchen Informationen über:
- Hotels und _____ (9) _____
- Restaurants
- _____ (10) _____ u. Cafés
- Kartenvorverkauf für das Stadttheater
- _____ (11) _____ verbindungen
- Rostocker_____ (12) _____ kalender Juni 200_
- _____ (13) _____ in Rostock und Umgebung

Bitte schicken Sie uns außerdem _____ (14) _____. Unsere Adresse ist:

Global Village Conferences plc
Global House
Commercial Street
London EC1 1XX

Ich _____ (15) _____ mich im Voraus für Ihre Hilfe.

Mit _____ (16) _____

[Your signature]

[Your name]

Hanse-Kongress, 12–17 June
Tourismusdienst Rostock, fax
+49 381 499 00 00
Contact name? don't know!
Find out about hotels and guest houses,
restaurants, wine bars and cafés, box
office for Stadttheater, public transport,
interesting events, things to see
Get 22 maps of the city

1 **Lücken-Fax** ▲ **A**

Vervollständigen Sie dieses Fax. Sie finden wichtige Informationen auf dem Zettel.

Geschäftsbriefe

Ein geschäftlicher Brief besteht aus mindestens sieben Elementen:

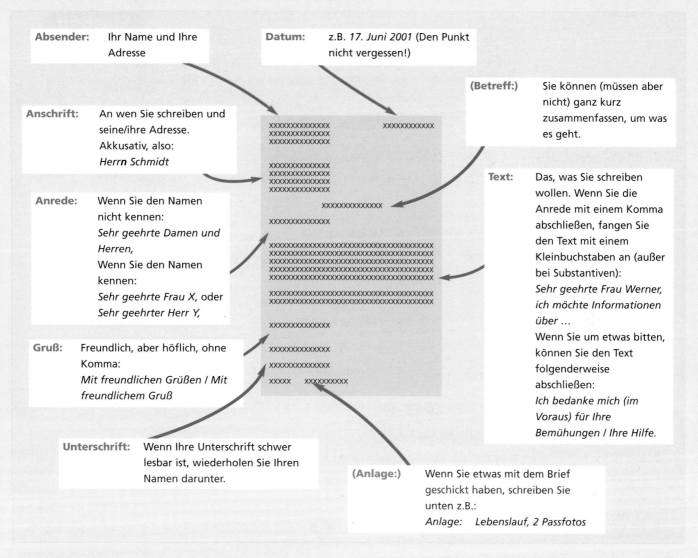

Absender: Ihr Name und Ihre Adresse

Datum: z.B. *17. Juni 2001* (Den Punkt nicht vergessen!)

(Betreff:) Sie können (müssen aber nicht) ganz kurz zusammenfassen, um was es geht.

Anschrift: An wen Sie schreiben und seine/ihre Adresse. Akkusativ, also: *Herrn Schmidt*

Text: Das, was Sie schreiben wollen. Wenn Sie die Anrede mit einem Komma abschließen, fangen Sie den Text mit einem Kleinbuchstaben an (außer bei Substantiven): *Sehr geehrte Frau Werner, ich möchte Informationen über ...* Wenn Sie um etwas bitten, können Sie den Text folgenderweise abschließen: *Ich bedanke mich (im Voraus) für Ihre Bemühungen / Ihre Hilfe.*

Anrede: Wenn Sie den Namen nicht kennen: *Sehr geehrte Damen und Herren,* Wenn Sie den Namen kennen: *Sehr geehrte Frau X*, oder *Sehr geehrter Herr Y,*

Gruß: Freundlich, aber höflich, ohne Komma: *Mit freundlichen Grüßen / Mit freundlichem Gruß*

Unterschrift: Wenn Ihre Unterschrift schwer lesbar ist, wiederholen Sie Ihren Namen darunter.

(Anlage:) Wenn Sie etwas mit dem Brief geschickt haben, schreiben Sie unten z.B.: *Anlage: Lebenslauf, 2 Passfotos*

---

2 | Projekt

Sie halten einen Vortrag über Möglichkeiten für die Tourismusindustrie an der Ostsee. Ihre Zuhörer sind Reiseveranstalter und die Chefs verschiedener Reisebüros. Sammeln Sie Informationen über einen dieser Orte:

- die Insel Fehmarn
- Rostock
- die Insel Rügen
- Travemünde/Lübeck

Erklären Sie Ihren Zuhörern, warum es sich lohnt, Reisen in diesen Ort zu veranstalten. Versuchen Sie, sie zu überreden!

Sie können folgende Informationen geben:

- Allgemeine Informationen: geografische Lage, Bevölkerung, Bedeutung für den Tourismus usw.
- Sehenswertes: Baudenkmäler, Landschaft und Natur
- Geschichte
- Veranstaltungen: Festwochen, Messen usw.
- Sport
- Kultur: Museen, Galerien, Theater usw.
- Verkehrsverbindungen: wie man dort hinkommt, öffentliche Verkehrsmittel

Einige mögliche Quellen für Informationen:

- Reiseführer
- Reisebüros
- World Wide Web
- Tourismusverbände und Touristeninformationsbüros

$\mathcal{V}$or der Wende

Stellen Sie sich vor: Sie dürfen nicht nach Teneriffa, Sie dürfen überhaupt nicht ins Ausland reisen. Sie müssen im Land bleiben. Wo werden Sie Ihren Urlaub verbringen? Was werden Sie verpassen?

1 Urlaub in der DDR

Können Sie für jeden Satz (1–7) das richtige Ende (a–g) finden? So erfahren Sie mehr über die Urlaubsmöglichkeiten in der ehemaligen DDR.

1	Die meisten DDR-Bürger durften nicht	a	äußerst wichtig.
2	Deshalb waren die Ostseebadeorte	b	die einzigen Seebadeorte der DDR.
3	Sie waren	c	streng bewacht.
4	Gleichzeitig musste die Ostseeküste	d	eine Doppelrolle spielen.
5	Sie bildete nämlich auch	e	Fluchtversuche.
6	Diese Grenze wurde	f	ins Ausland reisen.
7	Trotzdem gab es	g	die nördliche Grenze der DDR.

2 Richtig oder falsch?

1 DDR-Bürger konnten ihre Urlaubsziele frei wählen.

2 Die Gewerkschaften organisierten die Ferienmöglichkeiten für ihre Mitglieder.

3 Die Tourismusindustrie wurde durch den Feriendienst vertreten.

4 Urlaub in der DDR war für DDR-Bürger sehr teuer.

5 Ferien an der Ostseeküste waren begehrt.

B

Die Wahl des Urlaubszieles lag nicht offen: es hing von der Gewerkschaftsmitgliedschaft der Eltern ab. Deswegen kam man jahrelang an den selben Ort. Der Feriendienst, eine zentrale Einrichtung der Gewerkschaften, war in 421 Erholungsorten vertreten. Etwa 17 000 Mitarbeiter des Feriendienstes bemühten sich um ein hohes Niveau in der Betreuung der Urlauber. Ferienkosten wurden von den Gewerkschaften subventioniert. Familien, die an die Ostseeküste kamen, wurden beneidet, denn die 240 Kilometer lange Küste war das beliebteste Urlaubsgebiet der DDR.

A

Kühlungsborn

Das größte Ostseebad der DDR.

Es entstand 1938 durch den Zusammenschluss dreier Dörfer an der Kühlung.
4km-langer Strand – Meerwasser-Hallenbad – Kleinbahn

C

Tausche für zwei Wochen Wohnung im Spreewald gegen Wohnung an der Ostsee.

3 | Bilderläuterung

Sehen Sie sich das Bild des Strandes genauer an. Wie würden
Sie die Szene beschreiben? Suchen Sie passende Adjektive.
Können Sie sich vorstellen, warum Ferien an der Ostseeküste so
beliebt waren?

Grammatik: Das Perfekt

Was ist das Perfekt?
Das Perfekt ist eine Zeitform, die die Vergangenheit (was
geschehen ist) ausdrückt.

Wie wird es gebildet?
- Das Perfekt besteht aus zwei Teilen:
  Hilfsverb + Partizip
  ich bin gefahren
  ich habe gehört

- Die schwachen Verben bilden das Partizip mit der
  Endung -*t*: *gehört*
- Die meisten starken Verben bilden das Partizip mit
  der Endung -*en*: *gefahren*
- Die starken Verben sollten Sie auswendig lernen.

  ■ Verbliste S.185

Wann verwenden wir *ich bin*, wann verwenden wir *ich habe*?
Das Perfekt mit *ich bin* deutet auf einen Wechsel hin:

Ort A ➤ Ort B	*Ich bin nach Kiel gefahren.*
	Ich bin ins Kino gegangen.
Zustand A ➤ Zustand B	*Ich bin um 7 Uhr aufgestanden.*
	Es ist kalt geworden.
+ sein:	*Ich bin in Rostock gewesen.*
+ bleiben:	*Ich bin zu Hause geblieben.*

Alle anderen Verben bilden das Perfekt mit *ich habe*.

Wozu braucht man das Perfekt?
Für kurze persönliche Berichte in der Vergangenheit,
gesprochen und geschrieben, in denen das Vergangene
noch sehr lebendig ist.
Aber für die folgenden Verben benutzt man häufiger das
Imperfekt:

haben – ich hatte   sein – ich war   können – ich konnte
dürfen – ich durfte   müssen – ich musste

■ Grammatik zum Nachschlagen, S.180

Vor der Wende

---

1 | **Partizip Perfekt – starke Verben**

Bei den meisten starken Verben findet ein Vokalwechsel zwischen Infinitiv und Partizip Perfekt statt.

Beispiel

bleiben ➤ geblieben

EI ➤ IE

Hier sind 18 Paare: Infinitiv + Partizip Perfekt. Teilen Sie sie in sieben Gruppen auf – je nachdem, wie die Vokale wechseln.

werden ➤ geworden   sehen ➤ gesehen   ziehen ➤ gezogen   finden ➤ gefunden

bleiben ➤ geblieben

lesen ➤ gelesen   schreiben ➤ geschrieben

fahren ➤ gefahren   stehen ➤ gestanden

tragen ➤ getragen

schlafen ➤ geschlafen   fliegen ➤ geflogen   steigen ➤ gestiegen

gehen ➤ gegangen   singen ➤ gesungen   sprechen ➤ gesprochen

helfen ➤ geholfen   schließen ➤ geschlossen

Können Sie weitere Beispiele finden? Verwenden Sie die Verbliste auf Seite 185 oder ein Wörterbuch.

A))) **Kindheit am Meer**

---

2 | **Hörtext-Lückentext**   **A**)))

Hören Sie die Aufnahme. Vervollständigen Sie den Text mit den richtigen Formen von „sein" oder „haben".

Ich ____(1)____ als Kind oft an die Ostseeküste gefahren. Ich ____(2)____ die Landschaft sehr schön gefunden, aber das Wetter war nicht immer so schön. Ich ____(3)____ oft im Meer geschwommen. Das ____(4)____ ich am meisten genossen, aber mir ____(5)____ immer so kalt geworden, dass ich schnell raus musste. Am Strand ____(6)____ ich Eis gegessen, Fußball gespielt; außerdem ____(7)____ ich in der Sonne gelegen. Geritten ____(8)____ ich selten, dafür aber ____(9)____ ich Rad gefahren. Ich ____(10)____ mich immer gefreut, nach Usedom zu fahren. Ich ____(11)____ auf die Seebrücke gestiegen. Dort ____(12)____ ich gesessen und auf den Horizont geblickt. Ich ____(13)____ von fremden Ländern geträumt und Reisen im Kopf geplant. Am Ende der Woche musste ich wieder nach Hause, aber die Erinnerungen sind mir noch geblieben.

---

3 | **Textverständnis**   **B**

1 Wo war die Familie?

2 Wann war sie da?

3 Was hat sie nicht erwartet?

4 Was hat sie vorgehabt?

5 Warum war das dann nicht möglich?

6 Finden Sie Wörter, die (a) die Küste und (b) die Grenze beschreiben.

4 Vom Infinitiv zum Perfekt

Bilden Sie Sätze im Perfekt. Achten Sie auf starke Verben und Verben mit *sein*.

1 einen interessanten Bericht lesen

2 1987 einen Fluchtversuch machen

3 nach Wustrow fahren

4 ein Segelboot stehlen

5 24 Stunden auf See verbringen

6 seekrank werden

7 den Versuch aufgeben

8 die Grenzwache sehen

9 sich ins eiskalte Meer stürzen

10 ins Gefängnis kommen

5 Kurz berichten!

Entweder:

Wo haben Sie als Kind die Ferien verbracht? Haben Sie gute oder schlechte Erinnerungen? Was hat Sie am meisten beeindruckt? Was hat Ihnen am besten gefallen? Was ist geschehen? Können Sie einen ähnlichen Bericht schreiben? Denken Sie daran, das Perfekt (oder das Imperfekt) zu benutzen.

Oder:

Entwerfen Sie eine Umfrage mit Mehrfachantworten über das Thema Urlaub.

Beispiel

Sind Sie mit Ihren Eltern in den Urlaub gefahren?

☐	**immer**
☐	**nur wenn ich es nicht vermeiden konnte**
☐	**nie**
☐	**nicht sehr oft, aber gerne**

Ⓑ

Republikflucht!

Tina Österreich hat geplant, mit ihrer Familie die DDR zu verlassen. Sie wurde an der Ostseeküste verhaftet, bevor sie flüchten konnte. Sie hat 15 Monate wegen »Republikflucht« im Gefängnis verbracht, bevor sie und ihre Familie von der Bundesrepublik freigekauft worden sind. Hier erzählt sie von der Küste.

》》 *Wir stehen Arm in Arm hinter der Düne, vor uns der schmale Durchgang zum Strand. Rechts und links von uns hohes Gras und Strandhafer, hinter uns Wald. Was wir vor uns sehen, erschreckt uns. Das hatten wir nicht erwartet. Auf See draußen fünf Schiffe des Küstenschutzes, die ihre Scheinwerfer in regelmäßigen Abständen über die gesamte Wasserfläche gleiten lassen. Von Land das gleiche Spiel, hier wird das Ableuchten von einem Wachturm besorgt. Die See liegt vor uns wie ein Spiegel. Ebenso taghell ist der Strand. Unmöglich! Also werden wir unseren Urlaub in aller Ruhe zu Ende führen, wieder nach Hause fahren, und dann wird man weitersehen.* 《《

Kultur SPOT

Thomas Mann und seine Familie

Buddenbrookhaus – Heinrich-und-Thomas-Mann-Zentrum, Kulturstiftung Hansestadt Lübeck

Das Buddenbrookhaus in Lübeck gehörte der Familie von Heinrich und Thomas Mann, zwei der bedeutendsten Schriftsteller des 20. Jahrhunderts, die 1871 und 1875 in Lübeck geboren wurden. Es erhielt durch Thomas Manns nobelpreisgekrönten Roman *Buddenbrooks* seinen Namen.

Heutzutage kann man im Haus eine Ausstellung zu Leben und Werk von Heinrich und Thomas Mann besuchen und auch Sonderausstellungen, Lesungen und Filmvorführungen.

DIE FAMILIE MANN

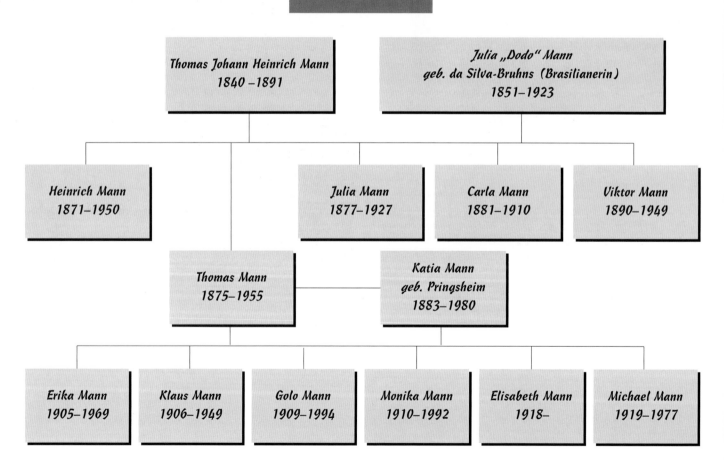

Buddenbrooks

(Thomas Mann, 1901, dritter Teil, 15. Kapitel)

»Thomas Buddenbrook ging die Mengstraße hinunter bis zum Fünfhausen. Er vermied es, oben herum durch die Breite Straße zu gehen, um nicht der vielen Bekannten wegen beständig den Hut in der Hand tragen zu müssen. Beide Hände in den weiten Taschen seines warmen, dunkelgrauen Kragenmantels schritt er ziemlich in sich gekehrt über den hartgefrorenen, kristallisch aufblitzenden Schnee, der unter seinen Stiefeln knarrte. Er ging seinen eigenen Weg, von dem niemand wusste … Der Himmel leuchtete hell, blau und kalt; es war eine frische, herbe, würzige Luft, ein windstilles, hartes, klares und reinliches Wetter von fünf Grad Frost, ein Februartag sondergleichen.«

Marlene Dietrich, *Der blaue Engel*, 1930, Verfilmung des Romans *Professor Unrat*, Heinrich Mann, 1905

Tonio Kröger

(Thomas Mann, 1903, 1. Kapitel)

»Der Springbrunnen, der alte Walnussbaum, seine Geige und in der Ferne das Meer, die Ostsee, deren sommerliche Träume er in den Ferien belauschen durfte, diese Dinge waren es, die er liebte, mit denen er sich gleichsam umstellte und zwischen denen sich sein inneres Leben abspielte.«

Dirk Bogarde, *Death in Venice*, 1971, Verfilmung des Roman *Der Tod in Venedig*, Thomas Mann, 1912

Sportnation Deutschland?

Einstieg

Wie beurteilen Sie diese Freizeitaktivitäten? Ordnen Sie jeder Aktivität ein Adjektiv zu.

Wandern   Skilauf
    Lesen   Computerspiele
Internet   Fußball   Fernsehen
    Briefmarken sammeln   Schwimmen
        Yoga

gefährlich   anstrengend
                        gesund
    langweilig   sinnlos
    spannend   interessant
            lustig
    unterhaltsam   entspannend
        teuer   ungesund

A

Deutsche entspannen sich in ihrer Freizeit

Freizeit-Favoriten Auf die Frage, was sie in ihrer Freizeit besonders gern tun, antworteten soviel Prozent der Deutschen:

Aktivität	Prozent
Musik hören	42
Fernsehen	34
Tageszeitungen lesen	33
Essen gehen	29
mit Freunden zusammensein	23
Auto fahren	20
Zeitschriften lesen	20
Bücher lesen	20
Rad fahren	16
Gartenarbeit	13
Video-Filme sehen	12
Ausgehen	12
Sport treiben	12
Wandern	10
Stammtisch	10

Quelle: Verbraucher-Analyse 95/iwd

imo **Berlin** – Die Deutschen wollen sich in ihrer freien Zeit entspannen. Nervenaufreibende Tätigkeiten sind nicht angesagt. Das ist das Ergebnis einer Studie des Instituts der deutschen Wirtschaft in Köln. Bei den Freizeitaktivitäten der Bundesbürger steht das Musikhören am höchsten im Kurs. 42 Prozent der Deutschen schalten nach der Arbeit am liebsten Plattenspieler oder Kassettenrekorder ein.

Fernsehen und Lesen sind ebenfalls sehr beliebt. Außerdem gehen die Deutschen gerne aus, feiern Partys und jeder zehnte besucht einen Stammtisch. Allerdings: 35 Prozent nehmen auch mal Arbeit aus dem Büro mit nach Hause. Die berüchtigte deutsche Sammelleidenschaft ist dagegen die Ausnahme. Noch nicht einmal 3 Prozent setzen sich vor ihre Briefmarken-, Münz- oder Insektensammlung.

Die Welt

1 Textverständnis ▲

Was ist richtig? Was ist falsch? Was steht nicht im Text?

1 Die meisten Deutschen ziehen anstrengende Freizeitaktivitäten vor.

2 Musik hören ist beliebter als Zeitung lesen.

3 Die Deutschen fahren lieber Rad als Auto.

4 Die Deutschen sehen sich lieber Videos an, statt ins Kino zu gehen.

5 Zeitschriften lesen ist gleich beliebt wie Bücher lesen.

6 Wandern ist gleich beliebt wie Gartenarbeit.

7 Die Deutschen sind leidenschaftliche Sammler.

8 Sechsundfünfzig Prozent aller Deutschen nehmen niemals Arbeit mit nach Hause.

2 Ihre Meinung

1 Finden Sie einige Ergebnisse der Umfrage überraschend? Besorgnis erregend?

2 Die Umfrage fand 1995 statt. Würde man heute zu anderen Ergebnissen gelangen? Das heißt: Gibt es neue Freizeittrends, die hier nicht erwähnt werden? Welche?

C))) Freizeit

4 Sportlich, sportlich! C)))

Hören Sie zu: Drei Deutsche beschreiben, wie sie sich in ihrer Freizeit entspannen. Welche Aktivitäten macht jede(r) von ihnen? Erstellen Sie eine Liste.

Hören Sie noch einmal zu. Wie beurteilen Sie die Sprecher? Kreuzen Sie an.

	Sprecher		
	1	2	3
Sehr sportlich			
Ziemlich sportlich			
Nicht sehr sportlich			
Überhaupt nicht sportlich			
Sehr kreativ			
Ziemlich kreativ			
Nicht sehr kreativ			
Überhaupt nicht kreativ			

3 Was sind die Unterschiede?

In diesem Land würde eine solche Umfrage wahrscheinlich andere Ergebnisse erzielen. Aber welche? Beschreiben Sie die Unterschiede. Je nachdem, wie sicher Sie sich sind, können Sie die Ausdrücke „bestimmt", „wahrscheinlich" oder „vielleicht" benutzen:

Beispiele

Hier ist der Ski-Langlauf bestimmt weniger beliebt als in Deutschland.

Hier ist das Segeln vielleicht beliebter als in Deutschland.

Denken Sie dran!

STEIGERUNGSFORMEN

Positiv: Zeitschriften sind beliebt.
Komparativ: Bücher sind beliebter (als Zeitschriften).
Superlativ: Zeitungen sind am beliebtesten.

Gartenarbeit ist wenig beliebt.
Sport ist weniger beliebt (als Gartenarbeit).
Wandern ist am wenigsten beliebt.

Achtung! Einige Steigerungsformen sind unregelmäßig, z.B.:

gern ➤ lieber ➤ am liebsten
gut ➤ besser ➤ am besten

Positiv: Volleyball spiele ich gern.
Komparativ: Tennis spiele ich lieber.
Superlativ: Fußball spiele ich am liebsten.

Stefanie spielt gut.
Anna spielt besser.
Inge spielt am besten.

Vergessen Sie nicht, dass gesteigerte Adjektive vor dem Substantiv auch entsprechende Adjektivendungen brauchen:

Positiv: der beliebte Film
Komparativ: der beliebtere Film
Superlativ: der beliebteste Film

Grammatik zum Nachschlagen, S.172

Doping – gehört es einfach dazu?

DOPING SKANDAL BEI TOUR DE FRANCE!

DIE SCHLUCKEN ALLE!

BODYBUILDER TOTGEDOPT!

Ist die Lage, was Doping betrifft, wirklich so schlimm, wie es in solchen Schlagzeilen erscheint?

Bei welchen Sportarten tritt das Problem vor allem auf?

Warum wird überhaupt gedopt? Unter welchem Druck stehen Spitzensportler?

A

A

Neuer Doping-Skandal um chinesische Schwimmer: Wieder Ampullen gefunden

SYDNEY/PERTH (DPA) – Drei Tage nach Ende der Schwimmweltmeisterschaft erschüttert ein neuer Doping-Skandal den Schwimmsport: Die Polizei in der WM-Stadt Perth gab am Mittwoch bekannt, dass sie bei einer Routine-Untersuchung des Motels des chinesischen Teams 27 Ampullen mit einer noch unbekannten Flüssigkeit gefunden habe.

Rhein-Zeitung

B

Erste Schuldsprüche wegen Dopings in der DDR

Berlin (REUTERS) – Nach jahrelangen Ermittlungen sind am Donnerstag ehemalige Verantwortliche des DDR-Sports wegen systematischen Dopings verurteilt worden. Das Berliner Landgericht verhängte gegen zwei Ärzte und einen Schwimmtrainer des Sportvereins TSC Berlin Geldstrafen zwischen 7000 und 27 000 Mark. »Die Ärzte und Trainer waren in ein System der staatlich angeordneten Kriminalität eingebunden«, zählte der Richter auf. Andererseits hätten die Angeklagten gewusst, dass die an insgesamt elf Sportlerinnen ausgegebenen Anabolika-Pillen schädliche Nebenwirkungen haben konnten. Sie hätten das Vertrauen der Mädchen missbraucht.

C

Drogen ein Teil des Geschäfts
Radfahrer Zülle: Doping war meine Entscheidung

DIE WELT, Zürich – Der Schweizer Alex Zülle hat zugegeben, dass die Einnahme von Dopingmitteln unter ärztlicher Aufsicht seine persönliche Entscheidung war. Dies erklärte der 31 Jahre alte Radprofi vom Rennstall Festina in einem Fernsehinterview. Die Einnahme verbotener Mittel sei ihm nicht mit Druck aufgezwungen worden. Er entschuldigte sich: Es tut mir Leid für meine Fans, die ich enttäuscht habe.

Allerdings ist Drogenkonsum im Profi-Radsport ein „Teil des Geschäfts", sagte Zülle der Schweizer Tageszeitung „Blick". „Sie gaben mir Injektionen mit EPO. Ich habe mich gefragt, warum nehme ich überhaupt Drogen? Ich konnte keine logische Antwort finden. Warum? Es ist ein Teil des Geschäfts."

Die Welt

1 Presseberichte

Lesen Sie die drei Presseberichte über Dopingfälle und ordnen Sie die folgenden Sätze dem richtigen Bericht zu. (Tipp: Zwei Sätze passen zu keinem Bericht.)

Beispiel

1a.

1 Man weiß nicht, um welche Droge es sich handelt.

2 Zu DDR-Zeiten war Doping von Leistungssportlern weit verbreitet.

3 Die Athleten bekommen immer harte Geldstrafen dafür.

4 Es ist natürlich für die Fans eine Enttäuschung.

5 Leistungssteigernde Drogen können schädliche Nebenwirkungen haben.

6 Sportler müssen regelmäßig auf Drogen getestet werden.

7 Die Unterkunft der Sportler wird regelmäßig untersucht.

8 Verbotene Mittel werden den Sportlern nicht immer mit Druck aufgezwungen.

B))) Doping-Affäre

2 Hörverständnis

Hören Sie sich die Radionachrichten zur Tour de France an. Beantworten Sie dann die folgenden Fragen.

1 Welchen Preis hat der belgische Radprofi Tom Steels gewonnen?

2 Warum gab es eine Verspätung?

3 Mit welcher Verspätung sind die Fahrer gestartet?

4 Wogegen protestierten die Fahrer?

5 Welche Teams wurden des Dopings verdächtigt?

3 Resolution

Benutzen Sie diese Wörter, um die Resolution zu vervollständigen:

Gesundheitsgefährdung   Forderungen   Schwimmen   Anti-Doping-Plan   sportbegeisterte   Sportverein   Dopingmitteln   Interesse

C

Resolution für einen dopingfreien Sport
Eine Initiative der Deutschen Leichtathletik-Mailingliste

Wie die jüngste Vergangenheit mit Dopingfällen im Radsport, im _____(1)_____ und in der Leichtathletik erneut gezeigt hat, leidet der Spitzensport noch immer sehr stark unter dem Missbrauch von _____(2)_____. Wir befürchten, dass der Sport dadurch seiner Glaubwürdigkeit und insbesondere seiner Vorbildfunktion für _____(3)_____ Kinder und Jugendliche beraubt wird. Es ist anzunehmen, dass Eltern ihre Kinder nicht mehr in einen _____(4)_____ schicken werden, wenn sie weiterhin mit der traurigen Realität von medikamentöser Leistungssteigerung und der damit verbundenen _____(5)_____ konfrontiert werden.

Doping muss wirkungsvoll bekämpft werden. Es darf keine Kapitulation des Sports geben. Helfen Sie daher im _____(6)_____ eines sauberen Sports durch Ihre Unterschrift die folgenden _____(7)_____ durchzusetzen:

1. Alle Dopingfälle müssen lückenlos und schnell aufgeklärt werden.

2. Das Internationale Olympische Komitee (IOC) hat einen _____(8)_____ aufzustellen.

3. In Deutschland haben das Nationale Olympische Komitee und der Deutsche Sportbund den Anti-Doping-Plan zu kontrollieren.

4 Was tun?

Hat es in letzter Zeit Dopingfälle gegeben? Wie verbreitet ist das Problem?

• Was kann man gegen das Doping machen?

• Wer sollte bestraft werden?

• Wie streng sollten die Strafen sein?

*P*rofil eines Sportlers

Sie bereiten ein Interview mit einem berühmten Sportler / einer berühmten Sportlerin vor. Was möchten Sie über ihn/sie wissen? Stellen Sie eine Liste von Fragen auf. Was ist wichtig? Interessant?

Vergleichen Sie die Listen in der Klasse.

1 **Steckbrief**

Name:	Jan Ullrich
Geburtstag:	2. Dezember 1973
Geburtsort:	Rostock
Familienstand:	ledig
Größe:	183 cm
Gewicht:	73 kg
Wohnort:	Merdingen

Tragen Sie der Klasse auf Deutsch alles, was Sie über Jan Ullrich aus dem Steckbrief wissen, in maximal zwei Sätzen vor.

Wählen Sie einen Sportler / eine Sportlerin, der/die Sie interessiert und fertigen Sie einen ähnlichen Steckbrief an.

A

Jan Ullrich, was sagst du zu ...?

Sieg:	Lohn für harte Trainingsarbeit
Niederlage:	Ansatzpunkt zum Lernen
Familie:	Gibt mir Halt und Unterstützung
Freunde:	Schwierig, in meinem Beruf zu finden
Ehe:	Für mich – noch – kein Thema
Beruf:	Radprofi ist für mich derzeit mein Idealberuf
Leben:	Ein Geschenk
Vertrauen:	Basis für jede Freundschaft
Zukunft:	Herausforderung
Prioritäten:	Derzeit Radsport

Denken Sie dran!

WORTSTELLUNG: *WANN? WIE? WO?*

Bei Adverbien ist die normale Reihenfolge

wann?–wie?–wo?:

Dieser Verteidiger hat den Ball **letzte Woche dummerweise vorm Tor** *verloren.*

Wann?	Wie?	Wo?

Aber *zur besonderen Betonung* darf man die Reihenfolge ändern:

Dummerweise *hat dieser Verteidiger den Ball* **letzte Woche vorm Tor** *verloren.*

■ Grammatik zum Nachschlagen, S.174

---

2 **Jan Ullrich über sich**

Bilden Sie Sätze, um Jan Ullrichs Meinung zu diesen Themen wiederzugeben.

Beispiele

Für Jan Ullrich ist die Ehe noch kein Thema.
Er findet es schwierig, ...

3 **Partnerarbeit**

Folgen Sie den Anweisungen Ihres Lehrers.

C))) Jan Ullrich

4 **Hörverständnis**

Hören Sie sich den kurzen Lebenslauf von Jan Ullrich an und versuchen Sie, den Text zu vervollständigen. (Tipp: Die anderen Texte helfen auch!)

Als erster deutscher Tour de France _____(1)_____ war der junge Athlet Jan Ullrich nicht nur unter den _____(2)_____ in Deutschland _____(3)_____, sondern in der ganzen Welt. _____(4)_____ in aller Welt sehen in ihm einen neuen Ausnahmeathleten. Ullrich ist 1973 in Rostock, damals DDR, _____(5)_____. Zehn Jahre später machte er die ersten _____(6)_____ Schritte beim Team Dynamo Rostock und dann hat er die Jugendsportschule von Dynamo Berlin _____(7)_____. Sein erster wichtiger Sieg war als DDR-_____(8)_____, 1988. Bereits _____(9)_____ ist er zweitjüngster Amateur-Weltmeister in Oslo _____(10)_____. Seit 1995 ist er Profi beim Team Telekom. Nachdem er 1997 bei der Tour de France _____(11)_____ hat, wurde er auch _____(12)_____ des Jahres in Deutschland. Jetzt wohnt Ullrich mit seiner Freundin Gaby Weiß im Schwarzwald. Seine _____(13)_____ ist immer noch Radsport und für ihn ist die Zukunft „eine _____(14)_____ ".

Jan Ullrich: Stationen einer Karriere B

1983	Erste Radsport-Schritte bei Dynamo Rostock
1987	Delegierung an die Jugendsportschule zum SC Dynamo Berlin
1988	DDR-Jugendmeister Straße
1990	DDR-Jugendmeister Punktefahren
1991	Deutscher Junioren-Meister Punktefahren
1993	Gewinn Bundesliga-Rennen in Bonn
	5. Platz Deutsche Meisterschaft Straße in Denzlingen
	Weltmeister Straßen-Einzel in Oslo
	Weltcup Gewinner der Amateure
1994	Gewinn der Bundesliga-Rennen in Magdeburg und Frankfurt
	Deutscher Vizemeister Einzelzeitfahren und Bergfahren
1995	Profi beim Bonner Team Telekom
	Deutscher Meister Einzelzeitfahren in Forst
1996	Deutscher Vizemeister Straßen–Einzel in Metzingen
	2. Tour de France / ein Etappensieg
1997	Deutscher Meister Straßen-Einzel in Bonn
	Gesamtsieg Tour de France

---

5 **Projekt**

Machen Sie sich Notizen für das Profil „Ihres" Sportlers / „Ihrer" Sportlerin.

Nehmen Sie Ihren Bericht auf Kassette auf.

*G*egen den Wind

Einstieg

Was fällt Ihnen zu diesem Bild ein? Schreiben Sie Ihre Gedanken auf. Es können einzelne Wörter, Redewendungen oder ganze Sätze sein. Diskutieren Sie dann: Was halten Sie vom Windsurfen? Haben Sie es mal ausprobiert? Würden Sie es ausprobieren?

1 **Ein faszinierender Sport!**

Wie drückt Dirk seine Begeisterung für seine Lieblingssportart aus? Suchen Sie die entsprechenden Ausdrücke im Text.

Beispiel

ein faszinierender Sport!

2 **Sprachregister** A

Welche dieser Ausdrücke könnte man als umgangssprachlich bezeichnen?

1 Hallo Leute	5 Portemonnaie
2 ausübe	6 hoppla
3 einfach geil	7 richtig losgehen
4 herauskitzeln	8 alle Kosten und Mühen

A

Windsurfen – ein faszinierender Sport!

Hallo Leute! Ich möchte euch jetzt etwas über den Sport erzählen, den ich bereits seit 16 Jahren ausübe.

Man kann eigentlich nicht das Gefühl beschreiben, das man hat, wenn man in voller Gleitfahrt auf dem Board steht, aber ich kann euch sagen, es ist einfach geil. Mit den heute auf dem Markt angebotenen Brettern lässt sich bei einigem Fahrkönnen eine Geschwindigkeit herauskitzeln, die schon manchmal beängstigend wird, so um die 50 km/h sind da normal. Das Schöne, wenn man stürzt: Wasser hat keine Balken, also die Verletzungsgefahr ist sehr niedrig. Aber bevor ein Anfänger in diese Bereiche kommt, dauert's dann doch noch etwas. Bevor man sich entschließt, mit dem Windsurfen anzufangen, sollte man noch einen Blick ins Portemonnaie werfen, denn ganz billig ist dieser Sport nicht.

Folgende Kosten kommen auf euch zu:
Board komplett mit Segel, Mast, Gabelbaum ca. 1500 DM
Neoprenanzug ca. 200–300 DM
Schuhe ca. 50 DM
Dachgepäckträger ca. 200 DM
Macht zusammen also rund 2000 DM (Naja, es gibt teurere Sportarten – auf lange Sicht).
Jetzt haben wir unser Zubehör, fahren zum See und, hoppla, wir können ja noch gar nicht surfen. Kommen noch mal ca. 200 DM für einen Surfkurs dazu. Danach kann es dann aber richtig losgehen. Natürlich fällt man zu Anfang oft ins Wasser, aber davon solltet ihr euch nicht abschrecken lassen. Alles, was man neu lernt, geht am Anfang nicht leicht von der Hand und wenn ihr mit jedem weiteren Surftag besser und besser werdet, entschädigt das Erlebnis alle Kosten und Mühen. Das Schöne am Surfsport ist auch, dass man sich in der Natur bewegt, die an jedem Tag anders ist. Deswegen ist auch jeder Surftag anders und einmal klappt es besser, das andere mal weniger gut. Das ist der Grund, warum ich diesem Sport treu bleibe. Er wird nie langweilig und gibt dir außerdem noch das gute Gefühl, nur den Wind ein wenig aufgehalten zu haben und sonst nichts.

In diesem Sinne ...

Hang loose

Euer Dirk

Zum Windsurfen komme ich kaum noch. Mit 13 Jahren habe ich damit angefangen und meine sämtliche Freizeit danach ausgerichtet, bis ich vor ein paar Jahren gemerkt habe, dass es noch etwas anderes geben muss, als auf Wind zu warten. Ich bin nach wie vor vom Windsurfen fasziniert und versuche so oft wie möglich, aufs Brett zu kommen. Deutschland ist nur leider nicht das Paradies, wenn es ums Windsurfen geht: Das Wetter ist einfach zu schlecht und sollte es mal gut sein, gibt es in der Regel zu wenig Wind. Sollte alles stimmen, ist es an den paar guten Plätzen, die es gibt, schnell überfüllt oder das deutsche Beamtentum in Form von Wachtmeistern oder Kurkarten-Sheriffs wollen an deinen Geldbeutel.

3 Leider nicht das Paradies … **B**

In welcher Reihenfolge werden diese Nachteile erwähnt?
(Aufgepasst: Einer kommt im Text nicht vor!)

a kostet zu viel   d schmutziges Wasser

b nicht genug Wind   e zu viele Surfer

c schlechtes Wetter   f zu wenig gute Plätze

C

Surfen im Wasser-Paradies Fehmarn
Ritt auf den Wellen
Von HERBERT TEWS

Es ist erst gut 30 Jahre her, dass der Amerikaner Jim Drake das Windsurfen erfand. Die ersten Europäer, die den „Ritt auf den Wellen" wagten, galten damals noch als Exoten. Heute sind es mehr als eine Million Surfer allein in Deutschland, die sich diesem Wassersport widmen. Tendenz steigend.

Und die Surfer-Hochburg Nummer 1 in Deutschland, die Ostsee-Insel Fehmarn, liegt sozusagen vor der Tür. Gleich mehrere Surfreviere kann die 185 Quadratkilometer große Insel aufweisen, so dass sowohl Einsteiger, Aufsteiger und Überflieger ideale Bedingungen vorfinden.

Berliner Zeitung

D))) **Willkommen im Surf-Paradies Fehmarn!**

4 Surfreviere Fehmarns **C D**)))

Lesen Sie den Artikel und hören Sie dann die Aufnahme. Welches Revier ist für welche Surfer geeignet? Ordnen Sie die Surfreviere den Schwierigkeitsgraden zu. (Tipp: Es kann mehr als eine richtige Antwort geben.)

	die Orther Reede	Altenteil	der Grüne Brink	der Burger Binnensee	der Wulfener Hals
Kinder					
Anfänger / Einsteiger	✔				
Aufsteiger					
Fortgeschrittene					
Experten					

5 Vorschläge

Diese Personen wollen auf Fehmarn Urlaub machen. Welches Revier ist für sie wohl das beste? Machen Sie Vorschläge. Hier sind einige Stichwörter:

hohe Wellen • sportliche Herausforderung • sicher • geschützt • Surfschule • gutes Freizeitangebot • Ich empfehle euch, … auszuprobieren, weil es dort … gibt/ist. •

1 Kurt (25) und Lisa (26), beide sehr gute Surfer.

2 Birgit (31), Johannes (33) (beide Anfänger) und Ralf (10).

3 Sven (17), Jutta (16), Stefan (19) und Anna (18). Sven und Anna sind fortgeschrittene Surfer. Stefan und Jutta interessieren sich gar nicht fürs Surfen.

Notfall

Stellen Sie sich vor, es ist 3 Uhr morgens, Sie sind müde, aber Sie müssen aus Ihrem Bett hinaus in die stürmische Nacht, weil man Hilfe braucht. Sie werden vielleicht nicht einmal dafür bezahlt. Was ist dieses Mal passiert? Gefährlich wird es auf jeden Fall sein.

Würden Sie das tun? Freiwillig? Wie würden Sie sich in diesem Augenblick fühlen?

A

ENGEL AUF DEM WASSER

Die Deutsche Gesellschaft zur Rettung Schiffbrüchiger (DGzRS) wurde 1865 gegründet. Ihre Aufgabe: Suche und Rettung auf See. Bei jedem Wetter. Rund um die Uhr.

TOBENDE SEE SCHRECKT RETTER NICHT

DRAMA AUF DER OSTSEE

SEENOTRETTER BEWAHRTEN KUTTER VOR STRANDUNG

SEENOTRETTER SIND IMMER IM EINSATZ

SEGELYACHT IN KIELER BUCHT GESUNKEN

1   **Charaktereigenschaften**

Lesen Sie die Schlagzeilen über die DGzRS-Rettungsflotte. Welche Eigenschaften muss ein Seenotretter Ihrer Meinung nach besitzen? Erstellen Sie eine Liste von Adjektiven.

2   **Finden sie die Paare**

Was macht die Rettungsflotte in einem typischen Jahr? Suchen Sie für jeden Satz (1–5) das passende Ende (a–e).

In einem Jahr hat die DGzRS-Rettungsflotte:

1. 382 Menschen
2. 902 Personen aus kritischen
3. 396 Kranke oder Verletzte
4. 65 Mal Schiffe oder Boote vor
5. 797 Hilfeleistungen für

a. von Seeschiffen, Inseln oder Halligen zum Festland transportiert.
b. aus Seenot gerettet.
c. Wasserfahrzeuge aller Art erbracht.
d. dem Totalverlust bewahrt.
e. Gefahrensituationen befreit.

3 Das Perfekt

Suchen Sie jetzt in jedem vervollständigten Satz aus Übung 2 das Partizip und bilden Sie daraus den Infinitiv.

Deutsche Lebens-Rettungs-Gesellschaft e.V.

Selbstlose Hilfe

Deutsche Lebens-Rettungs-Gesellschaft e.V.
Ehrenamtliche Arbeit der DLRG:

- Schulschwimmausbildung
- Ausbildung von Rettungsschwimmern
- Wache an Küsten, Seen und Flüssen
- Erste-Hilfe-Ausbildung

Wir sind immer froh, wenn nichts passiert

Wir machen schon seit Jahren Wachdienst an der Küste in Kühlungsborn, von Mitte Juni bis Mitte August, und halten uns durch kontinuierliches Training und Ausbildung fit. Am 4 km langen Strand sind sechs Wachtürme von 09.00 bis 18.00 Uhr besetzt. Als Rettungsschwimmer sind wir natürlich froh, wenn nichts passiert – viel mehr werden alltägliche Dinge wie Insektenstiche, Schnitt- oder Schürfwunden von den Wachgängern versorgt.

4 In Ihren eigenen Worten

Notieren Sie sich zuerst nützliche Vokabeln aus dem Text und versuchen Sie dann, diese Fragen zu beantworten:

1 Was für eine Organisation ist die DLRG?

2 Was macht sie? Gibt es so etwas hier bei uns?

3 Was sind die Aufgaben eines Rettungsschwimmers?

Eine Feuerwehr stellt sich vor ...

Die Freiwillige Feuerwehr Kücknitz (Lübeck)

Die FF Kücknitz hat heute 28 aktive Mitglieder – zwei davon sind Frauen. Beruflich ist alles zu finden, so sind unter den Mitgliedern zum Beispiel Handwerker, Kaufleute, Techniker und Arbeiter. Es gibt Übungsdienste jeden Donnerstag. In ihrer Fahrzeughalle hat die FF Kücknitz zwei Löschfahrzeuge und einen Rüstwagen für technische Hilfeleistung.

Jeder Feuerwehrmann (Frau auch) trägt einen Funkmeldeempfänger bei sich. Wird ein Feuer gemeldet, so signalisiert ein Piepton dem Feuerwehrmann, dass er sich schnell zum Feuerwehrhaus begeben muss.

Denken Sie dran!

PARTIZIPIEN

Manche Verben haben kein **ge-** im Partizip.

Mit Anfang:

be- (z.B. *bestellen – ich habe bestellt*)
er- (z.B. *erklären – ich habe erklärt*)
ver- (z.B. *verstehen – ich habe verstanden*)

Mit Endung:

-ieren (z.B. *studieren – ich habe studiert*)

■ Grammatik zum Nachschlagen, S.177

5 Richtig oder falsch?

Sind folgende Sätze richtig oder falsch?

1 Die Mehrheit der Mitglieder sind Männer.

2 Unter den Mitgliedern sind Verschiedene Berufe vertreten.

3 Man muss zwei Mal pro Woche üben.

4 Die FF Kücknitz hat insgesamt drei Fahrzeuge.

5 Es wird mit Sirenen alarmiert.

))) Die Freiwillige Feuerwehr Kücknitz

6 Hörverständnis)))

Hören Sie die Beschreibung der Einsätze der FF Kücknitz in einem typischen Jahr und füllen Sie die Tabelle aus:

Einsätze	Anzahl
Kleinbrände	9
Gesamteinsätze	

7 Eine Frage des Geschlechts

Warum sind fast alle Mitglieder der Feuerwehr Männer? Muss das so sein?

Wie oft werden Männer im Text „Eine Feuerwehr stellt sich vor" erwähnt? Und Frauen?

Wie würden Sie den Text ändern, um mehr Frauen für die Feuerwehr einzustellen?

*W*etterchaos!

Brainstorming: Welche Wettervokabeln kennen Sie schon? Sammeln Sie in der Klasse möglichst viele deutsche Vokabeln, die mit dem Wetter zu tun haben.

Nützliche Partizipien				
geregnet	geschneit	gegeben	gestorben	geraten

A

» Wetterchaos vom Mittelmeer bis zur Ostsee

Izmir/Rügen – Orkanartige Stürme, Hochwasser, Schneemassen und schwere Regenfälle haben Europa vom Mittelmeer bis zur Ostsee in ein Wetterchaos gestürzt. In der westtürkischen Hafenstadt Izmir kamen durch Überflutungen mindestens 45 Menschen ums Leben. Vor Rügen geriet die Ostseefähre *Sassnitz* mit rund 80 Passagieren an Bord in Seenot. Im Alpenraum sorgte ein plötzlicher Wintereinbruch für katastrophale Straßenverhältnisse. «

1 Orkanartige Stürme

Lesen Sie diese Niederschrift eines Radioberichts und berichten Sie dann in Ihren eigenen Worten, wie das Wetter in Europa gewesen und was geschehen ist (indem Sie das Perfekt benutzen).

2 Die Beaufort-Skala

In dieser Erklärung der Beaufort Wind-Skala ist alles durcheinander geraten. Versuchen Sie, die zweite und dritte Spalte in Ordnung zu bringen.

Skala	Bezeichnung	Auswirkung auf die See
0	Stille	Kleine Wellen.
2	Sturm	Sehr hohe Wellenberge. See weiß durch Schaum.
4	schwacher Wind	Bildung großer Wellen beginnt. Etwas Gischt.
6	mäßiger Wind	Spiegelglatte See.
8	schwerer Sturm	Luft mit Schaum und Gischt angefüllt. Jede Fernsicht hört auf.
10	Orkan	Mäßig hohe Wellenberge. Von den Kämmen beginnt Gischt abzuwehen.
12	starker Wind	Wellen noch klein, werden aber länger.

3 Kreatives Schreiben

Nehmen Sie „Sturm" als Thema und schreiben Sie auf Deutsch ein kurzes Gedicht oder eine kurze Schilderung, indem Sie Vokabeln von der Beaufort-Skala benutzen.

B))) Die Wettervorhersage

4 Das Wetter

Hören Sie zu und machen Sie Notizen über das Wetter von:

- Heute
- Sonntag
- Montag
- Nachfolgend

Was sind die möglichen gesundheitlichen Folgen dieses Wetters?

Hitzewelle fordert erste Tote

DIE HITZEWELLE in Südeuropa hat in Italien und Griechenland mindestens zehn Menschenleben gefordert. In Italien kamen bei Temperaturen um 40 Grad bis gestern mindestens sechs Menschen ums Leben, darunter ein 18 Monate alter Junge, der in einem Wohnmobil zurückgelassen wurde.

Ähnlich war die Lage in Griechenland, wo mindestens vier Menschen unter der Hitze starben. In Athen erreichte der Stromverbrauch wegen der vielen laufenden Klimaanlagen Rekordwerte. Die Gesundheitsbehörden wiesen die Einwohner an, sich im Inneren aufzuhalten, da der Smog bedrohliche Ausmaße angenommen hatte. Die Hitze begünstigt auch mehrere Brände, auf den italienischen Inseln Sardinien und Lipari stehen riesige Waldflächen in Flammen.

Berliner Morgenpost

5 Hitzewelle!

Fragen zum Text:

1 Welche Temperaturen hat man in Südeuropa erlebt?

2 Wie ist ein kleiner Junge ums Leben gekommen?

3 Im Artikel werden mindestens vier Folgen der großen Hitze genannt. Welche sind dies?

6 Hitze oder Kälte?

1 Inwiefern kann Hitze gefährlich sein?

2 Was für Maßnahmen helfen bei sehr heißem Wetter?

3 Würden Sie gern in einem heißen Land wohnen? Warum (nicht)?

Beantworten Sie dieselben Fragen auch für kaltes Wetter.

Pinnwand

3 Familie und Gesellschaft:
Basel und die Schweiz

Basel

Jugend

Freundschaft und Liebe

Familien

Armut und Obdachlosigkeit

Alternativ und ausgeflippt?

Welche dieser Wörter gehören zur „Jugendsprache" und welche zur „normalen" Sprache?

Erstellen Sie zwei Listen und schlagen Sie dabei alle Wörter, die Ihnen unbekannt sind, im Wörterbuch nach.

A

Jugend ist ...

die Neugierde   überdreht   verrückt   geil   albern   probieren   genießen   kriegen   herumhängen   flippen

„...Freude pur"

„Ich möchte um nichts in der Welt schon erwachsen sein. Ich glaube, mein Alter ist das beste Alter überhaupt. Ich kann machen, was ich will, kriege Geld von meinen Eltern und wohne zu Hause. Für mich sind Freunde sehr wichtig. Ausgehen und Partys feiern. All das kann man als Jugendlicher viel mehr genießen. Man hat einfach mehr Zeit und Freiraum als Erwachsene, die schon im Berufsleben stehen."

Julia, 18 Jahre

„... die Zeit, in der man am meisten nachdenkt"

„Die Jugend ist die Ausprobierphase im Leben. Man hat eine große Neugierde in sich, die alles wissen und probieren will. Als Erwachsener ist man alltäglicher und langweiliger. Wir Jugendlichen haben noch das Ideal von einer besseren Welt. Ich fürchte, diese Ideale verliert man, wenn man arbeiten gehen und Geld verdienen muss. Dann hat man keine Zeit mehr zum Nachdenken."

Taons, 16 Jahre

„... wenn man macht, was man will"

„Jugendliche machen alles, was verboten ist. Es stört sie nicht, wenn sie vielleicht bestraft werden. Jugendliche sind überdreht und albern: Sie machen verrückte Sachen. Mädchen lachen und schreien laut oder pfeifen Jungen hinterher oder sie hängen einen ganzen Tag nur irgendwo herum und machen gar nichts. Das ist das Beste am Jungsein: Man kann immer (oder zumindest fast immer) genau das machen, wozu man Lust hat!"

Julia und Ghazal, 13 Jahre

„... wenn man von den Älteren zu wenig beachtet wird"

„Mich stört, dass man als Jugendlicher nie seine Meinung sagen darf: Auf einem Geburtstag in meiner Familie wollte ich mich an einer Diskussion beteiligen. Ich habe jemandem mit guten Argumenten widersprochen, aber alle haben mich immer nur als kleines Kind abgetan. Das hat mich sehr aufgeregt. Dabei ist nicht alles, was Erwachsene sagen, unbedingt immer richtig. Vielleicht haben Jugendliche sogar manchmal die besseren Ideen."

Simon, 17 Jahre

1 Wer sagt das?

1 Erwachsene haben nicht so viel Zeit wie Jugendliche.

2 Als Jugendlicher ist man idealistischer.

3 Man kann als Jugendlicher alles machen, was man will.

4 Erwachsene hören mir nie zu.

5 In meinem Alter habe ich mehr Freiheit und brauche kein Geld zu verdienen.

6 Man flirtet und macht blöde Sachen.

2 Macht das Jungsein immer Spaß?

1 Wählen Sie aus den Antworten der fünf Jugendlichen zwei oder drei Sätze, die Ihrer Meinung nach zum Thema Jugend gehören. Versuchen Sie, Ihre Meinung zu begründen.

2 Das Jungsein ist vielleicht nicht immer einfach – was kann daran schwer sein? Erstellen Sie eine Liste mit Argumenten und besprechen Sie sie in der Klasse.

B))) Jugendkultur: Junge Schweizer berichten

3 Was bedeutet für Sie Jugendkultur? B)))

Jugendkulturen schockieren – seien es Hippies oder ohrenbetäubende Techno-Bässe. Hören Sie die Antworten von vier jungen Schweizern zu diesen Fragen: Was bedeutet für dich Jugendkultur? Was hältst du von der Jugendkultur deiner Eltern? Beantworten Sie die folgenden Fragen.

Mario

1 Wie beschreibt Mario Zürich?
2 Was für Kleidung und Musik mag er?
3 Was hält er von den Hippies? Warum?

Rafael

4 Wie erklärt Rafael die Tatsache, dass jede Generation eine andere Jugendkultur hat?
5 Wie hat seine Mutter reagiert, als er sich die Haare schneiden ließ?
6 Was sagt er über die Ansichten seiner Mutter?

Reto

7 Wie beschreibt sich Reto?
8 Was sagt er gegen die Jugendszene?
9 Waren seine Eltern Hippies?

Gita

10 Woher stammt Gitas Familie?
11 Inwiefern ist das Leben dort anders für Jugendliche als in der Schweiz?

4 Sind Sie Jugendkultur-Insider?

Was gehört zur Jugendkultur Ihrer Generation? Und der von Ihren Eltern? Schreiben Sie Stichwörter auf.

Wie wichtig ist die Jugendkultur für Sie persönlich?

5 Junge Leute des neuen Millenniums

Wie würden Sie Ihre Generation beschreiben? Finden Sie für jeden Satzanfang ein passendes Ende und sagen Sie dann, ob Sie der Aussage zustimmen:

> Wir interessieren uns für …
> Wir machen uns Sorgen um …
> Wir sind überhaupt nicht …
> Wir trinken viel …
> Wir wollen …
> Wir träumen von …

> genug Geld auf dem Konto
> die Mode
> patriotisch
> reisen
> die Umwelt
> Bier

Versuchen Sie auch, neue Sätze zu bilden, die Sie und Ihren Freundeskreis besser beschreiben.

Kumpel sein

Bilden Sie eine Wortfamilie um das Wort „Freund". Schlagen Sie entweder in einem Lexikon oder in einem Wörterbuch nach. Versuchen Sie, die Wörter richtig einzuteilen: **Substantive** – *der Freundeskreis*; **Verben** – *sich befreunden*; **Adjektive und Adverbien** – *freundlich*.

A

Freunde und Freundschaft

Ein wahrer Freund trägt mehr zu unserem Glück bei,
als tausend Feinde zu unserem Unglück.
Marie von Ebner-Eschenbach

Freundschaft ist nicht nur ein köstliches Geschenk,
sondern eine dauernde Aufgabe.
Ernst Zacharias

Die Freundschaft und die Liebe sind zwei Pflanzen an
einer Wurzel;
Die letztere hat nur einige Blumen mehr.
Friedrich Gottlieb Klopstock

Freunde verständigen sich nicht,
sie verstehen sich.
Ernst Zacharias

---

1 Textverständnis **A**

1 Finden Sie die Ausdrücke, die Folgendes bedeuten:

    a eine Arbeit ohne Ende

    b etwas Wertvolles

    c glücklich machen

2 Was ist der Unterschied zwischen „sich verständigen" und „sich verstehen"? Schlagen Sie im Wörterbuch nach.

3 Können Sie die Aussage von Friedrich Gottlieb Klopstock bildlich veranschaulichen oder wörtlich erklären?

4 Ihre Meinung: Welche Aussage trifft am ehesten zu und warum?

5 Viele Verben haben zwei Formen mit und ohne „sich", z.B. „verstehen" und „sich verstehen". Kennen Sie andere Beispiele? Wie unterscheiden sich die beiden Formen in ihrer Bedeutung?

2 Freundschaft – ein Gedicht

Hier ist ein Schülergedicht über Freundschaft. Die Zeilenenden sind durcheinander geraten. Bringen Sie sie in die richtige Reihenfolge.

1 Freundschaft ist wie Luft: **a** man braucht mindestens zwei dazu.

2 Freunde sind wie ein Tagebuch: **b** was du ihnen an Liebe schenkst, schenken sie dir an Liebe zurück.

3 Freundschaft ist wie das Leben: **c** man braucht sie zum Überleben.

4 Freunde sind wie Eltern: **d** sie dauert ewiglich.

5 Freundschaft ist wie der Streit: **e** man ist froh, wenn man sie hat.

6 Freunde sind wie Haustiere: **f** du kannst ihnen alles anvertrauen.

7 Freunde sind wie Freunde: **g** sie beschützen einen.

8 Freunde sind wie Sekten: **h** sie nützen dich nur aus.

Uli Zelbeck

B **Wie sind Ihre Freunde?**

3 Hörverständnis **B**

Manja und Birgit reden über Freunde und Freundschaft.

  1 Welcher Unterschied ist für Manja wichtig?

  2 Welche positiven Eigenschaften haben Manjas Freunde?

  3 Was gefällt Manja an einer Freundin nicht so gut?

  4 Birgit geht nicht mehr zur Schule: Was macht sie?

  5 Welche Probleme hat Birgit mit ihren Freunden?

  6 Nennen Sie vier Dinge, die Birgit und ihre Freunde gemeinsam machen.

4 Zur Diskussion

Lesen Sie den Text und beantworten Sie dann die Fragen.

1 Ihre Meinung: Was heißt es, ein bester Freund / eine beste Freundin zu sein?

2 Haben Sie einen besten Freund / eine beste Freundin? Beschreiben Sie diese Beziehung.

3 Pamela beschreibt, was sie mit ihrer Freundin gemeinsam unternimmt: „Das reicht von A wie Arbeiten bis zu Z wie Zuhören." Erstellen Sie ein Alphabet der Freundschaft.

5 Übung – Relativsätze

Schreiben Sie Relativsätze.

1 Freunde sind *Menschen*. Sie verstehen sich.

2 Ich habe eine beste *Freundin*. Sie ist immer für mich da.

3 Das ist eine *Beziehung*. Ich bin mit ihr unzufrieden.

4 Du brauchst keine *Freunde*. Sie nützen dich nur aus.

5 Freunde sind *Menschen*. Man kann ihnen vertrauen.

6 Meine Eltern sagen immer *Dinge*. Sie regen mich auf.

Meine beste Freundin

Ich habe viele Freundschaften, nicht nur mit anderen Mädchen. Aber bei mir gibt es ganz klar eine Freundschaft, die sich herauskristallisiert hat.

Meine beste Freundin ist ein Jahr älter als ich. Wir erlebten zusammen unsere ganze Kindheit. Zusammen gingen wir in den Kindergarten und auch die meiste Schulzeit waren wir zusammen. Auch heute sind wir noch super gut befreundet. Wir machen auch heute noch viel zusammen: Das reicht von A wie Arbeiten bis zu Z wie Zuhören. Wir sind in vielen Dingen gleich, wir haben zum Beispiel auch die gleichen Hobbys: Wir lieben es, mit ihrem Hund lange Spaziergänge zu machen und über alles Mögliche zu diskutieren. Aber auch Sport allgemein ist gut. Es ist natürlich schön, dass man alles oder zumindest vieles zusammen machen kann.

Es ist einfach schön, eine Person an seiner Seite zu haben, der man vertrauen kann und die immer für einen da ist.

Pamela Bucher

7 Das ist das *Mädchen*. Sie hat mich im Schwimmbad angesprochen.

8 Glücklicherweise habe ich einen *Freund*. Ich kann mit ihm über alles reden.

Grammatik: Die Relativsätze

Relativsätze sind Teilsätze, die ein Substantiv im Hauptsatz näher beschreiben.

Man hat mehr Zeit als Erwachsene, …	***(was für Erwachsene?)***	*… die schon im Berufsleben stehen.*
Max ist ein guter Freund, …	***(was für ein Freund?)***	*… den ich seit vielen Jahren kenne.*
Hast du eine Freundin, …	***(was für eine Freundin?)***	*… mit der du über alles reden kannst?*

Genus und Kasus

Das Relativpronomen nimmt sein *Genus* (maskulin, feminin, neutral) vom Substantiv, das es beschreibt, aber sein *Kasus* ist von seiner Rolle im Relativsatz abhängig:

*Max ist ein guter **Freund**.*   (***Freund*** ist maskulin)

*Ich kenne **den Freund** seit vielen Jahren.*   (Direktes Objekt von ***kennen***, also Akkusativ: ***den***)

*Max ist ein guter Freund, **den** ich seit vielen Jahren kenne.*

Das Verb im Relativsatz

Das finite Verb geht ans Ende des Relativsatzes. **Achtung** bei trennbaren Verben:

Hauptsatz		Nebensatz
*Ich **kenne** den Freund sehr gut.*	➤	*…, den ich sehr gut **kenne**.*
*Sie **nützt** mich **aus**.*	➤	*…, die mich **ausnützt**.*

■ Grammatik zum Nachschlagen, S.184

Wozu Eltern?

Einstieg

Wozu Eltern haben? Was tun sie überhaupt? Erstellen Sie eine Liste der Aufgaben einer Mutter oder eines Vaters. Vergleichen Sie Ihre Liste mit anderen Listen.

A

Der Hit der Saison!
Die EINBAU-MUTTER

Wir führen diverse Produkte in Spitzenqualität.

Die Einbau-Mutter kann sich nicht vom Fleck rühren,

Ist daher immer vorhanden und einsatzbereit.

Sie hat drei stabile Arbeitsflächen.

Ihre Abdeckplatte gibt es in diversen hübschen Designs.

Jede Einbau-Mutter ist mit einem Thermostat ausgestattet,

sie wird nicht mehr wutheiß oder zornkalt.

Die Einbau-Mutter hat vier handliche, unauffällige Bedienungsknöpfe und eine Zwanzig-Jahres-Garantie.

Zugreifen, solange der Vorrat reicht!

Alte Mütter werden gegen 20% Rabatt zurückgenommen.

1   Die Einbau-Mutter

1   Was sind die Vorteile einer Einbau-Mutter?

2   Das Vokabular des Textes vergleicht Mütter mit Maschinen.

> Beispiele
>
> Einbau-, Produkt, Arbeitsfläche …

Finden Sie weitere Beispiele.

3   Was wünscht man sich laut Text von einer Mutter?

> Sie muss …
>
> Sie soll (nicht) …
>
> Sie darf (nicht) …

2   Familienkonflikt – Ihre Meinung

1   Wofür werden Eltern gebraucht? Erstellen Sie eine Liste.

> Beispiel
>
> Kinder mit dem Auto abholen

2   Was tun Kinder, um zu zeigen, dass sie die Eltern nicht (mehr) brauchen?

Dass die Beziehung zwischen Eltern und Kindern nicht reibungslos abläuft, wissen wir alle. Hier ist eine Erklärung, warum Eltern und Kinder diesen Konflikt erleben:

B

Alle Eltern sind gleich.
Alle Kinder sind verschieden.
Das Bedürfnis der Eltern ist: Gebraucht zu werden.
Das Bedürfnis der Kinder ist: Eltern nicht zu brauchen.
So etwas ist ein Konflikt.

C))) Eltern

3 Hörverständnis   C)))

Manja, Kati und Birgit besprechen, wie sie mit ihren Eltern auskommen.

Was trifft für Manja zu? Was für Kati? Für Birgit? Hören Sie zu und kreuzen Sie die treffenden Aussagen an.

	Manja	Kati	Birgit
Sie kommt jetzt gut mit ihren Eltern aus.			
Ihre Eltern schickten sie in ein Internat.			
Sie hatte Konflikte wegen der Schularbeiten.			
Ihre Mutter fand, dass sie zu viel Geld ausgab.			
Sie erwartet, dass ihre Eltern ihr immer helfen.			
Früher hat sie sich mit ihrer Mutter heftig gestritten.			
Sie durfte nicht so spät ausbleiben, wie sie wollte.			
Sie wohnt jetzt mit ihrem Freund zusammen.			
Sie wohnt noch bei ihren Eltern.			

4 Zum Gespräch

1 Wie kommen Sie mit Ihren Eltern aus?

2 Was erwarten Sie von Ihren Eltern? Und umgekehrt?

3 Sind Sie mit Ihren Eltern befreundet?

4 Wann und warum gibt es Konflikte zu Hause?

Lieber Vater!
Da meine Meinung bei dir überhaupt nicht zählt, werde ich ab nun auf deine Deinung auch keinen Wert mehr legen!
So werden wir zwar nie zu einer Unserung kommen, aber daran hast du allein die Schuld.
Dein verbitterter Sohn

Lieber Vater,
bitte lege mir morgen, bevor du zur Arbeit gehst, ein halbwegs neues Foto von dir irgendwohin. Habe heute irrtümlich einen wildfremden Mann auf der Straße angesprochen, weil ich ihn für dich hielt.
Wollte daher auf dich warten, um dich zu besichtigen. Ist aber schon Mitternacht und ich brauche meinen Schlaf.
Dein Sohn

5 Lieber Sohn!

Wie reagieren Sie auf diese beiden Briefe? Wie würden Sie diese Briefe beantworten? Nehmen Sie die Rolle des Vaters (der Väter) ein und schreiben Sie Antwortbriefe.

6 Eine schwierige Aufgabe?

Schreiben Sie Ihre Meinung über die Rolle der Eltern. Diese Stichpunkte können Ihnen dabei helfen.

Eltern sollen   ihre Kinder ernähren und erziehen

für ihre Kinder da sein

ihre Kinder finanziell und emotional unterstützen

ihren Kindern Werte beibringen, z.B. Respekt, Ehrlichkeit

die Selbstständigkeit ihrer Kinder respektieren

Eltern dürfen   ein eigenes Leben führen

mit ihren Kindern befreundet sein

Eltern wollen   ihre Kinder nicht loslassen

Ach ja, die liebe Liebe

Wie fühlt man sich, wenn man verliebt ist? Erstellen Sie eine Liste von Adjektiven.

Zum Beispiel:

verwirrt, nervös

B

Liebesbeziehungen ♥

Was ist das Wichtigste in einer Beziehung? Junge Schweizer äußern sich dazu:

„Wir müssten die gleiche Wellenlänge haben. Ich würde aber nicht versuchen, meine Freundin in meinen Freundeskreis zu ziehen, ich glaube, das wäre falsch. Sie sollte ihr eigenes Leben leben."

Andreas

„Ich muss diesen Menschen gern haben, er muss interessant sein und ich muss ihm voll vertrauen können."

Sabine

„Ich bin überzeugter Christ und will mit dem Sex bis nach der Hochzeit warten. Eine Freundin habe ich ja trotzdem. Die hat man schließlich nicht nur fürs Bett. Das Wichtigste ist, dass man sich versteht und bezüglich der Sexualität die gleiche Einstellung hat."

Thomas

„Wenn ich liebe, lege ich sehr viel Wert auf eine feste, ehrliche und treue Beziehung. Ich möchte, dass sich meine Freundin voll und ganz auf mich verlassen kann und wir uns gegenseitig vertrauen."

Elisabeth

„Mir kommt es bei einer Frau nicht darauf an, ob sie gut ist im Bett. Wichtig ist doch vor allem, dass ich mit ihr reden kann.

Max

Ernst
Tages-Anzeiger

56

A))) **Meine erste Liebe**

1 Lückentext   A)))

Hören Sie den Erinnerungen von Ilona, Wiebke und Stefan zu und machen Sie sich Notizen.

Lesen Sie folgende Zusammenfassungen und vervollständigen Sie die Satze.

1 Ilona war erst _____, als sie _____ zum ersten Mal _____ hat. Zuerst fand sie ihn _____ und _____, aber _____ _____. Später war er eher _____ und _____.

2 Wiebke war _____ Jahre _____ als Andreas, als sie ihn durch _____ Schwester _____ hat. Sie haben viel _____ zusammen _____, aber nichts ist _____. Endlich musste _____ _____ ihnen _____.

3 Am besten haben Tanjas _____, _____ Haare und _____ _____ Stefan gefallen. Sie war auch _____. Aber zwei _____ später, als er sie in _____ _____ hat, war alles schon _____.

2 Beziehungen   B

Suchen Sie diese Wörter und Redewendungen in den Antworten der jungen Schweizer. Versuchen Sie deren englischen Bedeutungen herauszufinden. Schlagen Sie gegebenenfalls in einem Wörterbuch nach.

1 die Beziehung(en)

2 die Hochzeit(en)

3 die gleiche Wellenlänge haben

4 die gleiche Einstellung haben

5 sich auf jemanden verlassen

6 vertrauen

7 reden

8 überzeugt

3 Das Wichtigste ist …   B

Vervollständigen Sie diese Sätze, indem Sie Vokabeln aus dem Text und zu + Infinitiv benutzen.

Beispiel

Für manche ist es falsch, die Freundin in seinen Freundeskreis zu ziehen.

Für viele ist das Wichtigste an einer Beziehung, …

Wichtig ist es auch, …

Es hilft, …

Manchmal kann es schwer sein, …

Denken Sie dran!

***Zu* + INFINITIV**

Zu + Infinitiv wird häufig in diesen Fällen benutzt:

1 Nach *Es ist wichtig/möglich/schwer* usw.:
   Es ist wichtig, einander zu vertrauen.

2 Nach manchen Verben, z.B.: *helfen, hoffen, brauchen, beginnen, versuchen, vergessen*:
   Ich hoffe, eine Beziehung zu haben.

3 Nach *ohne*:
   … ohne es zu sehen.

4 Nach *etwas, nichts, viel* usw.:
   Es gab etwas zu sehen | nichts zu tun | viel zu essen.

5 *Um … zu …*:
   … um neue Freunde zu finden.

C

Valentinstag – allein

Ein Gedicht von M. Springmann

Man sieht Pärchen, wie sie sich umarmen
Wie sie sich küssen, wie sie sich lieben.
So ein Bild sollte einem das Herz erwärmen,
Es kann wohl nichts schöneres geben.

Doch für mich ist es der traurigste Tag in meinem Leben,
Valentinstag – allein.

ANGST

Ein Liebesgedicht – Autor unbekannt

Ich habe Angst,
dass du eines Tages sagst,
du liebst mich nicht mehr.

♥

Ich habe Angst,
dass wir eines Tages nicht mehr miteinander reden.

Ich habe Angst,
dass du dein Vertrauen jemand anderem schenkst.

Ich habe Angst,
dass du mich verlässt.

Doch wenn du kommst,
und mir in die Augen schaust,
vergesse ich die Angst.

4 Ihre Meinung   C

Lesen Sie die Gedichte. Wie könnte man die beiden Gedichte beschreiben? Welches gefällt Ihnen besser? Versuchen Sie Ihre Meinung zu begründen.

Ach ja, die liebe Liebe

B

a

Du solltest noch einen Versuch starten, die Sache zu erklären. Vielleicht ist es leichter, das alles in einem Brief zu formulieren. Sei ganz offen – sie wird das besser verstehen, als du glaubst.

b

Dein Freund ist sicherlich viel zu alt für dich. Es gibt andere Methoden, zu zeigen, dass man schon fast erwachsen ist, zum Beispiel, indem du dafür sorgst, dass du einen guten Beruf findest. Häng dich nicht an einen Mann, der dich bestimmt verlassen wird, wenn du eine erwachsene Frau bist!

c

Als Erstes solltest du einmal versuchen, deine Schüchternheit zu überwinden. Der erste Schritt beim Ansprechen ist oft wiederholter Blickkontakt oder auffälliges Anlächeln. Irgendwann kommt es zum Gespräch. Eine Bemerkung über die Leute oder das Wetter ist total ausreichend. Wichtig ist auch, dass du dich für ihn interessierst, ihn etwas fragst und ab und zu auch lobst.

A

Kummerkasten

Hallo Team,

ich heiße Constanze und habe ein kleines Problem, denn ich bin unglücklich verliebt. Ich würde ihn vielleicht auch ansprechen, wenn ich nur nicht so schüchtern wäre. Ich kann an niemand anderen denken. Ich bin sowieso ziemlich verlegen Jungen gegenüber. Könnt ihr mir helfen?

Constanze, 18

Hallo!

Ich bin 16 und habe seit zwei Monaten einen Freund, der schon 25 Jahre alt ist. Meine Mutter und mein Stiefvater wissen jetzt, dass es etwas mehr ist als nur „sich gut verstehen": Mein Stiefvater hat sofort einen Mordsterror gemacht! Seitdem halten sie mich von ihm fern, verbieten mir ihn zu treffen oder mit ihm in Kontakt zu treten. Können sie das tun?

Ina, 16

Hilfe!

Ich bin so unglücklich, dass ich echt nicht mehr weiß, was ich machen soll. Bis vor zwei Wochen hatte ich eine Freundin, in die ich sehr verliebt war. Außer ein bisschen Petting ist nichts zwischen uns gelaufen – es war schwierig, weil wir fast nie ungestört waren. Als wir dann zusammen auf einer Fete waren, sind wir später in ein Zimmer gegangen, um allein zu sein. Eigentlich war ich gar nicht so wild darauf, aber ich habe ihr gesagt, dass ich mit ihr schlafen will. Sie hat dann auch mitgemacht, aber es war die totale Katastrophe. Zwei Tage später hat sie mit mir Schluss gemacht: Ich hätte nur mit ihr ins Bett gewollt und so. Das stimmt gar nicht! Ich habe gedacht, sie erwartet das von mir. Jetzt ist alles so verfahren. Es ist so schwer, über all das zu reden. Was soll ich machen, um sie zurückzugewinnen?

Tim, 17

1 Stimmt das?

Sind diese Sätze richtig oder falsch? Verbessern Sie die falschen Sätze.

1 Tim und seine Freundin waren vorher nicht oft allein.

2 Constanze findet es schwer, mit Jungen zu reden.

3 Tim wollte seit langem mit seiner Freundin schlafen.

4 Inas Eltern akzeptieren gelassen ihren Freund.

5 Tim will wieder mit seiner Freundin ausgehen.

2 Ratschläge

Suchen Sie die passende Antwort für alle drei Briefe.

3 Was sagen Sie dazu?

1 Finden Sie diese Antworten hilfreich?

2 Welche Antwort / Welche Antworten …

… schlägt/schlagen praktische Lösungen vor?

… wirkt/wirken herablassend?

… wirkt/wirken hart und gefühllos?

4 Der Imperativ – Übungen

1 Suchen Sie Beispiele für den Imperativ in **B**.

2 Flirten kann man natürlich auch üben!

Vervollständigen Sie diese Sätze, indem Sie die Imperativform des gegebenen Verbs benutzen:

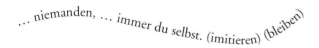

… dich cool, aber nicht abweisend. (geben)

… ihn an beim Reden. (sehen)

… niemanden, … immer du selbst. (imitieren) (bleiben)

… nicht gleich … (aufgeben)

Für wen wäre dieser Rat nützlich – Constanze, Ina oder Tim?

Denken Sie dran!

DER IMPERATIV

DU-FORM

Schwache Verben:

sagen	*du sagst*	*sag(e)!*
nennen	*du nennst*	*nenn(e)!*

Das e wird oft weggelassen, vor allem bei direkter Rede.

Starke Verben:

fahren	*du fährst*	*fahr!*

Aber:

geben	*du gibst*	*gib!*
nehmen	*du nimmst*	*nimm!*
sehen	*du siehst*	*sieh!*

IHR-FORM (immer regelmäßig*)
Schwache und starke Verben:

sagen	*ihr sagt*	*sagt!*
geben	*ihr gebt*	*gebt!*

SIE-FORM (immer regelmäßig*)
Schwache und starke Verben:

sagen	*Sie sagen*	*sagen Sie!*
geben	*Sie geben*	*geben Sie!*

*Das Verb *sein* ist immer unregelmäßig: *sei! seid! seien Sie!*

■ Verbliste, S.185

5 An deiner Stelle …

Schreiben Sie jetzt Ihre eigene Antwort mit Ratschlägen für Constanze, Ina oder Tim.

Sie sollten den Imperativ (du-Form) benutzen.

Den großen Schritt wagen?

Einstieg

Stellen Sie sich vor, Sie müssen Ende des Monats bei Ihren Eltern ausziehen und in eine eigene Wohnung ziehen. Was würden Sie am meisten vermissen?

A

Ich lebe allein!

a

Niemand wartet auf Mathias (20), wenn er von der Schule nach Hause kommt. „Die Wohnung ist leer. Das Essen steht nicht auf dem Tisch. Ich lebe allein, seit ich 17 Jahre alt bin", erklärt er. Für den Oberstufenschüler bedeutet das: Er schmeißt den ganzen Haushalt selbst. Einkaufen, kochen, waschen, putzen. Sein Alltag ist ziemlich stressig. Seine Freunde verstehen das oft nicht. „Du bist doch jung und lebst nur einmal."

b

Die Eltern von Mathias haben sich scheiden lassen. Er wohnte zuerst bei seiner Mutter. Die zog dann aber in eine andere Stadt. „Ich wollte wegen meiner Freunde bleiben. Außerdem verstand ich mich damals nicht so gut mit ihr", erklärt er. Sein Vater arbeitet im Ausland. Zu ihm hat er kaum Kontakt.

c

Mathias hat schon früh Selbstständigkeit gelernt. Ein Familienleben hat er durch den Auslandsaufenthalt seines Vaters nie so richtig erlebt. Vermisst er es nicht manchmal? „Eigentlich nicht, aber meinen Vater würde ich schon gerne öfter sehen." Mit seiner Mutter versteht er sich heute wieder prima. Dann ist ja da auch noch seine Freundin. Mit ihr ist Mathias erst seit kurzer Zeit zusammen. „Bislang habe ich feste Beziehungen immer gemieden", gesteht er. „Heute möchte ich aber nicht mehr darauf verzichten. Früher fühlte ich mich schon etwas einsam."

Meine Eltern unterstützen mich

d

Bei Sascha (20) steht nach der Schule das Mittagessen auf dem Tisch. Wenn seine Mutter nicht gekocht hat, bedient er sich am Kühlschrank. Der Fachhochschüler lebt noch zu Hause bei seinen Eltern. „Das ist doch heute normal", meint er. „Ich kenne viele Jugendliche, die noch bei ihren Eltern wohnen. Die meisten können es sich nicht leisten auszuziehen."

e

Für Sascha spielt das Familienleben eine große Rolle. Er weiß: „Egal, was passiert, meine Eltern stehen immer hinter mir. Sie unterstützen mich und geben mir den Rückhalt und die Sicherheit, die ich brauche."

f

Und wenn er sich mit seinen Eltern nicht so gut verstehen würde? „Wahrscheinlich würde ich nicht mehr zu Hause wohnen. Dann hätte ich eine Lehre begonnen. Nur so kann man sein eigenes Leben und seine eigene Bude finanzieren."

1   Kurz gesagt

Lesen Sie die Texte. Ordnen Sie folgende Zusammen-fassungen jeweils dem richtigen Absatz zu.

1 Die Familie ist für ihn sehr wichtig.

2 Er findet es normal, dass man bei den Eltern wohnt.

3 Er ist selbstständig, aber er hat gern Kontakt zu seinen Eltern.

4 Er muss alle Aufgaben selber erledigen, weil er alleine wohnt.

5 Es passt ihm nicht, bei seiner Mutter zu wohnen.

6 Man muss Geld verdienen, wenn man eine eigene Wohnung haben will.

2   Textanalyse

Suchen Sie alle reflexiven Verben in den Texten. Erstellen Sie eine Liste. Entscheiden Sie für alle Verben:

a + Akkusativpronomen oder + Dativpronomen?
b Übersetzen Sie die Verben ins Englische.

3   Reflexivpronomen

Vervollständigen Sie die Sätze mit dem richtigen Reflexivpronomen:

1 Ich lasse _____ von dir scheiden!

2 Das kann ich _____ nicht vorstellen.

3 Du wirst _____ nie ändern!

4 Herr Ober! Ich will _____ beschweren!

5 Das solltest du _____ nicht gefallen lassen.

6 Ich freue _____ darauf, eine eigene Wohnung zu haben.

4   Kreatives Schreiben

Sie ziehen bei Ihren Eltern aus. Wie fühlen Sie sich? Schreiben Sie einen kurzen Text darüber. (Tipp: Die Ausdrücke in Übung 2 könnten nützlich sein.)

Grammatik: Die reflexiven Verben

Reflexive Verben bestehen aus zwei Teilen:

Verb + Reflexivpronomen

Es gibt zwei Arten von reflexiven Verben:

1 Verb + Akkusativpronomen

Zum Beispiel:

> *sich fühlen*
>
> *ich fühle **mich** einsam*
>
> *du fühlst **dich** einsam*
>
> *sie fühlt **sich** einsam*
>
> *wir fühlen **uns** einsam*
>
> *ihr fühlt **euch** einsam*
>
> *Sie fühlen **sich** einsam*
>
> *sie fühlen **sich** einsam*

2. Verb + Dativpronomen

Zum Beispiel:

> *sich leisten*
>
> *das kann ich **mir** nicht leisten*
>
> *das kannst du **dir** nicht leisten*
>
> *das kann er **sich** nicht leisten*
>
> *das können wir **uns** nicht leisten*
>
> *das könnt ihr **euch** nicht leisten*
>
> *das können Sie **sich** nicht leisten*
>
> *das können sie **sich** nicht leisten*

Nur in den *ich-* und *du-*Formen sieht man, dass es sich hier um ein Dativpronomen handelt.

Achtung! Viele Verben sind im Deutschen reflexiv, die im Englischen nicht reflexiv sind.

Zum Beispiel:

> *Er **beschwerte sich** über das Essen.*
> He *complained* about the food.
>
> *Ich kann **mir** kein neues Fahrrad **leisten**.*
> I can't *afford* a new bike.

■ Grammatik zum Nachschlagen, S.178

Den großen Schritt wagen?

 A

Unter einer Decke

Simon Bühler

Zu dir oder zu mir? Keine leichte Entscheidung, vor allem wenn man noch bei den wenig toleranten Eltern wohnt.

In der Schweiz beginnen Jugendliche mit durchschnittlich 16,5 Jahren ihr Sexleben, zwei Jahre früher als noch vor 25 Jahren. 9,8 Prozent der Jugendlichen sind unter 16 Jahre alt, wenn sie erste sexuelle Erfahrungen sammeln. Der Konflikt mit den Eltern ist vorprogrammiert: Sollen die Eltern den Standpunkt vertreten: „Macht, was ihr wollt – erlaubt ist, was Spaß macht", oder sollen sie es verbieten? „Verbieten bringt nichts. Wer es machen will, der machts, egal wo." Das ist die einstimmige Meinung der 20 befragten Jugendlichen einer Gesprächsrunde an der Kantonsschule Rämibühl.

Schnüffelnde Eltern

Armin Heyer (20) regt sich auf über die Eltern-Generation, die sich selbst so gern als antiautoritär und tolerant darstellt: „Mit 19 hatte ich eine Freundin, die drei Jahre jünger war als ich. Wir durften nicht zusammen übernachten", sagt er. Deshalb machte sich der Armin einst gegen halb zwölf auf die Socken, um einer peinlichen Konfrontation mit den Eltern seiner Liebsten auszuweichen. „Meine Freundin erzählte mir anderntags, dass sie in der Nacht geweckt worden sei. Um halb eins seien ihre Eltern ins Zimmer geplatzt, weil sie davon ausgingen, dass ich noch da wäre. Stattdessen fanden sie ihre schlafende Tochter allein im Bett vor." Besonders aufgeregt habe ihn diese Geschichte, weil ihre Eltern stets betonten, wie offen sie seien.

Die Einwände der Eltern sind selten moralisch begründet: „Meine Eltern haben Angst, dass die schulischen Leistungen sinken könnten", so die erste Reaktion der meisten Befragten. Für Eltern schmerzt auch das Bewusstsein, ein Stück weit Kontrolle und Autorität über das eigene Kind zu verlieren. Der Wunsch nach einem Enkelkind ist außerdem noch nicht groß. Sollen sie ihrem Kind erlauben, was zu ihrer Jugend noch undenkbar war? Noch in den 70er Jahren verbot das „Konkubinatsgesetz", dass sich Pärchen vorehelich gemeinsam eine Wohnung teilen. „Vor der Verlobung lief da gar nichts", erinnert sich eine 74-jährige Dame im Gespräch mit ERNST. „Erst verlobt traute man sich, öffentlich als Paar aufzutreten." ∎

> **Ernst**
> **Tages-Anzeiger**

---

1 **Textverständnis**   **A**

1   Wie alt sind schweizer Jugendliche im Durchschnitt bei ihrem ersten sexuellen Kontakt?

2   Als Armin 19 war, wie alt war seine Freundin?

3   Was ist um halb eins in der Nacht bei seiner Freundin passiert?

4   Viele Eltern verbieten es ihren 16- bis 20-jährigen Kindern, mit der Freundin / dem Freund zu schlafen. Warum? Nennen Sie drei Gründe aus dem Text.

5   Erklären Sie das „Konkubinatsgesetz" in Ihren eigenen Worten.

2 **Statistik Schweiz**

Ordnen Sie jede Überschrift (a–c) der richtigen Grafik (1–3) zu.

a Durchschnittsalter beim ersten sexuellen Kontakt

b Frauen, die innerhalb von drei Jahren nach dem Auszug aus dem Elternhaus mit einem Partner zusammenleben

c Mit 19 Jahren wohnen noch bei den Eltern

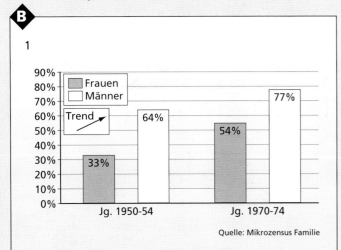

Quelle: Mikrozensus Familie

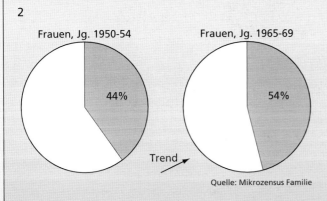

Quelle: Mikrozensus Familie

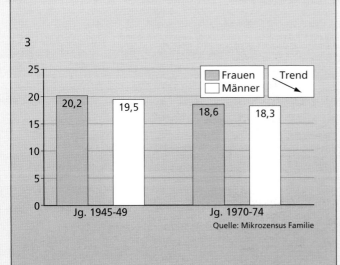

Quelle: Mikrozensus Familie

C))) **Familienstatistik**

3 **Substantiv + Verb** **C**)))

Diese Ausdrücke (1–6) kommen im Hörtext vor. Ergänzen Sie sie.

1 ein eigenes Einkommen _____

2 einen Haushalt _____

3 mit einem Partner _____

4 in einen Paarhaushalt _____

5 Partnerschaften _____

6 Verhütungsmittel _____

Ordnen Sie jetzt die passende Übersetzung (a–f) dem richtigen Ausdruck zu.

a to have relationships

b to live with a partner

c to set up home

d to set up home with one's partner

e to use contraceptives

f to get an income of one's own

4 **Richtig oder falsch?** **B** **C**)))

Welche Aussagen sind richtig und welche falsch? Einige Informationen finden Sie in den Grafiken; andere finden Sie im Hörtext. Verbessern Sie die falschen Aussagen.

1 Junge Menschen bleiben heute länger bei den Eltern wohnen.

2 Mehr 25-jährige Frauen leben heute mit einem Partner zusammen.

3 Man macht heute die ersten sexuellen Erfahrungen früher.

4 Beim Sex verwendet man heute öfter Verhütungsmittel.

5 Frauen unter 20 werden heute öfter schwanger.

5 **Ihre Meinung**

Schweizer Männer bleiben länger bei den Eltern wohnen als schweizer Frauen. Warum wohl?

Kultur SPOT

Die Basler Fasnacht

Um die 200 Laternen werden mitgetragen oder mitgezogen.

Montag, 04.00 Uhr. In der Innerstadt gehen alle Lichter aus: der Morgestraich beginnt. Es ist bitterkalt.

Am Montagnachmittag findet der offizielle Cortège in der Innerstadt statt.

Wenn man alle Teilnehmer gleichzeitig wie bei einer Parade laufen ließe, würde man eine Strecke von 14 km brauchen.

Die Basler Fasnacht

Montag, 04.00 Uhr „**Morgestraich**", Auftakt zur Fasnacht. Ab 13.30 Uhr **Cortège**: Umzug der großen und kleinen Cliquen auf vorgeschriebener Route unter den eindrücklichen Klängen der Trommeln und Pfeifen (Piccolos). Abends freies Umherziehen der Cliquen und Einzelmasken in den Gassen und Gässchen der Innerstadt. In den Restaurants werden „**Schnitzelbängg**", Bänkelgesänge mit Themen aus dem öffentlichen Leben oder humoristische Begebenheiten aus dem Verlauf des vergangenen Jahres dargeboten. Abends **Laternenausstellung** auf dem Münsterplatz.
Dienstag **Laternenausstellung** auf dem Münsterplatz.

Fasnachts-Vokabular

Cliquen	Fasnachts-Gesellschaften
Cortège	Fasnachtsumzug. Am Montag ist die Route organisiert, am Mittwoch mehr oder weniger frei
Guggemusige	Musikkapellen, die alte, zerbeulte Instrumente spielen
Kinderfasnacht	Umzug der Kinder am Dienstag
Laternen	Von Künstlern und Laien bemalte Transparente
Morgestraich	Auftakt und auch Höhepunkt der Basler Fasnacht: Umzüge am Montagmorgen von 04.00 Uhr bis zum Tagesanbruch
Schnitzelbängg	Satirische Lieder

Den ganzen Tag und abends Umherziehen großer und kleiner Gruppen; tagsüber zudem **Kinderfasnacht**. Am Abend Platzkonzerte der „**Guggenmusige**" auf dem Barfüsser-, Clara- und Marktplatz.

Mittwoch bis 11.00 Uhr **Laternenausstellung** auf dem Münsterplatz. Ab 13.30 Uhr freies Zirkulieren aller großen und kleinen Cliquen wie am Montag im ganzen Innerstadtbereich.

Der Morgestraich: Augenzeugenbericht eines Fremden

Es ist 4 Uhr morgens: Eine große Menschenmenge hat sich in der Basler Altstadt (Baslerisch: Innerstadt) gesammelt. Man friert in der bitterkalten Februarnacht und wird von der Menge hin- und hergeschubst, trotzdem ist man froh und voller Erwartung. Plötzlich werden alle Lichter ausgeschaltet. Die Menge drückt ihre Begeisterung durch Händeklatschen, Pfeifen und Zurufen aus: Der »Morgestraich« beginnt, das großartige Schauspiel, das sowohl den Beginn als auch den Höhepunkt der Basler Fasnacht bildet.

Über die Köpfe der Zuschauer hinweg sieht man riesige, bunte Transparente und Laternen daherschweben. Nur diese erhellen jetzt die pechschwarze Nacht. Unzählige Pfeifen und Trommeln stimmen, zunächst unsichtbar, einen altmodischen Marsch an. Durch die Menschenmenge hindurch erkennt man die Laternenträger und Musiker: Seltsame Wesen mit Tierköpfen und übergroßen Clownsfratzen! Als die Transparente und Laternen näherkommen, sieht man, dass viele nicht nur bemalt, sondern auch beschriftet sind. Doch aus den schwyzerdütschen Sprüchen wird man als Fremder nicht schlau: Klar ist, dass man sich über jemand oder etwas lustig macht. Werden vielleicht die Ortspolitiker auf die Schippe genommen?

Zuerst läuft alles mit erkennbarer Ordnung ab: Die Verkleideten schlängeln sich auf vorgeschriebener Route durch die Zuschauer. Doch allmählich trennt sich die schier endlose Prozession in zwei, vier, dann in zahlreiche kleinere Gruppen, die nun scheinbar ziellos umherirren. Man folgt einer der Gruppen und befindet sich auf einmal nicht mehr auf der breiten Straße, sondern in einer der engen Gassen der Altstadt. Es ist stockfinster, so dass man kaum die eigene Hand vor dem Gesicht sieht. Außer zwei oder drei Fremden ist man alleine. Bevor man jedoch nervös werden kann, erkennt man das Glimmern eines herankommenden Lichts und hört die hellen Piccolo-Töne und den Rhythmus der Trommeln.

Wer macht was?

Sehen Sie sich das Kästchen an: Welche Aufgaben sind „traditionelle Männeraufgaben"? Welche sind „traditionelle Frauenaufgaben"? Welche werden traditionell von beiden Elternteilen erledigt?

Wie ist es in Ihrer Familie?

- Die Fenster putzen
- Wäsche waschen
- Einem Kleinkind vorlesen
- Das Geschirr abtrocknen

- Mit den Kindern Fußball spielen
- Die Kinder zum Zahnarzt bringen
- Das Abendessen vorbereiten

- Eine Glühbirne auswechseln
- Den Gartenzaun reparieren
- Die Kinder zur Schule bringen

B

Männer, nehmt eure Kinder öfter zur Brust.

SCHARFSINN GEGEN STUMPFSINN

Verantwortung übernehmen

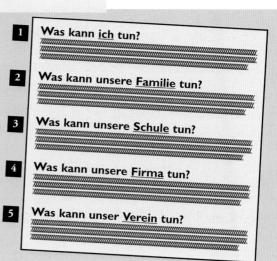

1 Was kann ich tun?

2 Was kann unsere Familie tun?

3 Was kann unsere Schule tun?

4 Was kann unsere Firma tun?

5 Was kann unser Verein tun?

Grammatik: Die Nebensätze

Ein *Nebensatz* ist ein Teilsatz, der nicht alleine stehen kann. Um einen Sinn zu ergeben, muss er mit einem *Hauptsatz* verbunden sein:

Hauptsatz	**Nebensatz**
Es ist schön,	*dass wir so viel zusammen machen.*
Väter dürfen aussetzen,	*wenn sie nicht mithalten können.*
Es ist schon spät gewesen,	*als sie nach Hause gekommen ist.*

Im Hauptsatz steht das finite Verb an zweiter Stelle:
   *Es **ist** schon spät gewesen, …*

Im Nebensatz steht das finite Verb an letzter Stelle:
   *… als sie nach Hause gekommen **ist**.*

Relativsätze sind auch eine Art von Nebensatz (■ S.53).

Konjunktionen
Jeder Nebensatz braucht eine Verbindung zum Hauptsatz. Das kann ein *Relativpronomen* (■ S.53) oder eine *Konjunktion* sein. Hier sind einige solcher Konjunktionen, nach Bedeutung gruppiert:

dass	keine besondere Bedeutung
als, bevor, bis, nachdem, seit(dem), sobald, solange, während, wenn	Zeit
da, weil	Grund, Ursache
damit, so dass	Absicht, Resultat
als ob, indem, sofern, soweit	Art und Weise, Ausmaß
falls, obwohl, trotzdem, wenn	Bedingung, Umstand

Diese nennt man *unterordnende* Konjunktionen. Das heißt, sie leiten einen Nebensatz ein.

Achtung! Folgende Konjunktionen sind *koordinierend* – sie leiten einen zweiten Hauptsatz ein:

   und, oder, aber, jedoch, denn, nicht (nur) … sondern (auch), weder … noch

   Sie pfeifen Jungen hinterher oder sie hängen nur herum.

■ Grammatik zum Nachschlagen, S.184

Interview

1 Richtig oder falsch?

Herr Tschudi

1 Er bestreitet den ganzen Haushalt selbst.

2 Er meint, seine Frau habe mehr freie Zeit als er.

3 Er arbeitet ca. 50 Stunden pro Woche.

4 Er wäscht seine eigene Wäsche.

Herr Wohnhaas

5 Er erledigt die ganze Hausarbeit.

6 Seine Frau verdient zu wenig Geld, um die Familie ordentlich zu ernähren.

7 Seine Rolle als Hausmann kommt ihm normal vor.

8 Seine ehemaligen Kollegen haben sich über ihn lustig gemacht.

Ihre Meinung

9 Findet Herr Tschudi die Arbeit seiner Frau (a) ebenso wichtig (b) wichtiger als (c) nicht so wichtig wie seine eigene? Begründen Sie Ihre Meinung.

10 Ist Herr Wohnhaas zufrieden mit seiner Rolle? Begründen Sie Ihre Meinung.

2 Wo gehört das hin? B

Ordnen Sie jeden Absatz (a–e) der passenden Überschrift (1–5) zu.

a Väter mit ihren Söhnen und Töchtern zu gemeinsamen Diskussionen einladen – bis die Fetzen fliegen.

b Den Fernseher nicht für die Kinder einschalten, um selbst „abzuschalten". Statt dessen „Babysitter TV" ersetzen: durch Toben, Springen, Kuscheln, Erzählen, Vorlesen, Fragen, Antworten, Erklären, Überraschen.

c Systematisch mehr Teilzeitarbeitsplätze für Frauen und Männer schaffen, damit Lebensqualität und Erziehung mehr Raum bekommen.

d Ein Fußballturnier Väter gegen Kinder organisieren (Väter dürfen auswechseln, wenn die Fitness mit der Begeisterung nicht mithalten kann).

e Eine Mutter-hat-frei-Woche durchführen: Vater packt extra mit an, die Kinder übernehmen zusätzliche Aufgaben und Ämter.

3 Umschreiben B

Schreiben Sie den Text um, indem Sie den Imperativ verwenden.

Beispiel

a Laden Sie Väter mit ihren Söhnen und Töchtern … ein.

4 Was meinen Sie dazu? ◆B

1 Sind solche Initiativen nötig? Warum (nicht)?

2 Welchen Vorschlag finden Sie am praktischsten? Warum?

3 Welchen Vorschlag finden Sie am wenigsten praktisch? Warum?

5 Übung – Nebensätze

Verbinden Sie folgende Sätze durch die Konjunktionen in den Klammern.

1 Es ist für mich selbstverständlich. (dass) Ich bin an ihrer Erziehung beteiligt.

2 Wir brauchen mehr Teilzeitarbeitsplätze. (damit) Erziehung bekommt mehr Raum.

3 Väter dürfen auswechseln. (wenn) Die Fitness kann mit der Begeisterung nicht mithalten.

4 Ich halte mir das Wochenende frei. (wenn) Ich bin nicht für die Firma unterwegs.

5 Das Abendessen bereite ich vor. (obwohl) Ich bin kein guter Koch.

6 Kreatives Schreiben

Schreiben Sie selber ein Flugblatt, das sich an Jugendliche richtet und Vorschläge macht, wie sie die Beziehung zu ihren Vätern verbessern können.

In den Kästchen sind einige Stichwörter, die nützlich sein könnten.

ehrlich	offen
fantasievoll	peinlich
gemeinsam	wichtig
miteinander	zusammen

Aufgaben	Probleme
Fernseher	Sport
Gefühle	Verständnis
Hobbys	

abschalten	gewinnen
besprechen	sich schämen
erklären	verbergen
finden	zeigen

*W*enn alles schief geht

Schlagen Sie die Ausdrücke 1–5 im Wörterbuch nach. Versuchen Sie, für jeden Ausdruck eine Definition auf Deutsch zu schreiben.

Die Sprache der Scheidung

1 sich trennen

2 sich scheiden lassen

3 das Sorgerecht

4 Mehrelternfamilien

5 die Unterhaltszahlung

A

Wenn Eltern auseinandergehen

Von Barbara Hasler

Der achtjährige Andreas weint, wenn ihn sein Vater am Sonntagabend zu seiner Mutter zurückbringt. „Noch zwölf Tage, dann komme ich wieder zu dir", sagt er zum Abschied. Scheidungsalltag. Andreas hat sich gleich zweimal auf ein neues Leben einstellen müssen: das erste Mal, als seine Eltern sich trennten, das zweite Mal, als seine Mutter mit ihm in eine andere Stadt zog.

Dabei war alles einmal ganz anders geplant gewesen. Als seine Eltern sich zur Scheidung entschlossen, waren sie sich einig, dass sie wie bis anhin das Kind gemeinsam betreuen wollten. Das Scheidungsurteil aber lautete wie so viele: Sorgerecht für die Mutter, Vaterbesuche jedes zweite Wochenende und in den Ferien. Der Vater zog in eine Wohnung nur zwei Häuser weiter, der Bub pendelte hin und her. So weit, so gut.

Hätten sich Andreas' Eltern gut verstanden, wäre es wohl auch so geblieben. Aber hatten sie sich nicht scheiden lassen, weil sie sich nicht mehr verstanden? Andreas' Mutter wollte Abstand und zog in eine andere Stadt. Das Arrangement brach auseinander.

Der 15-jährige Fabio hat kooperativere Eltern als Andreas: Zwar hat seine Mutter das Sorgerecht, aber er kann weitgehend frei entscheiden, wie oft er bei Vater oder Mutter sein will. Seine Eltern sind beide wieder verheiratet, beide standen schon einmal vor der Situation, in einer anderen Stadt eine Stelle anzunehmen, haben aber zugunsten von Fabio darauf verzichtet. „Wenn man auch nach der Scheidung freundschaftlich miteinander umgehen kann, so funktioniert das", sagt Fabios Vater.

Tages-Anzeiger

Mit 18 haben die Scheidung der Eltern erlebt:

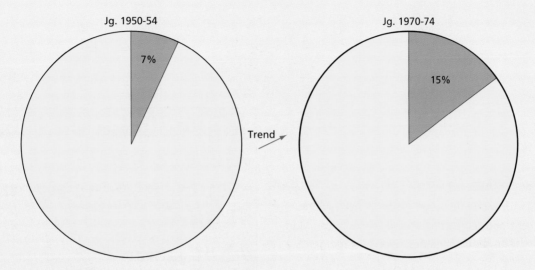

Jg. 1950-54   7%

Trend

Jg. 1970-74   15%

---

1 Die Statistik der Scheidung

1 Sehen Sie sich die Kreisdiagramme über die Scheidungsrate in der Schweiz an. Was erfahren wir hier?

2 Finden Sie diese Statistik überraschend? Warum (nicht)?

3 Zum Nachlesen: Können Sie weitere Statistiken über die Scheidungsquoten in der Schweiz/Deutschland/Österreich oder in Ihrem Land finden? Stellen Sie sie der Klasse auf Deutsch vor.

---

2 Fragen zum Text

1 Warum weint Andreas am Sonntagabend?

2 An welche zwei großen Veränderungen in seinem Leben hat er sich gewöhnen müssen?

3 Was wollten die Eltern für Andreas, als sie sich scheiden ließen?

4 Warum sieht er seinen Vater jetzt nicht mehr so oft?

5 Wer entscheidet, wie oft Fabio seinen Vater besucht?

6 Was erfahren wir über Fabios Eltern?

---

3 Elternschaft auf Distanz

Vervollständigen Sie die folgenden Sätze mit dem jeweils passenden Wort aus dem Zeitungsartikel.

1 Ein Teil des Scheidungsalltags für Kinder ist der _ _ _ _ _ _ _ _ am Sonntagabend.

2 Es kann leichter sein, wenn die Eltern auch nach der _ _ _ _ _ _ _ _ _ das Kind gemeinsam _ _ _ _ _ _ _ _ .

3 Das _ _ _ _ _ _ _ _ _ _ _ _ _ _ _ gibt häufig das _ _ _ _ _ _ _ _ _ _ der Mutter.

4 Wenn Kinder _ _ _ _ _ _ _ _ _ _ _ Eltern haben, funktioniert alles besser.

---

4 Textverständnis

Lesen Sie das Gedicht „Eigentlich". Worum geht es? Versuchen Sie, mit Ihren eigenen Worten den Inhalt zu erzählen.

B

Eigentlich

Mein Papa
hat eine neue Frau.
Angeblich
sind ihre Augen blau.
Halb so alt
wie Mama soll sie sein.
Und
sehr schlank und sehr klein.
Eigentlich
würde ich sie gern mal sehn.
Aber Mama
tät das nicht verstehn!

Juristisch gesehen

1 Recht oder Pflicht?

Entscheiden Sie für jeden der angeführten Punkte, ob es sich um ein Recht oder eine Pflicht handelt. Sollte es „Man muss ..." oder „Man darf ..." heißen? Vervollständigen Sie die Sätze.

2 Ländervergleich

Und wie ist es in Ihrem Land? In welchem Alter ist man volljährig (juristisch erwachsen)? Diskutieren Sie in der Klasse, wie die Gesetze sich zwischen Ihrem Land, der BRD, Österreich und der Schweiz unterscheiden. Welches Land scheint am liberalsten zu sein?

3 Ihre Meinung

Wählen Sie fünf der erwähnten gesetzlichen Regelungen, die Sie für besonders vernünftig halten. Begründen Sie Ihre Wahl. Gibt es auch Gesetze, die Ihnen unvernünftig erscheinen? Welche und warum?

Machen Sie sich zuerst Notizen und besprechen Sie das Thema danach in der Klasse.

4 Ein Bericht: Junge Leute und das Gesetz

Schreiben Sie jetzt einen Bericht über die Gesetze in Ihrem Land und inwiefern diese junge Menschen betreffen. Zum Beispiel: Ab wann darf man einen Nebenjob haben und wie viele Stunden darf man arbeiten? Gibt es Altersbeschränkungen für den Verleih von Videos? Sie sollten Ihre eigenen Meinungen äußern und vielleicht auch Vorschläge machen.

A

Jugendliche und das Gesetz im deutschsprachigen Raum

Ab 16 Jahren
- für seine Verbrechen vor Gericht kommen
- in Ausnahmefällen heiraten
- eine sexuelle Beziehung haben
- einen Personalausweis oder einen Pass haben
- die Schule verlassen [1]
- Filme sehen, die »ab 16 Jahre« freigegeben sind
- rauchen
- alkoholische Getränke (außer Branntwein) trinken
- Lokale und Kinos bis 24 Uhr besuchen
- sein Testament machen [2]
- seine Religion wählen [3]

Ab 18 Jahren
- auch Branntwein trinken
- in Spielhallen gehen
- ohne Beschränkungen in Lokale und Kinos gehen
- sein Testament machen [4]
- wählen [5]
- offizielle Papiere unterschreiben
- heiraten [6]
- Militärdienst oder Zivildienst machen (Männer)
- für alle seine Verbrechen verantwortlich sein
- mit Führerschein Auto oder Motorrad fahren

[1] Hauptschulen mit 15 Jahren
[2] BRD
[3] Schweiz; in der BRD schon mit 12 Jahren
[4] Schweiz; in Österreich erst mit 19 Jahren
[5] BRD; in Österreich erst ab 19 Jahren; in der Schweiz ab 20
[6] Männer in der Schweiz erst ab 20

Tipp – Bilden Sie Nebensätze:

Ich finde es sehr vernünftig,	dass man erst mit 16 ... ,	weil ...
Meiner Meinung nach ist es nicht sinnvoll,	dass man (erst) mit 18 ... ,	weil ...
	[Verb am Ende nach „dass"]	[Verb am Ende nach „weil"]

Briefe

Video als Jugendgefährdung

Schön zu lesen, dass ein hochrangiger Politiker etwas gegen die Gefahren des Fernsehens für unsere Kinder machen will. Dass es schon längst in unserer Gesellschaft größere Gruppen von Kindern, Jugendlichen und Erwachsenen gibt, die durch den Einfluss von Horrorfilmen geschädigt sind, ist ja klar. Sex und Gewalt statt Märchen und Spielen, das können wir für unsere Kinder einfach nicht mehr erlauben. Die extremen Filme auf dem Video-Markt, die Gewalt und Menschenverachtung in unkritischer, oft sogar in verherrlichender Form darstellen, bedeuten eine große Gefahr für Kinder und Jugendliche. Dass sie dann selbst gewalttätig werden oder dass ihre normale Entwicklung verhindert wird, ist durchaus möglich. Wie kann ich sicher sein, dass meine junge Tochter so etwas nie sieht?

Ingrid Strunz
Basel

Laut den Pädagogen und Psychologen führen sowieso lange Stunden vor der Glotze zu einem Verlust der Kreativität und der Phantasie, sogar der Kindheit. Ein Leben oder Lernen findet vor dem Bildschirm nicht statt. Leute sehen, mit ihnen sprechen und mehr ... das alles geht verloren. Altersbeschränkungen für Filme sind schwer zu verwalten und nützen nichts. Ein Haus ohne Fernseher ist die beste Lösung!

Dr. Ronald Glogauer
Lorrach

5 **Textverständnis**　　　　　**B**

Beantworten Sie die Fragen.

1　Welche Gruppen sind besonders gefährdet?

2　Was ist an Videofilmen besonders besorgniserregend?

3　Wozu können solche Filme führen?

4　Welche weiteren negativen Folgen können auftreten?

6　**Diskussionsrunde**　　　　　**B**

Wie gefährlich sind Filme für Kinder und Jugendliche auf Video, im Fernsehen oder im Kino? Wo liegen die größten Risiken? Was kann/sollte man dagegen machen? Was kann/sollte man gesetzlich regeln? Diskutieren Sie diese Fragen: Jede(r) Teilnehmer(in) wählt eine Person aus und vertritt seine/ihre Meinung:

- Mutter/Vater
- Inhaber(in) eines Videogeschäfts
- Krimi-Regisseur(in)
- Polizist(in)
- Teenager
- konservative(r) Abgeordnete(r)

Notieren Sie einige Punkte, bevor Sie die Diskussion beginnen.

Denken Sie dran!

SEIT UND SEITDEM

Wann benutzt man *seit* und wann *seitdem*? Sehen Sie sich diese Beispiele an:

Seit zwei Wochen darf ich wählen und Alkohol kaufen.
Seit Oktober lerne ich Autofahren bei einer Fahrschule.

aber:

Seitdem ich 18 bin, darf ich wählen und Alkohol kaufen.
Seitdem ich genug Geld gespart habe, lerne ich Autofahren.

■ Grammatik zum Nachschlagen, S.167

Einfach raus?

Für Jugendliche kann das Leben sehr stressig sein: Stress in der Schule, mit den Eltern, mit dem Erwachsenwerden. Was können Jugendliche tun, um sich zu entspannen oder dem Stress zu entgehen? Erstellen Sie eine Liste der Möglichkeiten.

Und Sie persönlich – was machen Sie, wenn Ihnen alles zu viel wird?

A))) **Was tun, wenn mein Kind vermisst wird?**

Eine Kinderschutzorganisation beschreibt die Schritte, die Eltern unternehmen sollten.

1 **Zusammenfassung** **A**)))

Lesen Sie zuerst die Stichwörter im Kästchen. Hören Sie dann die Aufnahme und machen Sie sich Notizen.

ruhig	fragen	anrufen	die Gegend absuchen
eine Vermisstenanzeige erstatten		rekonstruieren	
untersuchen	einpacken	eine Notiz hinterlassen	
die Polizei einschalten			

Benutzen Sie jetzt die Notizen, um eine Zusammenfassung des Hörtextes auf Englisch zu schreiben.

B

Zum heutigen Zeitpunkt werden jeden Tag drei Kinder im Alter bis 18 in der Schweiz als vermisst gemeldet. Schwierig ist die Situation nicht nur für die Familie, sondern auch für die Freunde.

„Stefan, wir warten auf dich!"

Seine Eltern sind verzweifelt, die Mitschüler ratlos: „Wo ist unser Stefan?"

Seit zwei Wochen ist Schnupperstift Stefan Keller (15) verschwunden. Wie vom Erdboden verschluckt. Am Bahnhof in Davos Dorf verliert sich seine Spur.

Sein Sitznachbar Marcel: **„Schlimm ist die Ungewissheit. Wir wissen nicht, was mit ihm los ist. Wir hoffen nur, dass ihm nichts zugestoßen ist."**

Das rätselhafte Verschwinden des Buchser Oberstufenschülers zehrt allen an den Nerven. Seine Klassenkameraden können sich während des Unterrichts nicht mehr recht konzentrieren. Ihre Gedanken sind bei Stefan.

Kollegin Nicole sagt traurig: „Wenn ich seine leere Bank sehe, habe ich Mühe. Wir wissen nicht, wie es ihm geht, wo er ist." Sitznachbar Marcel: „Ich lege ihm Schulmaterial ins Fach, denke an ihn. Es beschäftigt mich sehr."

Lehrer Keller: **„Langsam wird es belastend für mich und die Klasse."** Und nach einer Pause: **„Wir warten auf Stefan."**

Die Schüler geben die Hoffnung nicht auf. Letzte Woche wollten sie die Klassenkasse mit rund 300 Franken leeren, Plakate drucken lassen und in Davos aufhängen.

Blick

Denken Sie dran!

SUBSTANTIVE AUS VERBEN

Im Text steht das Substantiv: ***das Verschwinden***. Das Substantiv wird vom Verb abgeleitet: *verschwinden*.

Solche Substantive können mit den meisten Verben wie folgt gebildet werden: ***das*** + Infinitiv. Zum Beispiel:

> ***Das Spielen*** *von Musik ist verboten.*
> *Sie interessiert sich fürs* ***Surfen***.
> ***Das Abnehmen*** *fällt ihm schwer.*

Solche Substantive können oft durch Infinitivkonstruktionen ersetzt werden. Zum Beispiel:

> *Es ist verboten, Musik* ***zu spielen***.

Vorsicht bei trennbaren Verben!

> *Es fällt ihm schwer* ***abzunehmen***.

■ Grammatik zum Nachschlagen, S.169

---

2 Textverständnis

1 Wen oder was beschreiben diese Ausdrücke aus dem Zeitungsartikel?

   a verzweifelt   **c** rätselhaft

   b ratlos   **d** hat Mühe

2 Was tut Stefans Schulfreund Marcel? Und was tut die Klasse?

3 Was könnten Ihrer Meinung nach die Gründe für Stefans Verschwinden sein? Wo könnte er sein?

3 Substantiv/Verb

Vervollständigen Sie die Sätze mit den passenden Substantiven aus dem Kästchen.

1 Das _____ einer Fremdsprache erfordert viel Zeit und Mühe.

2 In diesem Restaurant ist _____ verboten.

3 Das _____ eines Schulabschlusses ist nicht immer möglich.

4 Übermäßiges _____ von Alkohol ist gesundheitsschädlich.

5 Das _____ mit Blitzlicht ist nicht gestattet.

6 _____ ist auf dieser Strecke nicht ratsam.

Erlernen	Nachholen	Trinken
Fotografieren	Rauchen	Überholen

Jetzt schreiben Sie die Sätze 1–6 mit Infinitiv + zu statt mit Substantiv.

1 Eine Fremdsprache *zu erlernen erfordert viel Zeit und Mühe.*

2 In diesem Restaurant …

3 Es ist …

4 Übermäßig …

5 Mit Blitzlicht …

6 Auf …

4 Kreatives Schreiben

Entweder:

Sie sind ein Mitglied von Stefans Familie oder seiner Schulklasse. Schreiben Sie einen Brief an Stefan: Versuchen Sie ihn dazu zu überreden, nach Hause zu kommen.

Oder:

Stellen Sie sich vor, Sie sind von zu Hause abgehauen. Beschreiben Sie Ihr Leben. Was tun Sie jetzt? Wer hilft Ihnen? Wohin fahren Sie? Wo übernachten Sie? Und was machen Sie, um Geld zu verdienen?

Einfach raus?

Die Ausreißer

Leider sehen manche Kinder keine andere Möglichkeit, dem Stress zu entgehen, als auszureißen. Sie befinden sich auf der Straße, sind obdachlos, aber was hätten sie anders tun können? Hier wird ihre Lage beschrieben:

Die meisten obdachlosen Jugendlichen haben sich für das Leben auf der Straße nicht frei entschieden; für sie ist es der einzige Ausweg aus einer zuvor unerträglichen Lebenssituation. Kalle Hartmann, Streetworker am Züricher Hauptbahnhof, beschreibt es so, dass die meisten von Kindheit an statt der nötigen Wärme nur Gleichgültigkeit, Verbote und Prügel von ihren Eltern bekommen haben. „Zudem spielt sexueller Missbrauch eine große Rolle."

Wenn die Kids von zu Hause abhauen, machen sie sich meistens auf den Weg in die größten Städte, weil man dort nicht so schnell entdeckt wird – und viele Gleichgesinnte trifft. „Die Szene ist eine Art Ersatzfamilie", meint Kalle Hartmann. „Viele sagen das ganz klar so. Sie werden dann zum ersten Mal respektiert und haben das Gefühl, dass sie jemand ernst nimmt."

---

1   **Textverständnis**

Richtig oder falsch? Verbessern Sie die falschen Sätze.

1 Die meisten obdachlosen Jugendlichen haben sich bewusst für das Leben auf der Straße entschieden.

2 Sie haben keine andere Wahl als auf der Straße zu sein.

3 Die meisten vermissten schon zu Hause die nötige Wärme.

4 Es ist für Ausreißer vorteilhaft, in größeren Städten zu sein, weil sie dort andere Jugendliche mit ähnlichen Problemen treffen.

5 Jugendliche auf der Straße respektieren sich.

C

a   Er steht jeden Tag in einer der schicken Einkaufsstraßen und jongliert mit drei alten Tennisbällen. „Am Anfang konnte ich kaum zwei Bälle in der Luft halten", sagt er, „aber den Leuten war das egal. ... Na ja – und so verdiene ich zwischen 20 und 50 Franken am Tag. Zum Leben reicht's."

b   Heute arbeitet sie in einer Bank in der Innenstadt. Sie hat nach ihrer Behandlung eine Ausbildung als Bürokauffrau gemacht und führt jetzt ein ganz „normales" Leben. Manchmal kommt sie noch in die Bahnhofsgegend zurück. „Das ist alles Gott sei Dank sehr weit weg von mir", sagt sie.

c   Der Vater war arbeitslos und trank, seine Mutter, die das irgendwann nicht mehr aushalten konnte, ging in den Westen. Er landete schließlich in der Drogenszene.

d   Sie hat mit Freunden auf der Straße gelebt. Bei Einbrüchen Schmiere gestanden. Die Schule geschwänzt und dann ganz aufgegeben. Hat zu viel getrunken und Drogen probiert ... Seit einem halben Jahr wohnt sie auf einem Campingplatz. Sie wartet auf eine Wohnung und eine Nachricht von der Schule, in der sie ihren Hauptschulabschluss machen möchte.

B))) Obdachlos

2 Wer ist das?   B)))C

Lesen Sie zuerst die Texte a–d. Hören Sie dann weitere Informationen. Entscheiden
Sie, um wen es sich bei jedem Text a–d handelt: Jens, Tom, Günay oder Jasmin?

3 Ins Detail   B)))C

Lesen Sie die Texte a–d noch einmal und füllen Sie die Tabelle aus: Kreuzen Sie für jede/n die treffenden Aussagen an.

		Jens	Günay	Tom	Jasmin
1	… lässt sich etwas für sein Geld einfallen.				
2	… hat jetzt eine gute Stelle.				
3	… wartet auf eine Wohnung.				
4	… wurde von den Eltern rausgeworfen.				
5	… ist von zu Hause abgehauen.				
6	… wohnt noch auf der Straße.				
7	… wohnt seit zwei Jahren auf der Straße.				
8	… war Teil der Drogenszene.				
9	Die Familie ging auseinander.				
10	… hat sich prostituiert.				

Hören Sie den Text noch einmal und kreuzen Sie dann weitere zutreffende Aussagen an.

4 Textverständnis   D

1 What problems do social workers have when seeking to help these young people?

2 Why does pressurising them to accept help not work?

3 How do these street workers get to know the teenagers living rough?

4 How are the causes and reasons for being homeless described?

5 Give three examples of the sort of help available.

5 Radiointerview

Sie moderieren eine Diskussion über Ausreißen. Im Studio sind Jugendliche, die über ihre Erfahrungen berichten, sowie Eltern und Sozialarbeiter. Verteilen Sie die Rollen und führen Sie die Diskussion.

D Chancenlos?

Günay ist nicht mehr obdachlos, sie hat eine Ausbildung hinter sich. Welche Chancen haben obdachlose Jugendliche? Kalle Hartmann, Streetworker, beschreibt die Alternativen zum Street-Life.

An solche Kinder ist für die Sozialarbeiter kaum heranzukommen. „Sie stecken in einem ständigen Überlebenskampf und sind wegen ihrer Erfahrungen sehr, sehr misstrauisch. Mit Druck können wir da überhaupt nichts erreichen", sagt Kalle Hartmann. Das ist nur zu verständlich, schließlich sind die Jugendlichen erst durch Druck dort gelandet, wo sie sind – auf der Straße. „Meistens läuft es so, dass man dabeisteht, irgendwann ins Gespräch kommt und sich die Dinge entwickeln. Aber das sind sehr langwierige Prozesse, bei denen es erst mal darum geht, den Kids klarzumachen, dass man akzeptiert, wie sie leben. Damit erkennt man an, dass es Ursachen und Gründe gibt. Das sind ja oft sehr tragische und lange Geschichten, die die Kids dazu gebracht haben, allem, was erwachsen ist, zu misstrauen. Deswegen wollen wir ihnen das Gefühl und die Sicherheit geben."

Wenn sie dazu bereit sind, gibt es für Tom und die anderen die verschiedensten Alternativen, wie es weitergehen kann. „Wir haben eine ganze Palette von Möglichkeiten. Das geht von der Betreuung auf der Straße über die in einem eigenen Zimmer bis hin zur minimalen pädagogischen Betreuung in Hausgemeinschaften. Es gibt aber auch das ganz normale Heim, und es gibt freizeitpädagogische Maßnahmen, bei denen Jugendliche lernen, wieder in einer Gemeinschaft mit anderen zusammenzuleben und sich auf einen Beruf vorzubereiten."

Es geht ums Geld

Einstieg

Wir sind alle Mitglieder einer Konsumgesellschaft, die auf Geld aufgebaut ist. Wofür braucht man Geld? Was sind die Unkosten des alltäglichen Lebens? Erstellen Sie zwei Listen – Sätze mit Substantiven und auch mit Verben:

Zum Beispiel:

Man braucht Geld fürs Essen.   Man braucht Geld, um zu essen.

A

Augen vor Armut nicht verschließen

Armut ist ein Problem, das vor den reichen „Industrienationen" nicht Halt macht, vor uns nicht Halt macht. Armut trifft immer stärker auch den Einzelnen, den Rentner, die Arbeitslose, den Pflegebedürftigen, die Alleinerziehende und immer stärker auch die Kinder.

Jede drittes Vorschulkind ist gezwungen, in Armut zu leben, das heißt, die Sorgeberechtigten haben so wenig Einkommen, dass sie auf Sozialhilfe oder zumindest Beihilfen – z.B. Bekleidungsbeihilfe – angewiesen sind. Und von diesen Kindern essen nach Beobachtungen von Kindergärtner/innen zunehmend weniger in den Kindertagesstätten zu Mittag, obwohl sie es wahrscheinlich möchten und auch gut gebrauchen könnten.

Das ist eine Folge der Armut, dass eine geregelte warme Mahlzeit am Tag wegfällt, weil sie zu teuer ist. Es gibt weitere Folgen der Armut, die die betroffenen Kinder auszugrenzen drohen: Spielzeug kann nicht angeschafft werden, Fahrräder sind kaum erschwinglich, Teilnahme an Ferienfahrten ist nicht drin.

1 **Textverständnis**   **A**

1 Suchen Sie im Text den entsprechenden deutschen Ausdruck:

  a single parents

  b pensioners

  c people living alone

  d unemployed

  e those needing care

2 Hier sind die vier im Text erwähnten Folgen der Armut. Welche halten Sie für die wichtigste? Welche halten Sie für am wenigsten wichtig? Begründen Sie Ihre Antworten:

  a nicht immer eine warme Mahlzeit am Tag

  b wenig Spielzeug

  c keine Fahrräder

  d keine Ferienfahrten

B))) **Radiowerkstatt zum Thema Armut**

2 **Lückentext**   **B**)))

Hören Sie den ersten Abschnitt der Aufnahme und beantworten Sie dann die Fragen:

  1 Füllen Sie die Lücken aus:

    … , was ist das … ?

    … gilt jemand eigentlich … ?

    … ist Armut in der Schweiz … ?

  2 Was für Antworten erwarten Sie auf diese Fragen?

3 Auf der Straße B)))

Hören Sie jetzt den zweiten Abschnitt des Interviews. Fünf Passanten und Passantinnen antworten auf die Fragen des Interviewers. Welche Aussage trifft für wen zu?

	1	2	3	4	5
1 Wer ist selber arm?					
2 Wer findet, dass es in Basel ziemlich viele Arme gibt?					
3 Wer glaubt, dass es in der Schweiz keine Armut gibt?					
4 Wer beklagt die Ungerechtigkeit der Gesellschaft?					
5 Wer versucht, die Armut zu definieren?					

4 Definitionen der Armut

Folgende Definitionen der Armut kommen in den Radio-Interviews vor:

> *„Dass ich morgens keinen Kaffee hab, nix zu essen hab und so weiter. Dass ich keine Miete zahlen kann und demnächst sowieso wieder auf der Parkbank penne!"*

> *„Wenn man mittags nichts mehr zu essen hat, wenn man keine Heizung hat, wenn man nicht zum Arzt gehen kann, wenn man kein Geld dafür hat, wenn man die Kinder nicht anziehen kann."*

Verwenden Sie diese Aussagen, um Ihre eigenen Gedanken zum Thema Armut aufzuschreiben. Hier sind drei Muster, die Sie verwenden können:

> Wenn man ..., ist man arm.

> Wer nicht ... kann, ist arm.

> Arm sein heißt, ... nicht ... zu können.

5 Textarbeit

Vervollständigen Sie die Sätze mit Hilfe des Textes. Finden Sie auch weitere Möglichkeiten, das Problem der Armen zu beschreiben.

1 Es ist einfach, über die Armut ...

2 Arm sein heißt ...

3 Arme Leute ...

4 Die Gefahr besteht darin, dass Armut ...

6 Zur Diskussion

Stellen Sie sich vor, Sie sind arbeitslos und arm. Worauf werden Sie verzichten müssen? Was werden Sie so lange wie möglich behalten? Was ist Ihnen am wichtigsten? Warum?

Ohne Arbeit kein Vergnügen

Sprechen kann man über die Armut allgemein. Theoretisieren kann man über sie. Und man kann über die Armut der anderen sprechen, wieso sie in Not gerieten und was sie wohl falsch gemacht oder nicht beachtet haben.

Sprachlos wird man dann, wenn man selbst zu den Armen gehört. Denn Armut „...ist wie der Dreck. Dort, wo unten ist, ist sie, stört, steckt an, stinkt." Armut stinkt, ist ein Stigma, ist das Abweichende und nicht das Normale – und so beginnt man schnell, sich dafür zu schämen, dass man nicht zu den Normalen gehört. In einem Land, in dem jede/r theoretisch reich und erfolgreich sein kann, muss es wohl an einem selbst liegen, wenn es nicht klappt ...

Statt Armut als Folge wirtschafts- und gesellschaftspolitischer Entwicklungen zu sehen, versinkt sie – zusammen mit den Betroffenen – in krankmachende Privatheit.

Pinnwand

4 Tradition und Wandel:

München und Bayern

Zuwanderungsland
Deutschland

Essen und Trinken

Technik und Medien

Bayern

• München

Außenseiter, aber doch kein Ausländer

Einstieg

Wie sehen die Personen aus? Beschreiben Sie die Fotos mit Hilfe der Wörter im Kästchen. Sind sie typisch deutsch?

ihr Gesicht	ihre Augen	sie sieht … aus	älter	jung	müde	ihr Haar
rundlich	sie scheint … zu sein	Meiner Meinung nach ist sie …				

A

DIALOG von Nasrin Siege

»Du redest so gut Deutsch. Wo kommst du denn her?«

»Aus Hamburg.«

»Wieso? Du siehst aber nicht so aus!«

»Wie sehe ich denn aus?«

»Na ja, schwarzhaarig und dunkel …«

» Na und?«

»Wo bist du denn geboren?«

»In Hamburg.«

»Und dein Vater?«

»In Hamburg.«

»Deine Mutter?«

»Im Iran.«

»Da haben wir's!«

»Was denn?«

»Dass du keine Deutsche bist!«

»Wer sagt das?«

»Na ich!«

»Warum?«

»Weiß ich auch nicht …«

1 Woher kommen Sie?

1 Warum wird das Mädchen gefragt, woher es kommt?

2 Warum wird das Mädchen als Nicht-Deutsche gekennzeichnet?

3 Ist es Ihnen wichtig, welche Staatsangehörigkeit Sie haben? Warum? Warum nicht?

4 Wenn Sie einem Fremden begegnen, wie versuchen Sie seine Herkunft zu erkunden?

B))) Die Unmündigen

2 Vorbereitung – Wortschatz

Bevor Sie die Aufnahme hören, bearbeiten Sie den nötigen Wortschatz. Setzen Sie die passenden Wörter in diese Sätze ein.

das Wahlrecht	Ausländer	unmündig
minderjährig	den Fremden	Mitbürger
Einbürgerung	abgeschafft	

1 _____ kennt man nicht.

2 _____ sind nicht von hier; sie kommen aus anderen Ländern.

3 _____ haben Bürgerrechte; das heißt zum Beispiel, sie dürfen wählen.

4 Wenn etwas _____ wird, existiert es nicht mehr.

5 _____ sein heißt sprachlos sein; man hat keine Vertretung.

6 Wenn man noch nicht 18 Jahre alt ist, ist man in Deutschland _____ .

7 Als Bürger eines Landes hat man _____ ; man darf an Wahlen teilnehmen.

8 Bürger werden, heißt _____ .

3 Hörverständnis B)))

Hören Sie jetzt Abschnitt 1. Was sagt der Sprecher der Unmündigen zu den folgenden Fragen?

1 Woher kommst du?

2 Aber du bist doch Ausländer?

3 Wann willst du wieder zurück in deine Heimat?

4 Keine Ausländer, keine Fremde, was seid ihr dann alle?

5 Wer sind die Unmündigen?

Hören Sie Abschnitt 2 und vervollständigen Sie die Sätze. Vergessen Sie die Endungen nicht.

6 Was fordert ihr?

> *Wir wollen _____ Selbstverständlichkeiten: Rechtsanspruch auf Einbürgerung! _____ und _____ Wahlrecht auf _____ _____ Ebenen! Antidiskriminierungsgesetz! Abschaffung der _____ Ausländergesetze! Die _____ _____ Bürgerrechte!*

7 Was braucht ihr?

> *Ein _____ Selbstbewusstsein. Das finden wir bei der _____ und _____ Generation. Denn sie erfährt am _____ _____ Tag, was es heißt, Ausländer im _____ Land zu sein.*

Deutscher Türke oder türkischer Deutscher?

Einstieg

Was wissen Sie über die in Deutschland lebenden Türken?

Ordnen Sie die Ausdrücke aus dem Kästchen entweder Gruppe 1 oder Gruppe 2 zu. Bilden Sie dann Sätze, um die Lage der deutschen Türken zu erklären.

Gruppe 1   Die Gastarbeiter:

Gruppe 2   Die zweite und dritte Generation:

- aus der Türkei gekommen
- in Deutschland aufgewachsen
- in den sechziger Jahren
- in Deutschland geboren
- nach Deutschland gekommen
- als ihre Eltern schon in Deutschland wohnten
- eingeladen, in Deutschland zu arbeiten
- sind in Deutschland zu Hause

A

DER DEUTSCHE TÜRKE

Kemal Yildizetkin, 20, hat mit der Loyalität zu Deutschland kein Problem. „Ich bin hier geboren, ich kenne hier alles und mache hier alles", sagt der Hamburger Informatikstudent, „da kann man doch nicht sagen, dass ich nicht deutsch fühle."

Dennoch ist Yildizetkin nach seinen Papieren Türke und zwar der letzte in seiner engeren Familie. Sein Vater, der bereits 1962 als Gastarbeiter nach Deutschland kam, und seine Mutter, die Mitte der siebziger Jahre folgte, haben längst die deutsche Staatsbürgerschaft. Und auch Schwester Tülay, die wie ihr Bruder in Hamburg geboren wurde und sich auf das Abitur vorbereitet, hat den Pass mit dem Bundesadler in der Tasche.

Den lehnte Kemal Yildizetkin ab. Er wollte sich nicht, aus der Heimat seiner Eltern ausbürgern lassen. „Warum soll ich meine türkische Staatsbürgerschaft aufgeben?", fragt der junge Student. „Ich will ganz bewusst beide." Der Pass aus der Heimat seiner Familie dokumentiert für ihn, dass da noch eine emotionale Bindung ans Land seiner Eltern besteht.

Der Spiegel

1   **Textverständnis**   **A**

1   Wer ist Kemal Yildizetkin?

2   Seit wann wohnt er in Deutschland?

3   Ist er Gastarbeiter?

4   Was haben die anderen Mitglieder seiner Familie, das er nicht hat?

5   Warum hat sich Kemal bewusst für die türkische Staatsbürgerschaft entschieden?

2 Lerntipps

1 Suchen Sie im Text nach Beispielen für das Imperfekt. Erstellen Sie dann eine Liste der Infinitive.

> Beispiel
>
> kam – kommen

2 Benutzen Sie die Verbtabellen, Seite 185, um eine Liste von 20 wichtigen Verben anzulegen, die Sie lernen müssen. Am besten lernen Sie die Formen der starken Verben so:

Infinitiv – Imperfekt – Partizip Perfekt

gehen   – ging   – gegangen

3 Textverständnis

Verwenden Sie das Imperfekt in Ihren Antworten.

1 Wo arbeitete Christos?

2 Wie alt war er, als er nach Deutschland kam?

3 Was tat er meistens im Winter?

4 Und im Sommer?

5 Was bekam er manchmal im Winter?

6 Was machte er im Hotel?

7 Bekam er viel Geld?

B

BEVOR ICH NACH DEUTSCHLAND KAM ...

Christos arbeitete in der Nähe von Lamia in der Landwirtschaft, bevor er fünfundzwanzigjährig nach Deutschland kam. Tabak, Baumwolle, Mais, Tomaten, Melonen, er verdiente in der Saison – im Winter war er meist arbeitslos – zweitausend Drachmen im Monat, für zehn bis vierzehn Stunden täglich, im Sommer nahm der Tag, im Winter nahm das Warten auf den Frühling kein Ende. Ab und zu hatte er im Winter Glück und erhielt kleine Gelegenheitsarbeiten, für einen Tag, für drei Tage, er half bei einem Fuhrunternehmer, er arbeitete für eine Woche beim Straßenbau, er war Aushilfe in einem Hotel in Lamia; er musste zufrieden sein mit dem, was man ihm nach der Arbeit gab. ■

Grammatik: Das Imperfekt

Beispiele des Imperfekts aus Text :

*Sein Vater **kam** bereits 1962 als Gastarbeiter nach Deutschland.*

*Seine Mutter **folgte** Mitte der siebziger Jahre.*

*Den deutschen Pass **lehnte** Kemal Yildizetkin **ab**.*

*Er **wollte** sich nicht aus der Heimat seiner Eltern ausbürgern lassen.*

Was ist das Imperfekt?

Das Imperfekt, ebenso wie das Perfekt, drückt Vergangenheit aus. Seine Verwendung ist eine Frage des Stils. Es wird hauptsächlich in längeren Erzählungen benutzt und immer dann, wenn der Erzähler distanziert auf das Vergangene blickt.

Wie wird es gebildet?

Die drei Formen sind:

1 Schwache Verben:
Infinitivstamm + schwache Endungen

2 Starke Verben:
Stamm, meistens mit Vokaländerung + starke Endungen

3 Mischverben:
Stamm mit Vokaländerung + schwache Endungen

1 spielen	2 singen	3 denken
*ich spiel**te***	*ich sang*	*ich dach**te***
*du spiel**test***	*du sang**st***	*du dach**test***
*er/sie/es spiel**te***	*er/sie/es sang*	*er/sie/es dach**te***
*wir spiel**ten***	*wir sang**en***	*wir dach**ten***
*ihr spiel**tet***	*ihr sang**t***	*ihr dach**tet***
*sie spiel**ten***	*sie sang**en***	*sie dach**ten***
*Sie spiel**ten***	*Sie sang**en***	*Sie dach**ten***

Endungen und Stammformen muss man lernen.

■ Verbtabellen, S.185

Deutscher Türke oder türkischer Deutscher?

> ## Man hat Arbeitskräfte gerufen, und es kommen Menschen!
>
> *Max Frisch, 1975*

A

Osman Gürlük

1974 bin ich allein nach Deutschland gekommen. Zuerst habe ich nach Arbeit gesucht. Ich wollte in Köln arbeiten, aber ich habe hier in München eine Stelle gefunden. Am Anfang habe ich in Baracken gewohnt, später bin ich in eine Wohnung eingezogen, denn meine Frau ist 1976 in München angekommen. Weil ich immer fleißig gearbeitet und die Sprache richtig gelernt habe, habe ich innerhalb der Firma größere Verantwortung bekommen. Ich habe die Rolle des Dolmetschers übernommen. Meine Söhne haben die Schule hier besucht, sind hier aufgewachsen, aber wir sind oft nach Hause geflogen.

1   **Grammatikübung**

Schreiben Sie im Imperfekt über die Erfahrungen von Gastarbeitern. Bilden Sie ganze Sätze.

Schwache Verben

1   eine Stelle bei einer Baufirma suchen
2   zehn Stunden am Tag arbeiten
3   einen Sprachkurs besuchen
4   schnell Deutsch lernen
5   mit anderen Ausländern zusammenwohnen

Starke Verben

6   nach Deutschland kommen
7   kein Wort Deutsch sprechen
8   sich bei einer neuen Firma bewerben
9   in eine schöne Wohnung ziehen
10   im Urlaub nach Hause fahren

Mischverben

11   niemanden kennen
12   oft an die Heimat denken

2   **Umschreibung eines Textes**

Geben Sie diesen Text wieder, in dem Sie anstatt des Perfekts das Imperfekt benutzen. Schreiben Sie in der dritten Person.

B))) Die Lebensgeschichte Erkan Ahmets

3 Hörverständnis

1 Bevor Sie zuhören, tragen Sie das Imperfekt von diesen Verben ein. (■ Verbtabellen, S.185)

starke Verben	schwache Verben
aufwachsen – …	arbeiten – …
kommen – …	heiraten – …
geben – …	wollen – …
umziehen – …	machen – …
gehen – …	lernen – …
bekommen – …	

2 Beim ersten Hören: Ordnen Sie die Verben richtig zu.

3 Beim zweiten Hören: Notieren Sie weitere Details.

4 Schreiben Sie schließlich Erkans Geschichte im Imperfekt. Beginnen Sie so:

> Erkan Ahmet ist 1943 in der Türkei geboren. Er *wuchs* in der Nähe von Ankara auf.

4 Kreatives Schreiben

Stellen Sie sich vor, Sie sind Erkan Ahmet. Sie schreiben einen Brief an Ihre Familie in der Türkei, in dem Sie Ihre Erfahrungen in Deutschland schildern.

Entscheiden Sie, ob Sie kurz nach Ihrer Ankunft in Deutschland oder etwas später schreiben. Wovon erzählen Sie?

Benutzen Sie das Perfekt, wenn Sie von persönlichen Erfahrungen berichten.

Lesen Sie auch die Briefe von anderen aus Ihrer Klasse.

5 Rollenspiel: Umfrage

Sie machen eine Umfrage über das Leben von deutschen Türken und türkischen Deutschen. Sie treffen Erkan Ahmet und stellen ihm Fragen. Was würden Sie ihn fragen? Was würde er antworten? Spielen Sie dieses Interview vor. Gerade weil es ein Gespräch ist, muss man das Perfekt statt des Imperfekts verwenden.

Beispiele

Wann sind Sie nach Deutschland gekommen?

Was haben Sie zuerst getan, als Sie hier angekommen sind?

C SO SAGT DER EHEMALIGE BUNDESPRÄSIDENT RICHARD VON WEIZSÄCKER …

DAS FREMDE und das uns Vertraute macht uns entweder Angst oder gibt uns ein gutes Gefühl. Damit ist aber nicht notwendigerweise gesagt, dass der Ausländer in jedem Fall der Fremde und der Deutsche der Vertraute ist. Ein Hooligan ist fast allen Deutschen etwas vollkommen Fremdes, das ihnen zuwider ist, aber ein ausländischer Kollege am Arbeitsplatz oder auch der italienische und jugoslawische Gastwirt sind uns vollkommen vertraut.

6 Textverständnis

Suchen Sie im Text Beispiele von Gegensätzen.

Wann ist ein Ausländer den Deutschen vertraut?

7 Zur Diskussion

Machen Sie Assoziogramme für die Wörter „das Fremde" und „das Vertraute". Diskutieren Sie dann Ihre Ideen in der Klasse.

Was ist Ihnen fremd? Was ist Ihnen vertraut? Warum?

Mir ist … (Nominativ) vertraut/fremd, weil … (Verb ➤ Ende).

Mir sind … (Nominativ) vertraut/fremd, weil … (Verb ➤ Ende).

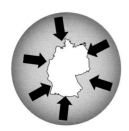

Einwanderung: Politik und Wirklichkeit

Einstieg

Was wissen Sie über die Ausländerpolitik Deutschlands? Was kommt bei Ihnen in den Nachrichten? Und wie sieht es im Vergleich mit der Ausländerpolitik Ihres Landes aus?

Auf welches Land treffen die folgenden Aussagen zu? Großbritannien oder Deutschland?

… hat die liberalere Einwanderungspolitik.

… hat die strengere Grenzüberwachung.

… nimmt mehr Flüchtlinge auf.

… hat mehr Asylbewerber.

… hat eine lange Tradition, Ausländer aufzunehmen.

… nimmt in letzter Zeit weniger Ausländer auf.

A

Ausländer in Deutschland

Rund 7,4 Millionen Bürger ausländischer Herkunft – Immigranten, Asylbewerber, Flüchtlinge – leben heute in Deutschland, die Hälfte davon länger als 10, rund ein Drittel sogar schon mehr als 20 Jahre. Die meisten wollen nicht mehr weg.

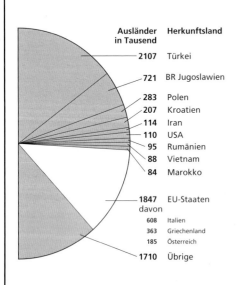

Ausländer in Tausend	Herkunftsland
2107	Türkei
721	BR Jugoslawien
283	Polen
207	Kroatien
114	Iran
110	USA
95	Rumänien
88	Vietnam
84	Marokko
1847 davon	EU-Staaten
608	Italien
363	Griechenland
185	Österreich
1710	Übrige

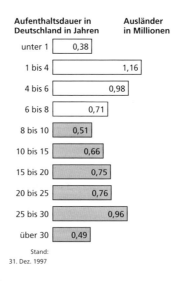

Aufenthaltsdauer in Deutschland in Jahren	Ausländer in Millionen
unter 1	0,38
1 bis 4	1,16
4 bis 6	0,98
6 bis 8	0,71
8 bis 10	0,51
10 bis 15	0,66
15 bis 20	0,75
20 bis 25	0,76
25 bis 30	0,96
über 30	0,49

Stand: 31. Dez. 1997

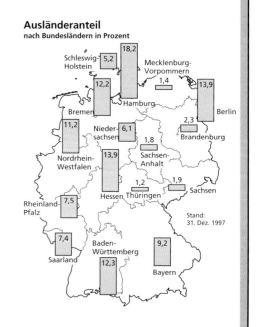

Ausländeranteil
nach Bundesländern in Prozent

Schleswig-Holstein 5,2
Mecklenburg-Vorpommern 1,4
18,2
Hamburg 12,2
Berlin 13,9
Bremen 11,2
Niedersachsen 6,1
Brandenburg 2,3
Nordrhein-Westfalen 13,9
Sachsen-Anhalt 1,8
Hessen 13,9
Thüringen 1,2
Sachsen 1,9
Rheinland-Pfalz 7,5
Saarland 7,4
Baden-Württemberg 12,3
Bayern 9,2

Stand: 31. Dez. 1997

1 In ihrem Heimatland aus politischen, religiösen oder rassischen Gründen Verfolgte, die in einem anderen Land Zuflucht suchen.

3 Menschen, die ihre Heimat aufgrund von Krieg, politischer Verfolgung, Armut, Umweltschäden oder Naturkatastrophen verlassen müssen.

2 Aus Osteuropa nach Deutschland übergesiedelte Personen deutscher Herkunft, ihre nichtdeutschen Ehegatten und ihre Kinder.

4 Menschen, die in ein für sie fremdes Land gehen, um dort eine bestimmte Zeit zu arbeiten, und dann oft wieder in ihre Heimat zurückkehren.

1 **Textverständnis** Ⓐ

Sehen Sie sich den Text und die Grafik an. Ergänzen Sie die Sätze.

1 Mehr als 2 Millionen der in Deutschland lebenden Ausländer stammen aus _____ .

2 Die zweitgrößte Gruppe bilden die Bürger der _____ .

3 Insgesamt gibt es _____ Ausländer.

4 Mehr als die Hälfte der Bürger ausländischer Herkunft lebt schon _____ in Deutschland.

5 490 000 davon sind sogar _____ in Deutschland.

6 Hamburg hat mit 18,2 Prozent den größten _____ .

7 Der _____ in _____ beträgt 9,2 Prozent.

8 Die neuen Bundesländer haben den niedrigsten _____ .

2 **Wortschatzarbeit** Ⓑ

1 Suchen Sie die passende Definition zu jedem Begriff.

   a Aussiedler

   b Gastarbeiter

   c Flüchtlinge

   d Asylbewerber

2 Auf wen treffen die folgenden Verben zu?

   a übersiedeln

   b Zuflucht finden

   c zurückkehren

   d verlassen

Ⓒ))) Einwanderungsland Bayern

3 **Hörverständnis**

Hören Sie das Programm zu diesem Thema. Ordnen Sie die Themen in die Tabelle ein.

Einwanderungsland Bayern

Audimax 8. Juli, 10.00–17.00 Uhr

Das Programm:

10.00–10.15 Uhr   _____

10.15–10.30 Uhr   _____

10.30–11.30 Uhr   _____

11.30–13.15 Uhr   Arbeitsgruppen:

     Gruppe 1: _____

     Gruppe 2: _____

     Gruppe 3: _____

13.15–14.00 Uhr   Mittagspause

14.00–15.30 Uhr   _____

15.30–16.00 Uhr   _____

     Prof. Hanno Schwartz, European Research Centre on Ethnic Relations, Universität Groningen, Niederlande

16.00–17.00 Uhr   _____

- Abschlussdiskussion
- Bist du Aus-, In-, oder Deutschländer?
- Begrüßung und Einleitung
- Kulturelle Vielfalt der Niederlande
- Einwanderungsland Bayern im Überblick
- In der gleichen Sprache miteinander reden
- Griechische Migranten in Bayern
- Flüchtlinge: ein Recht auf Lebensperspektive
- Aussiedlerfamilien in Bayern heute
- Zuwanderer: Kosten der Nichtintegration

Asyl

Asyl wird so definiert:

„Der Aufenthalt, den ein Staat einem Ausländer gewährt, um ihn vor Verfolgung zu schützen."

Benutzen Sie das Wort „Asyl", um zusammengesetzte Substantive zu bilden. Suchen Sie im Wörterbuch oder im Lexikon nach Definitionen.

Zum Beispiel:

Der Asylbewerber – jemand, der um Asyl bittet.

A

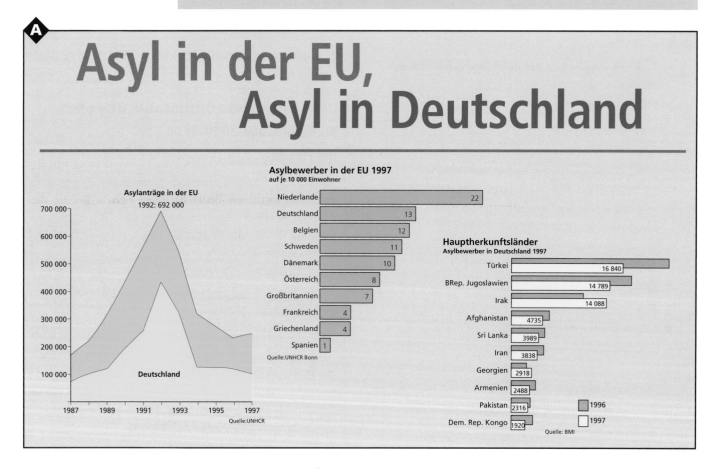

Asyl in der EU, Asyl in Deutschland

Asylanträge in der EU
1992: 692 000

700 000
600 000
500 000
400 000
300 000
200 000
100 000

Deutschland

1987   1989   1991   1993   1995   1997
Quelle:UNHCR

Asylbewerber in der EU 1997
auf je 10 000 Einwohner

Niederlande	22
Deutschland	13
Belgien	12
Schweden	11
Dänemark	10
Österreich	8
Großbritannien	7
Frankreich	4
Griechenland	4
Spanien	1

Quelle:UNHCR Bonn

Hauptherkunftsländer
Asylbewerber in Deutschland 1997

Türkei	16 840
BRep. Jugoslawien	14 789
Irak	14 088
Afghanistan	4735
Sri Lanka	3989
Iran	3838
Georgien	2918
Armenien	2488
Pakistan	2316
Dem. Rep. Kongo	1920

■ 1996
□ 1997

Quelle: BMI

1 | **Richtig oder falsch?**

1 Deutschland nimmt die meisten Asylbewerber in der EU auf.

2 1993 stieg die Zahl der Asylanträge auf 692 000.

3 Pro 10 000 Einwohner nahm Deutschland 13 Asylbewerber auf.

4 1997 nahmen die Niederlande die meisten Asylbewerber in der EU auf.

5 Im Vergleich zu Deutschland nahm Großbritannien 1997 ungefähr 45% weniger Asylbewerber auf.

6 Die Zahl der Asylbewerber aus der Türkei ging 1997 zurück.

7 1997 nahm Deutschland weniger Asylbewerber aus dem Irak auf.

B))) Keine Interviews mit jungen Asylbewerbern

2 Hörverständnis

Hören Sie das Interview mit Herrn Rahm. Beantworten Sie die Fragen.

1 Wollten die jungen Asylbewerber am Interview teilnehmen?

2 Wann lehnten sie ab?

3 Was fürchten ihre Eltern?

4 Warum sind die Asylbewerber vorsichtiger als je zuvor?

3 Schwierigkeiten für Asylbewerber C D

In den beiden Texten wird von den Schwierigkeiten für Asylbewerber berichtet. Erklären Sie diese Probleme in Ihren eigenen Worten.

4 Partnerarbeit: Ein Interview

Stellen Sie sich vor, dass Sie Journalist sind und sich mit Tom treffen, um mit ihm die Schwierigkeiten der Asylbewerber und der Rechtlosen zu besprechen. Sie wollen auch etwas über seine eigenen Erlebnisse erfahren. Ihr Partner übernimmt die Rolle von Tom.

Vielleicht beginnt das Interview mit diesen Fragen:

- Woher kommen Sie?

- Seit wann leben Sie in Berlin?

- Warum sind Sie nach Deutschland gekommen?

5 Wer schreibt mir?

Abdoulaye Camara

Ich bin am 3. Februar 1964 in Conakry in Guinea geboren. Mein Land war 60 Jahre lang eine französische Kolonie. Ich spreche ziemlich perfekt Französisch. Ich bin Asylbewerber seit 1996. Ich bin in Neuwied seit dem 9. Januar 1996. Ich interessiere mich sehr für die aktuelle afrikanische Politik. Ich würde gerne mit jungen Leuten aus aller Welt korrespondieren. Und ich liebe auch die deutsche Sprache und ich würde sie auch gerne beherrschen. Ich möchte lernen, wie man sich auf Deutsch unterhält, wie man diskutiert, wie man schreibt, aber ich möchte auch Kontakt zu anderen.

Schließlich ist mein Land Guinea in Deutschland nicht bekannt. Ich würde gerne auch die Probleme in meinem Land erklären können.

C Asylant sein heißt ...

... vom Regen in die Traufe gekommen zu sein.

... täglich zu erleben, dass nicht alle Menschen gleich sind.

... Menschenwürde zu besitzen, würden alle deutschen Menschen Menschenwürde besitzen.

... hierzulande draußen zu sein, bevor man drinnen ist.

... als Problem ohne Geld problematischer zu sein als Probleme mit Geld.

... für die Entstehung neuer Schimpfwörter in Deutschland verantwortlich sein.

... ständig gefragt zu sein, ob man leider noch bleiben oder Gott sei Dank endlich wieder gehen will.

... sich jeden Tag aufs Neue wundern zu dürfen, dass man noch lebt.

D LEBEN IN DER SCHATTENWELT

TOM ist ein Niemand. So bezeichnet er sich selbst. Seit sechs Jahren lebt er in Berlin ohne Papiere, die ihm bestätigen würden, eine Person zu sein. Das Leben eines Rechtlosen in der Schattenwelt von Berlin hat seine eigenen Regeln, die wichtigste: Öffentliche Orte sind zu meiden. Zumal für Menschen wie Tom, deren schwarze Haut Polizisten verdächtig genug erscheint, sie zu kontrollieren.

Tom wurde in Liberia geboren. 1991 – er war gerade 17 Jahre alt – schickten ihn seine Eltern nach Deutschland, fort aus dem Bürgerkrieg in seiner Heimat. In Deutschland, glaubten die Eltern, lebten alle Menschen in Frieden und Wohlstand und ein Junge wie Tom könnte dort Arbeit finden und seine Talente entfalten. Ein Jahr brauchten die deutschen Behörden, um Toms Antrag auf Asyl abzulehnen und ihn zur sofortigen Ausreise aufzufordern. Doch Tom blieb und wurde ein Niemand.

Wie er gelebt hat all die Jahre? Der kleine Mann versucht zu lächeln: „Nicht wie ein Mensch." Ziellose Tage, ohne Arbeit, nicht selten ohne Essen. Immer ungewisse Nächte. Mal fand sich bei einem Freund aus der afrikanischen Community ein Bett, mal bot eine Frau für einige Monate Unterschlupf. Obdachlosenunterkünfte. Asylbewerberheime. Ein Leben im unbefristeten Wartestand.

Tom, der Schattenmensch, träumt. Er sitzt mit Bundeskanzler Gerhard Schröder bei Tee und Gebäck. „Sehen Sie her", sagt er ihm, „ich bin hier. Seit vielen Jahren schon. Geben Sie mir die Möglichkeit, menschenwürdig zu leben." Der Bundeskanzler nickt. Im Traum. Dann lacht Tom.

*E*in deutsches Deutschland? Nein, danke!

Um Deutsche auf die multikulturelle Vielfalt ihres Landes aufmerksam zu machen, schlägt man Folgendes vor. Welcher Vorschlag gefällt Ihnen am besten? Warum?

> Mir gefällt die Idee, … *zu* + *Infinitiv* (gar nicht), weil … [Verb ➤ Ende].

A

Abenteuer beim Einkauf: einmal beim griechischen, türkischen oder italienischen Händler stöbern.

Die Gedichte, die Lieder und die Tänze der ‚anderen‘ und ‚fremden‘ Kultur im Unterricht lernen.

Kollegen lernen von Kollegen die wichtigsten Fragen und Antworten auf Griechisch, Türkisch, Spanisch oder Italienisch.

Die einen haben ――――――
Die anderen haben ――――――

SCHARFSINN GEGEN STUMPFSINN
Vorurteile lassen.

Verhindert,
dass die ―――― ――――
raus müssen

SCHARFSINN GEGEN STUMPFSINN
Kultur zeigen

1 **Textarbeit**

Füllen Sie die Lücken mit Ihren eigenen Worten aus.

Finden Sie die ursprünglichen Untertitel gut? Warum (nicht)?

Vervollständigen Sie die Sätze, um die Ideen der Kampagne zu erklären: Benutzen Sie Wörter aus dem Kästchen.

> Wenn man _____ hat, geht im Leben vieles _____.
>
> _____ Freunde zu finden, weiß man nur _____ von anderen _____ . Freundschaft ist der beste _____ , Meinungen zu _____ . Kultur ist nicht _____ . Die _____ besteht aus vielen _____ . Deswegen sind die _____ Tasten genausowichtig wie die _____ .

Harmonie	anstatt	weißen	schwarzen	ändern
Vorurteile	eintönig	Weg	Tönen	Kulturen
wenig	verloren			

B

Gefühle von Evelyne Stein-Fischer

Die Freude der Afrikaner ist nicht schwarz,
der Schmerz der Asiaten nicht gelb,
der Hunger der Indianer nicht rot.
Sie lachen und weinen wie du.
Ihre Angst kennt nur den *einen* Schrei,
leise oder laut,
in tausend Sprachen gleich.

2 **Wortschatzerweiterung**

1 Im Gedicht spricht Evelyne Stein-Fischer von Völkern, Farben und Gefühlen. Ordnen Sie die folgenden Wörter der jeweils passenden Kategorie zu:

> **der Franzose** **der Genuss** **die Betr btheit**
> **blau** **die Liebschaften** **der Einheimische**

> **Völker:** **Farben:** **Gefühle:**

Ordnen Sie jetzt das Vokabular des Gedichtes den Kategorien zu.

2 Erweitern Sie diese drei Listen mit der Hilfe eines Lexikons oder Wörterbuchs.

3 **Grammatikübung**

1 Beantworten Sie die Fragen. Benutzen Sie dabei den Genitiv. Seien Sie kreativ!

> Beispiel
> *Wie beschreibt man den Himmel?*
> *Das Blau des Himmels.*

> Wie beschreibt man … ?
> **a** das Meer **d** die Vorurteile
> **b** die Gefühle **e** das Kind
> **c** die Muttersprache **f** den Studenten

2 Sammeln Sie Beispielsätze, in denen der Genitiv nach einer Präposition benutzt wird. Bilden Sie auch eigene Sätze.

C))) **Ausländer raus!**

Martin Schneider hat eine Liste von Dingen erstellt, die er persönlich vermissen würde, wenn Deutschland nur noch deutsch wäre. Hören Sie sein Gedicht und beantworten Sie die Fragen.

4 **Hörverständnis** **C**)))

1 Was wird er vermissen
> **a** an Lebensmitteln oder Essen?
> **b** an Musik?

2 Durch welche deutschen Wörter würden diese Wörter ersetzt?
> **a** Jogging? **c** ein T-Shirt?
> **b** ein Big Mac? **d** okay?

3 Vermisst er etwas Britisches?

Grammatik: Der Genitiv

Diesen Kasus benutzt man:

A nach einem anderen Substantiv, um Besitz/ Zugehörigkeit zu zeigen.
Zum Beispiel:
> *die Freude **der** Afrikaner,*
> *die Wörter **des** Gedichts*

B immer nach bestimmten Präpositionen:
(an)statt, trotz, während, wegen, beiderseits, diesseits, jenseits, außerhalb, innerhalb, oberhalb, unterhalb, unweit

Zum Beispiel:
> *Trotz **der** Unterschiede verstehen sie sich.*
> *Während **der** Schulzeit soll man von anderen Kulturen lernen.*
> *Innerhalb **des** Gebäudes darf man nicht rauchen.*

■ Grammatik zum Nachschlagen, S.167

5 **Besprechung**

1 Was gehört zu unserem Leben in Großbritannien, das ein Zeichen einer multikulturellen Gesellschaft ist?

2 Wie würden Sie eine multikulturelle Gesellschaft beschreiben oder definieren?

> Eine multikulturelle Gesellschaft ist eine Gesellschaft, in der …

Verb ➤ Ende!

6 **Kreatives Schreiben**

Oft kann man Ideen durch ein Gedicht besser ausdrücken als durch einen Prosatext. Versuchen Sie Ihre Meinung in Gedichtform auszudrücken.

Vielleicht beginnen Sie:

> Du bist anders als ich,
> ich bin anders als du.

oder:

> Woher er kommt? Das weiß ich nicht.
> Wohin er geht? Das weiß ich nicht.
> Wer ist er? Das weiß ich schon.
> Mein Freund.
> Mein Freund, der …

§chwarz auf Weiß

Einstieg

Wie gut kennen Sie die deutsche Presse? Können Sie jeweils ein Beispiel für die folgenden Kategorien nennen?

- **Nachrichtenmagazin** • **Boulevardzeitung** •
- **„seriöse" Tages- oder Wochenzeitung** • **Frauenzeitschrift** •
- **Männerzeitschrift** • **Jugendmagazin** •

A

Das Grundgesetz der Bundesrepublik Deutschland

Artikel 3 [Gleichheit vor dem Gesetz]

(1) Alle Menschen sind vor dem Gesetz gleich.

(2) Männer und Frauen sind gleichberechtigt. Der Staat fördert die tatsächliche Durchsetzung der Gleichberechtigung von Frauen und Männern und wirkt auf die Beseitigung bestehender Nachteile hin.

(3) Niemand darf wegen seines Geschlechtes, seiner Abstammung, seiner Rasse, seiner Sprache, seiner Heimat und Herkunft, seines Glaubens, seiner religiösen oder politischen Anschauungen benachteiligt oder bevorzugt werden. Niemand darf wegen seiner Behinderung benachteiligt werden.

…

Artikel 5 [Meinungsfreiheit]

(1) Jeder hat das Recht, seine Meinung in Wort, Schrift und Bild frei zu äußern und zu verbreiten und sich aus allgemein zugänglichen Quellen ungehindert zu unterrichten. Die Pressefreiheit und die Freiheit der Berichterstattung durch Rundfunk und Film werden gewährleistet. Eine Zensur findet nicht statt.

(2) Diese Rechte finden ihre Schranken in den Vorschriften der allgemeinen Gesetze, den gesetzlichen Bestimmungen zum Schutze der Jugend und in dem Recht der persönlichen Ehre.

(3) Kunst und Wissenschaft, Forschung und Lehre sind frei. Die Freiheit der Lehre entbindet nicht von der Treue zur Verfassung.

…

Artikel 18 [Verwirkung von Grundrechten]

Wer die Freiheit der Meinungsäußerung, insbesondere die Pressefreiheit *(Artikel 5 Abs. 1)*, die Lehrfreiheit *(Artikel 5 Abs. 3)*, die Versammlungsfreiheit *(Artikel 8)*, die Vereinigungsfreiheit *(Artikel 9)*, das Brief-, Post- und Fernmeldegeheimnis *(Artikel 10)*, das Eigentum *(Artikel 14)* oder das Asylrecht *(Artikel 16a)* zum Kampf gegen die freiheitliche demokratische Grundordnung missbraucht, verwirkt diese Grundrechte. Die Verwirkung und ihr Ausmaß werden durch das Bundesverfassungsgericht ausgesprochen.

…

1 **Ausländer, die Presse und das Gesetz**

Lesen Sie die Auszüge aus dem Grundgesetz.

1 Wo werden die Rechte der in Deutschland wohnenden Ausländer gewährleistet? (Artikel und Absatz)

2 Wo wird die Freiheit der Presse gewährleistet? (Artikel und Absatz)

3 Wo wird die Freiheit der Presse eingeschränkt? (Artikel und Absatz)

4 Fassen Sie die Auszüge aus dem Grundgesetz auf Englisch zusammen.

B))) Lesen Sie regelmäßig eine Zeitung?

Interview: Zwei Studenten, Katarina und Dirk, berichten über ihre Lesegewohnheiten.

2 Hörverständnis · B)))

Hören Sie das Interview.

1 Welche drei Zeitungen/Zeitschriften erwähnt Katarina im Laufe des Interviews? Ordnen Sie sie zu.
   - Zeitung:
   - Journal:
   - Boulevardzeitung:

2 Wie informiert sich Katarina über aktuelle Themen? Nennen Sie drei Möglichkeiten.

3 Warum liest Dirk keine Boulevardzeitungen? Nennen Sie zwei Gründe.

4 Welche dieser typischen Eigenschaften einer Boulevardzeitung erwähnt Katarina?

   - große Schlagzeilen
   - viele bunte Bilder
   - unglaubwürdig

- beschäftigt sich sehr mit Moden und Trends
- wenig Text
- einfache Vokabeln
- viele Skandalgeschichten über berühmte Persönlichkeiten
- voreingenommen

3 Zeitungen: Ihre Meinung

1 Wie unterscheidet sich eine seriöse Zeitung von einer Boulevardzeitung? Erstellen Sie eine Tabelle:

seriöse Zeitung	Boulevardzeitung
lange Artikel	kurze Artikel
kleine Überschriften	

2 Lesen Sie eine seriöse Zeitung? Eine Boulevardzeitung? Wie oft? Warum (nicht)?

C))) Freiheit der Presse

Interview: Katarina und Dirk reden weiter über die Pressefreiheit.

4 Lückentext · C)))

Bevor Sie das Interview hören: Versuchen Sie, den Text zu vervollständigen. Sie finden alle Wörter im Kästchen.

Christine: *Welchen _____ und Kontrollen sollte die Presse unterliegen?*

Katarina: *Ich denke, die Presse unterliegt genügend Beschränkungen und _____ , weil Deutschland spezielle nach den Erfahrungen mit dem _____ und der _____ der Presse jetzt ein sehr starkes _____ hat und die Presse sehr stark diesen _____ auch unterliegt. Und es gibt einen sehr sehr _____ Ehrenkodex der _____ , nach dem sie eben _____ schreiben sollen.*

Dirk: *Ich glaube nicht, dass die Presse irgendwelchen Beschränkungen und Kontrollen _____ sollte. Das Einzige, was _____ werden sollte, sind _____ Schriften. Es sollte zum Beispiel nicht möglich sein, irgendwelche Flugblätter oder irgendwelche Schriften zu _____ , die rechtsextremen _____ haben.*

5 Aufsatzthema: Die Pressefreiheit

Sollte die Presse kontrolliert werden oder sollte sie frei sein?

Erstellen Sie eine Liste von Argumenten für und gegen die Pressefreiheit. Benutzen Sie Anregungen aus den Hörtext und bringen Sie auch Ihre eigenen Ideen ein.

Schreiben Sie dann einen Aufsatz, in dem Sie die Argumente dafür und dagegen abwägen und zu einem Schluss kommen (ca. 250 Wörter).

Ausnutzung   Beschränkungen   Faschismus   Inhalt
Journalisten   Kontrollen   kontrolliert   rechtsextreme
Rechtssystem   Regelungen   strengen   unterliegen
veröffentlichen   wahrheitsgetreu

Hören Sie zu: Haben Sie den Text richtig vervollständigt?

Kultur SPOT

Oktoberfest!

Die Wies'n

Die Wies'n: So nennen die Münchner ihr Oktoberfest – das größte Bierfest der Welt. In 13 riesigen Zelten oder „Bierburgen" können zur gleichen Zeit 94 367 Besucher den Bierkrug heben. (Ein Weinzelt gibt es übrigens auch.) Zwei Wochen lang gibt es bayerisches Bier, bayerische Küche und bayerische Blasmusik in Hülle und Fülle.

Nicht nur Biertrinker kommen auf ihre Kosten: Die Wies'n-Bummler vergnügen sich auch in Achter-, Geister- und Wildwasserbahnen, Autoskootern, Riesenrädern, Schiffsschaukeln und an Schieß- und Spielbuden. Es gibt traditionsreiche Umzüge, internationale Folklore und Konzerte der Oktoberfestkapellen. Trachten aus allen deutschen Bundesländern und aus dem Ausland (z.B. Frankreich, Italien, Kroatien, Österreich, Polen, der Schweiz und Ungarn) werden gezeigt. Wer weniger auf Tradition steht, kann sich in Hightech-Wunderwerken wie dem Freefall-Turm, dem Simulator und Star World die Nerven kitzeln lassen.

Am Anfang waren Hochzeitsglocken und klappernde Pferdehufe

Am 12. Oktober 1810 feierten Kronprinz Ludwig von Bayern (später König Ludwig I) und Prinzessin Therese von Sachsen-Hildburghausen ihre Vermählung.

Zu dem Fest lud das Paar auch die Münchner Bürger ein – auf eine Wiese, die damals noch außerhalb der Stadt lag und zu Ehren der Braut den Namen „Theresienwiese" bekam – das Oktoberfest, auch „Wies'n" genannt, war geboren. Zum Abschluss des Hochzeitfestes fand ein Pferderennen statt. Es sollte in den nächsten Jahren wiederholt werden.

Zu dem Pferderennen kam 1811 ein Landwirtschaftsfest hinzu. Hauptattraktion: die Prämierung der schönsten Pferde und Ochsen. Dieses Fest ist heute noch fester Wies'n-Bestandteil: Es steigt alle drei Jahre auf dem Südteil der Theresienwiese. Seit 1819 organisierte die Stadt München das Oktoberfest.

Pferde hin, Ochsen her

Die Münchner wollten sich auch amüsieren: 1818 wurden das erste Karussell und zwei Schaukeln aufgestellt. Außerdem gab es die ersten Bier-Buden. Doch das Volk wollte mehr: 1896 bauten die Wirte zusammen mit den Brauereien die ersten Bier-Burgen auf – und es kamen mehr Karussells und Schaukeln dazu.

1870 fiel die Wies'n wegen des deutschfranzösischen Krieges aus. Und auch 1873 gab es nichts zu feiern: In München war die Cholera ausgebrochen. In den Folgejahren aber wurden die Wies'n-Attraktionen immer exotischer: 1879 präsentierten die Veranstalter einen afrikanischen Volksstamm, 1880 gibt es – bei elektrischem Licht – eine Wachsfigurengruppe zu bestaunen. 1881 schließlich eröffnet die erste und größte Hendl-Braterei der Welt. 1892 können die Besucher ihr Bier zum ersten Mal aus den berühmten Glasmaßkrügen trinken.

Die Nachkriegszeit

Der erste und zweite Weltkrieg hatten wieder Wies'n-Zwangspausen zur Folge. 1950 schließlich begründete Oberbürgermeister Thomas Wimmer eine neue Wies'n-Tradition: Am ersten Fest-Tag Punkt 12 Uhr sticht der jeweilige Stadt-Herr das erste Bierfass im Schottenhamel-Zelt an und schreit dabei: „Ozapft is!"

1980 dann die Tragödie: Bei einem Attentat sterben am Wies'n-Haupteingang 13 Fest-Besucher, mehr als 200 werden verletzt.

1984 wird das Bier zum erstenmal aus Metallcontainern ausgeschenkt – aber zumindest fürs Auge bleibt alles beim Alten. 1998 stieg das 165. Oktoberfest: Es ist das größte Volksfest der Welt – und alle Welt kommt. 1996 kamen 6,9 Millionen Besucher auf die Wies'n: Sie tranken 5,1 Millionen Maß Bier, vertilgten 79 Ochsen, 383 000 Würstl und 630 000 Hendl.

Wies'n-Lexikon

Obwohl sich auf der Wies'n viele Nationalitäten, vom Preißn bis zum Japaner herumtreiben – bairisch wird trotzdem g'sprocha.

Bairisch	Hochdeutsch
arschlings	rückwärts
Batzerl	kleines Stückchen
Brezn	Brezel
Busserl	Kuss
damisch	dumm, blöd
Deandl	Mädchen
Drehwuarm	Schwindelgefühl
Dusl	Glück
Eigschnappter	schnell beleidigter Mensch
Erdäpfe	Kartoffel
Foam	Schaum
froaseln	Unsinn faseln
frotzln	ärgern
Fuchzga	Fünfzigmarkschein
Gaudi	Spaß
Gerschtl	Geld
Gselchtes	Rauchfleisch
Hawedere!	Tschüs!
Hendl	gegrilltes Huhn
Hoggableiba	Gast, der nicht gehen will
Hoisl	Toilette
Hoiwe	0,5 Liter Bier
Janker	Trachtenjacke
Kurze	kurze Lederhose
Maß	Liter Bier
Nudl	Dampfnudeln
obandeln	flirten
ogschdocha	leicht betrunken
ozapfa	ein Bierfass anstechen
Paarl	Pärchen
Preiß	Norddeutscher
Rauschada	Betrunkener
Reiwadatschi	Kartoffelpuffer
Saufaus	jemand, der viel trinkt
Weckerl	Brötchen
Weißbia	Weizenbier
Zsammgsuffana	jemand, dem man ansieht, dass er viel trinkt
zupf de	verschwinde!
Zwiefacher	bayerischer Volkstanz

Prost!

A))) Braumeister Alois Mayr

1 Ist Bier gesund? A)))

1 Wie würden Sie folgende Fragen beantworten?

   i Ist Bier gesund?

   ii Macht Bier dick?

   iii Macht Bier glücklich?

   iv Wie viel Bier darf man trinken, bevor man Auto fährt?

2 Sie werden den bayerischen Braumeister Alois Mayr hören. Bevor Sie das Interview hören: Können Sie erraten, wie er die Fragen (1 i–iv) beantworten wird?

3 Bevor Sie das Interview hören: Im Laufe des Interviews macht Herr Mayr folgende Bemerkungen. Zu welcher Frage (1 i–v) passt welche Aussage (3 a–f) wohl am besten?

   a Besser ist keins als eins.

   b Bier hilft entspannen.

   c Bier macht Appetit.

   d Entweder Steuerrad oder Bierglas.

   e Heilmittel oder Gift – es kommt auf die Dosis an.

   f Man darf des Guten nicht zu viel genießen.

4 Hören Sie jetzt die Aufnahme.

   a Notieren Sie die wichtigsten Punkte kurz auf Deutsch.

   b Haben Sie richtig geraten (2 und 3)?

   c Für jede Frage (1 a–d): Finden Sie Herrn Mayrs Argumente überzeugend? Warum (nicht)? Begründen Sie Ihre Meinung.

Deutsches Bier – das reinste Vergnügen

Man könnte froh sein, wenn die Luft so rein wäre wie das Bier.
– Richard von Weizsäcker

Ein heiliges Rezept

Die Geschichte des Biers in Mitteleuropa hängt eng mit der Entwicklung des Benediktiner-Ordens zusammen. Es war nämlich ein Prinzip des Ordens, dass jedes Kloster sich selbst versorgen sollte. Alles, was zum Leben nötig war, sollten die Mönche selber erzeugen: Getreide und Gemüse anbauen, Vieh halten, Fischzucht betreiben – und auch ihr eigenes Bier brauen.

Tipp –

Meinung

Ich glaube (nicht), dass …

Ich finde es (un)wahrscheinlich, dass …

    deutsches Bier gesund ist.

Begründung

Alkohol ist ein Gift.

Es enthält nur natürliche Rohstoffe.

Flüssiges Brot

Bier war bei den Benediktinern nicht nur Durstlöscher, sondern auch Grundnahrungsmittel, das die klösterliche Nahrung aufbessern und die strenge Fastenzeit erträglicher machen sollte. Denn, so eine alte Regel: »Flüssiges bricht das Fastengebot nicht.« Eben deshalb wurde das besonders nahrhafte, starke und dunkle »Fastenbier« gebraut. In Bayern wird Bier noch heute oft als Grundnahrungsmittel bezeichnet.

Deutsches Reinheitsgebot

Die große Bedeutung, die die Bayern ihrem Bier zumaßen, wurde noch deutlicher, als 1493 Herzog Georg der Reiche von Bayers-Landshut eine Verordnung erließ, die das Brauen von minderwertigen Bieren verhindern sollte. Die Verordnung wurde 1516 auf ganz Bayern und schließlich (als es Deutschland gab) auf ganz Deutschland ausgedehnt. Sie ist deshalb als das Deutsche Reinheitsgebot bekannt. Ihr Kern ist dieser Satz:

> *Wir wollen … dass füran allenthalben in unsern stetten märckthen un auf dem lannde zu kainem pier merer stückh dan allain gersten, hopfen un wasser genommen un gepraucht solle werdn.*

> *Wir wollen … , dass man von jetzt an überall in unseren Städten, Märkten und auf dem Lande für alle Biere ausschließlich Gerste, Hopfen und Wasser verwendet.*

Deutsches Bier und die Europäische Union

Deutsche Bierbrauer greifen heute immer noch stolz auf diese lange Tradition zurück, wenn es gilt, ihre Ware gegen die ausländische Konkurrenz zu verteidigen. Auch das Urteil des Europäischen Gerichtshofes vom 12. März 1987 hat daran nichts geändert. Laut diesem Urteil, das den freien Warenverkehr innerhalb der Europäischen Union schützen sollte, dürfen in Deutschland jetzt auch solche Biere verkauft werden, die nicht nach dem Reinheitsgebot hergestellt sind. Sie können andere Rohstoffe – wie etwa Mais, Reis oder Hirse – oder Zusatzstoffe enthalten. Allerdings scheinen die Deutschen noch weiterhin ihr reines, deutsches Bier vorzuziehen.

---

2 | **Definitionen**

Suchen Sie für jede Definition den richtigen Ausdruck im Text.

1 eine Gruppe von Menschen, die gemeinsam nach festen Regeln lebt

2 bewirken, dass man das zum Leben Nötige bekommt

3 ein sehr wichtiges Lebensmittel

4 eine Maßnahme, besonders eine, die der Staat festgelegt hat

5 von schlechter Qualität

6 bewirken, dass etwas nicht geschieht

7 der Kauf und Verkauf von Waren

8 etwas, das in der Natur vorkommt und in der Industrie verwendet wird

9 in sich haben

10 etwas besser finden als etwas anderes

---

2 | **Definitionen-Quiz**

Schreiben Sie Definitionen für drei weitere Wörter aus dem Text. Testen Sie einander.

Bierkonsum – Liter pro Einwohner pro Jahr

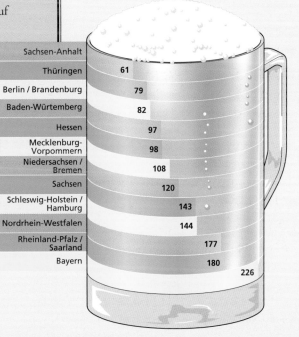

Sachsen-Anhalt	61
Thüringen	79
Berlin / Brandenburg	82
Baden-Würtemberg	97
Hessen	98
Mecklenburg-Vorpommern	108
Niedersachsen / Bremen	120
Sachsen	143
Schleswig-Holstein / Hamburg	144
Nordrhein-Westfalen	177
Rheinland-Pfalz / Saarland	180
Bayern	226

Bayern ist immer noch die Nummer Eins im Biertrinken.

*L*ebensmittelskandale

Ordnen Sie diese Wörter der richtigen Spalte in der Tabelle zu:

	Omas Essen	Modernes Essen
der Geschmacksverstärker		
der Grießbrei		
der Haltbarkeitsverbesserer		
der Krautwickel		
die Tiefkühlkost		
das Fertiggericht		

A

NAHRUNGSMITTEL-REPORT
Was wir noch essen können

BSE im ____(1)____, Hormone im Truthahn, Frostschutzmittel im ____(2)____, Schimmel im Bier, Nitrat im Mineralwasser, Salmonellen in den ____(3)____, Rostschutzfarbe im ____(4)____, lebensgefährliche Bakterien im Öko-Käse und falsche Gene im Gemüse. Der ____(5)____ ist von Lebensmittelskandalen förmlich umzingelt.

Immer mehr suchen nach Fluchtwegen aus Supermarkt und Großkantine. Doch die sind schwer zu finden.

Früher war die Lage übersichtlicher. Da tischte Oma Krautwickel mit Kartoffeln auf. Dazu gab's Apfelsaft, und wer brav gegessen hatte, bekam danach noch Grießbrei mit Zimt. Heute greift man zum Fertigwickel mit unbekannter Füllung, zaubert Sauce und Kartoffelbrei aus der Packung, serviert einen Multivitamin-Drink aus zehn verschiedenen Früchten und als Nachtisch glitscht Schoko-Himbeer-Dessert aus dem Plastikbecher. Omas Essen bestand alles in allem aus rund zehn Zutaten, heute kann sie keiner mehr zählen. Etwa drei Viertel der Nahrungsmittel sind industriell verarbeitet.

Verglichen mit den fünfziger Jahren werden heute fünfmal mehr Tütensuppen, 10-mal mehr Gemüsekonserven, 12-mal mehr verpackte „Kartoffelerzeugnisse" und 20-mal mehr Früchte aus der Dose gegessen. Über 400 000 Tonnen tiefgefrorener Fertiggerichte schaufeln die Deutschen jährlich in sich hinein; darunter 300 Millionen Tiefkühlpizzen. ∎

Stern

1 **Lebensmittelskandale**

Vervollständigen Sie den ersten Absatz des Artikels mit den Wörtern aus dieser Liste:

- Verbraucher
- Wein
- Steak
- Paprikagewürz
- Eiern

2 **Die neuesten Trends**

Erstellen Sie Listen von a) traditionellen und b) modernen Nahrungsmitteln. Schreiben Sie sowohl Beispiele aus dem Artikel als auch Ihre eigene Ideen auf. Vergleichen Sie dann Ihre Listen mit anderen Listen in der Klasse.

3 **Ihre Meinung**

Welche der Nahrungsmittel auf Ihren beiden Listen essen Sie gern / nicht gern, und warum? Warum hat sich unser Essen verändert?

Notieren Sie Ihre Meinungen und diskutieren Sie sie in der Klasse. Denken Sie zum Beispiel an die Veränderungen im Haushalt, die Gesundheit, den Einfluss aus dem Ausland.

Grammatik: Das Futur

Das Futur beschreibt eine Situation in der Zukunft (auf Englisch *I will / shall / am going to …*).

Das Futur besteht aus zwei Teilen:

werden + Infinitiv

(normalerweise am Ende des Satzes)

ich werde
du wirst
er/sie/es/man wird
wir werden ⎫
ihr werdet ⎬ essen
Sie werden
sie werden

Zum Beispiel:

Ich **werde** weniger tiefgefrorene Produkte **kaufen**.
Der Verbraucher **wird** Alternativen zum Supermarkt **suchen**.

Achtung!

Das Präsens wird oft benutzt, wenn es klar ist, dass es um die Zukunft geht.

Zum Beispiel:

Nächsten Sonntag essen wir bei Oma.

---

4 **Das Futur**

Schreiben Sie diese Sätze ins Futur um:

Beispiel

Ich esse nie Tiefkühlpizzen. ➤

Ich werde nie Tiefkühlpizzen essen.

1 Ich kaufe so oft wie möglich frisches Gemüse.
2 Abends nach der Arbeit essen wir meistens tiefgefrorene Fertiggerichte.
3 Du kochst nur selten.
4 Es gibt immer mehr Restaurants für Vegetarier.
5 Meine Freunde finden Tütensuppen sehr praktisch.

5 **Was werden wir in der Zukunft essen?**

Raten Sie mal! Was werden wir in 20 Jahren essen? Werden wir alle Vegetarier sein? Oder wird es immer mehr Fertiggerichte mit künstlichen Zutaten geben? Bilden Sie Sätze, in denen Sie das Futur benutzen.

ERNÄHRUNGSTIPPS

Die Kost aus Folien und Dosen bringt es mit sich, dass immer mehr künstliche Aufschäumer, Geschmacksverstärker und Haltbarkeitsverbesserer in die Nahrung gelangen. Beispiel Brot: Im Schnitt schluckt jeder jährlich etwa drei Kilo Backzusätze. Rund 40 neue Nahrungschemikalien wurden in den letzten Jahren zugelassen.

Chemie dominiert schon bei der Erzeugung. Über 280 Kilo Kunstdünger und knapp zwei Kilo Pestizide werden jährlich auf jeden Hektar landwirtschaftlich genutzter Fläche gestreut, geschüttet und gesprüht. Der Markt für illegale Hormone, mit denen Nutztiere künstlich aufgebläht werden, wird auf rund 300 Millionen Mark jährlich geschätzt. Etwa noch mal das Doppelte geben die Züchter aus, um Kühe, Schweine und Geflügel ganz legal mit Antibiotika und sonstiger Arznei vollzupumpen. Die enge Stallhaltung hat die Tiere anfällig für Krankheiten gemacht. Rückstände an Pestiziden und anderen Chemikalien lassen sich in über der Hälfte aller Lebensmittel, ob pflanzlich oder tierisch, nachweisen.

Stern

6 **Richtig oder falsch?**

Lesen Sie die Ernährungstipps aus dem *Stern* Magazin und entscheiden Sie, ob die folgenden Aussagen richtig oder falsch sind. Verbessern Sie dann die falschen Sätze.

1 Wir schlucken etwa zwei Kilo künstliche Zutaten pro Jahr im Brot.
2 In den letzten Jahren sind etwa 40 neue Nahrungschemikalien legal auf den Markt gekommen.
3 Die Bauern benutzen jedes Jahr fast zwei Kilo Pestizide pro Hektar.
4 Die Züchter geben rund 600 Millionen Mark jährlich für legale Medikamente für ihre Tiere aus.
5 Reste von Chemikalien bleiben in allen Lebensmitteln.

Ja zur Genforschung?

A

Gentechnik hat Chancen und Risiken, wissen die Deutschen. Eindrucksvoll widerlegte eine Umfrage durch die Stuttgarter Akademie für Technikfolgen-abschätzung das Vorurteil von der deutschen Innovationsscheu. Zwar lehnten 76 Prozent Gennahrung ab, doch bei der Gentechnik in der Medizin schrumpfte der Anteil der entschiedenen Gegner auf neun Prozent.

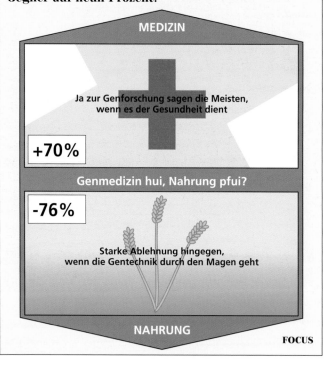

MEDIZIN

Ja zur Genforschung sagen die Meisten, wenn es der Gesundheit dient

+70%

Genmedizin hui, Nahrung pfui?

-76%

Starke Ablehnung hingegen, wenn die Gentechnik durch den Magen geht

NAHRUNG

FOCUS

---

1 Gentechnik – dafür oder dagegen? Ⓐ Ⓑ Ⓒ

Was erfahren wir aus der Grafik und den Berichten über die Genforschung? Befürworten oder lehnen die Deutschen die Genforschung ab? Machen Sie sich Notizen, um das in Ihren eigenen Worten zu erklären. (Tipp: Im Kästchen finden Sie nützliche Satzanfänge.)

> 76% der Deutschen …
>
> Aber nur 9% von ihnen …
>
> Viele Umfrageergebnisse haben gezeigt, dass …
>
> Mit der „Gentomaten-Tour" wollte der BUND …
>
> Der BUND meint, dass Lebensmittel …
>
> In vielen Ländern versuchen Naturwissenschaftler, Lebensmittel zu erschaffen, die …
>
> Zum Beispiel …
>
> Die führenden Länder in diesem Bereich sind …
>
> In Deutschland gibt es mehr …

Ⓓ))) Gentechnik in der Landwirtschaft

2 Hörverständnis Ⓓ)))

Hören Sie den Radiobericht über die Gentechnik in der Landwirtschaft. Welche Vor- und Nachteile werden erwähnt? Erstellen Sie zwei Listen.

Vorteile der Gentechnik	Nachteile der Gentechnik
	hohe Risiken

C

HALME MIT HEILKRAFT
Leichtverdauliches Getreide und Kartoffeln gegen Krebs

Überall, wo es eine industrialisierte Landwirtschaft gibt, basteln Agraringenieure und Genetiker an Lebensmitteln, die mehr können, als gut schmecken und satt machen: Functional Food soll die Gesundheit fördern. Getreidesorten, gegen die sich keine Allergien mehr bilden können, Kartoffeln mit einem Komplettpaket an wertvollen Nährstoffen, sogar Impfstoffe in Bananenform werden entwickelt.

Deutschland, so findet Forschungsminister Jürgen Rüttgers, hat da einiges aufzuholen. In der „grünen Gentechnik", der Schlüsseltechnologie der Zukunftsernährung, liegen ausländische Unternehmen vorn. Das internationale Saatgut-Geschäft führen Konzerne aus Amerika, der Schweiz und Frankreich an. Sie haben Milliardenbeträge in genetische Forschung investiert. Anders als in Deutschland stießen sie kaum auf Widerstand.

Stern

3 | Ihre Meinung: Mündlicher Vortrag

Bereiten Sie einen mündlichen Vortrag von 3–5 Minuten vor, in dem Sie einige Entwicklungen unserer Nahrungsmittel schildern und Ihre Meinung dazu äußern.

Sie finden Anregungen zu diesem Thema in den verschiedenen Texten auf den letzten drei Seiten. Überlegen Sie sich einen passenden Titel. (Tipp: Die Redewendungen in *Denken Sie dran!* können Ihnen helfen, Ihre Meinung zu äußern.

Erwähnen Sie folgende Themen:

- das „traditionelle" Essen
- das Essen heutzutage
- Probleme mit Chemikalien, Antibiotika usw. im Essen
- Neue Forschung – Gentechnik in Nahrungsmitteln
- Organische Nahrungsmittel

4 | Ihre Meinung: Aufsatz

Schreiben Sie auf Deutsch einen Aufsatz von mindestens 250 Wörtern, in dem Sie Ihre Meinung zu folgender Frage äußern:

Wie beurteilen Sie die neuesten Entwicklungen auf dem Gebiet der Nahrungsmittelproduktion?

Verwenden Sie Ihre Notizen vom mündlichen Vortrag sowie die Ausdrücke in *Denken Sie dran!*

B

Gentomate auf Tour

Beeindruckend ist sie schon – die große, aufblasbare „Gentomate" mit der der BUND („Umwelt und Naturschutz Deutschland") auf Tour ging, um in über 70 Städten gegen den Einsatz der Gentechnik im Lebensmittelbereich und für eine umfassende Kennzeichnung von Gen-Lebensmitteln zu mobilisieren. Die Tour stand unter dem Motto „Abstimmung mit dem Einkaufskorb". Denn eine Reihe von Umfrageergebnissen in den letzten Jahren hat gezeigt: Die meisten Verbraucher und Verbraucherinnen lehnen den Einsatz der Gentechnik in Lebensmitteln ab.

Lebensmittel sollen nach Auffassung des BUNDs als „Gentechnikfrei" gekennzeichnet werden.

Denken Sie dran!

EINE MEINUNG ÄUßERN

Ich denke/glaube/finde, dass …
Ich bin der Meinung, dass …   *… moderne Nahrungsmittel gesund sind.*
Mir scheint, dass …
Ich habe den Eindruck, dass …

Es stimmt / es ist wahr, dass …
Ich bin sicher, dass …   *… die Gentechnik Risiken mit sich bringt.*
Ich bin (davon) überzeugt, dass …
Es ist wichtig zu sagen/betonen, dass …

Es ist schade, dass …
Ich fürchte, dass …   *… traditionelle Ernährungsweisen verschwinden werden.*
Es ist übertrieben zu sagen, dass …
Ich habe wirklich Zweifel, ob …
Ich gebe zu, dass …

Man kann nicht sagen, dass …   *… wir die möglichen Folgen der Gentechnik gut verstehen.*
Es ist schwer zu glauben, dass …

Einerseits …   *… finde ich die neuen Entwicklungen positiv,*
    anderseits …   *… habe ich Angst davor.*

Jetzt am Netz ...

Überfliegen Sie die zwei Artikel „Erfolg als Volksmedium" und „Handy unter der Kutte" und erstellen Sie ein eigenes Glossar von Computer- und Internetvokabeln. Oft werden im Deutschen englische Wörter benutzt!

A

Erfolg als Volksmedium

Allein die Zahl deutscher Internet-Nutzer stieg laut ARD/ZDF-Studie innerhalb eines Jahres um 60 Prozent. Jeder zehnte Erwachsene ist jetzt am Netz. E-Mail ist Kult und für viele schon so normal wie der Griff zum Telefonhörer. Der Trend geht zur Selbstdarstellung im Netz auf eigener Homepage. Die Provider kämpfen hart um Marktanteile und lockten im vergangenen Jahr mit mehr Service und niedrigeren Preisen. Techniker diskutieren neue Wege: Kommt das Internet bald durch die Steckdose oder doch eher über das Fernsehkabel? Denn das Surfen im Web ist in Deutschland immer noch vergleichsweise teuer.

FOCUS

1 Zusammenfassung A

Lesen Sie den Bericht „Erfolg als Volksmedium" und vervollständigen Sie die Zusammenfassung des Berichts mit den passenden Wörtern :

_____(1)_____ Prozent aller deutschen _____(2)_____ haben jetzt Zugang zum Internet. Viele benutzen _____(3)_____ genau so regelmäßig wie das _____(4)_____. Es wird immer populärer, eine eigene _____(5)_____ zu _____(6)_____.

Die Konkurrenz zwischen _____(7)_____ führt zu besserem _____(8)_____ und zu besseren _____(9)_____ für die _____(10)_____. Man zahlt _____(11)_____ für den Zugang zum Internet in _____(12)_____ als in anderen _____(13)_____.

2 Spiel: Wörter definieren A

Die Klasse spielt in zwei Teams. Jede(r) Spieler(in) bekommt vom Lehrer / von der Lehrerin ein Wort aus dem Bericht „Erfolg als Volksmedium", das er/sie den anderen Mitgliedern des Teams auf Deutsch beschreiben muss, ohne das Wort selbst zu benutzen. Die Teams haben insgesamt eine Minute für jedes Wort und bekommen zwei Punkte für jede richtige Antwort (wenn sie falsch antworten, bekommt das andere Team eine Chance, einen Punkt zu gewinnen).

HANDY UNTER DER KUTTE

Die Mönche aus Andechs kooperieren mit einer ostdeutschen Software-Firma. Online wollen sie bayerische Dörfler beglücken

Auf dem „Heiligen Berg", so nennt der bayerische Volksmund den Klosterhügel, wird der Besucher von Januar kommenden Jahres an nicht nur Bier und Barock finden, sondern auch jede Menge Hightech. Hier sollen zehn Spezialisten Telearbeitsplätze für die Zukunft entwerfen, Firmen sollen ihren Zugang zum Internet finden, Gemeinden ihr „virtuelles Rathaus" planen.

„Phantastisch" schwärmt Pater Anselm, der sich keinen besseren Ort vorstellen kann, um „d'Leut an die Zukunft glauben zu lassen". Das Kloster stellt die Räumlichkeiten und den guten Ruf, Finanzen und Know-how kommen von der Firma Phonesat Online, die zu einer Ost-Berliner Technologie-Holding gehört. Mit diesem Deal erhalten die Mönche modernstes Computer-Know-how, um Katholisches zu verbreiten.

1,5 Millionen Besucher lassen jedes Jahr ihr Geld auf dem „Mons Sanctus". Mit jährlich 90 000 Hektolitern Ausstoß betreiben 8 Mönche und ihre 150 weltlichen Mitarbeiter die größte Klosterbrauerei der Republik, sieben Biersorten werden bundesweit vertrieben. Der „Klosterladen" verhökert Merchandisingprodukte wie der Fanshop eines Fußballclubs.

Um alle Geschäfte abwickeln zu können, haben die Mönche ihr jahrhundertealtes Kloster auf den neuesten Stand gebracht. Alle Unternehmensbereiche sind per Glasfaser vernetzt; von 25 Computerarbeitsplätzen können die Mitarbeiter auf gemeinsame Datenpools zurückgreifen. Da bimmelt dann schon mal bei Frater Lambert, 42, das Handy unter der Kutte. Der „Gastmeister" des Klosters betreut die Pilger.

Hightech unterm Kruzifix
Da die Firma im nächsten Jahr rund fünf Millionen Mark investieren will, bereiten die Partner derzeit die Umwandlung der GmbH in eine Aktiengesellschaft vor. Großes Geld sind die Mönche nicht gewöhnt, sie erhalten persönlich nur das, was sie zum täglichen Leben gerade benötigen. Ein Kooperations-Vertrag regelt, dass die GZA (Gesellschaft für Zukunftstechnologie Andechs) dem Orden beispielsweise für Missionierungszwecke einen virtuellen Kreuzweg auf CD-Rom brennt und auch Gottes-PR im Internet ermöglicht.

Der Spiegel

---

3 Wie heißt das auf Englisch?

Die folgenden Wörter und Ausdrücke kommen alle im Artikel „Handy unter der Kutte" vor. Wie lauten sie auf Englisch?

- das Handy
- die Kutte
- jede Menge Hightech
- der Zugang zum Internet
- der gute Ruf
- die Glasfaser
- GmbH
- Aktiengesellschaft

4 Textverständnis

Beantworten Sie die folgenden Fragen:

1 Wem wollen die Mönche helfen?
2 Was bietet das Kloster der neuen Internet Firma?
3 Und was ist der Beitrag von Phonesat Online?
4 Nennen Sie zwei andere Geschäfte des Klosters.
5 Was erhält jeder einzelne Mönch für seine Arbeit mit Phonesat Online?
6 Und was bekommt der Orden?
7 Wählen Sie drei Ausdrücke aus dem Artikel, die den Kontrast zwischen der neuen Technologie und dem traditionellen Leben der Mönche zeigen.

5 Übersetzung

Übersetzen Sie den dritten Absatz des Artikels ins Englische. („1,5 Millionen Besucher … eines Fußballclubs.")

*D*ie Zukunft des Lesens

Sehen Sie sich die Grafik an. Welchen von diesen Freizeitbeschäftigungen gehen Sie täglich oder mehrmals in der Woche nach? Vergleichen Sie in der Klasse.

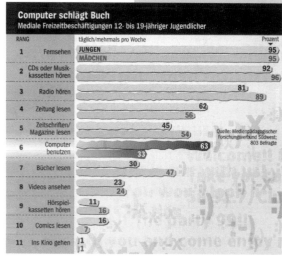

Computer schlägt Buch
Mediale Freizeitbeschäftigungen 12- bis 19-jähriger Jugendlicher

RANG		täglich/mehrmals pro Woche	Prozent
1	Fernsehen	JUNGEN	95
		MÄDCHEN	95
2	CDs oder Musik-kassetten hören		92
			96
3	Radio hören		81
			89
4	Zeitung lesen		62
			56
5	Zeitschriften/ Magazine lesen		45
			54
6	Computer benutzen		63
			33
7	Bücher lesen		30
			47
8	Videos ansehen		23
			24
9	Hörspiel-kassetten hören		11
			16
10	Comics lesen		16
			7
11	Ins Kino gehen		1
			1

Quelle: Medienpädagogischer Forschungsverbund Südwest; 803 Befragte

A

Lieber Papier

Zeitungsmacher setzen auf den Hoffnungsträger Internet. Elektronische Informationen, frisch auf dem Monitor, sollen verloren gegangene Leser zurückgewinnen. Über zehn Millionen Deutsche nützen bereits das Netz. Doch die Masse erweist sich vorerst als zurückhaltend:

„Immer mehr Verlage veröffentlichen ihre Zeitungen und Zeitschriften im Internet. Würden Sie Ihre Zeitung oder Zeitschrift lieber am Bildschirm oder auf Papier lesen?", fragte das Bielefelder Emnid-Institut im Auftrag von *Spiegel Spezial*. 90 Prozent aller Deutschen gaben an, die Papierversion vorzuziehen. 3 Prozent ist es gleichgültig, ob die Zeitung im Briefkasten oder in der Mailbox bereitliegt. Nur 6 Prozent aller Befragten gaben an, lieber eine elektronische Zeitung lesen zu wollen, darunter knapp doppelt so viele männliche Befragte (9 Prozent) wie weibliche (4 Prozent).

Besonders hoch ist der Anteil der Elektronikfreaks in der Gruppe der 14- bis 29-jährigen: Fast jeder Siebte (15 Prozent) kann sich mit den News aus dem Netz anfreunden. In der Gruppe der über 40-jährigen sind es gerade mal 3 Prozent.

SPIEGEL SPEZIAL

1 Reportage 2009 **A**

Dieser Bericht erschien 1999 im *Spiegel*. Wie wird die Lage 2009 aussehen? Überlegen Sie sich:

- Wie viele Deutsche werden das Netz nützen?
- Wie viele Deutsche (in Prozent) werden die Papierversion vorziehen?
- Wie vielen Deutschen (in Prozent) wird es gleichgültig sein?
- Wird es noch Unterschiede nach Geschlecht geben?
- Wie verteilen sich die Vorlieben nach Alter?

Schreiben Sie Ihre Prognose als einen neuen Bericht für den *Spiegel*. Verwenden Sie das Futur. Ansonsten: Ändern Sie *möglichst wenige* Wörter!

Das *Zeitungsjahrbuch Deutschland* ist eine Zusammenstellung von Artikeln aus deutschen Tageszeitungen. Es erscheint jedes Jahr. In seinem Vorwort erklärt der Herausgeber, warum es das *Zeitungsjahrbuch* gibt:

Vorwort

Nichts ist so alt wie die Zeitung von gestern. Man will ja die von heute. Aber die Zeitung von vorgestern, vom vorigen Jahr, ist etwas ganz anderes: Sie ist ein unterhaltsamer Lesestoff und ein aufschlussreiches Dokument. Vor allem ist sie ein äußerst reichhaltiges Dokument. Tagelang müsste man vor dem Fernseher sitzen, um die Informationsmenge einer einzigen Tageszeitung aufzunehmen.

Auch Texte kann man sich heutzutage auf den Bildschirm holen, Bilder ebenfalls. Alle Welt spricht von Internet und „Datenautobahnen", und oft werden wir gefragt: Wann gibt es das Zeitungsjahrbuch auf CD? Unsere Antwort lautet: Vermutlich nie. Denn die „Datenautobahn" ist das Gelobte Land – aber wehe, man betritt es! Die Ernüchterung beginnt beim ersten Schritt. Man wird in ein Datenmeer geworfen, in dem man zur Hälfte ertrinkt, zur Hälfte verdurstet. Wer genau weiß, was er sucht, wird am Bildschirm bestens bedient (obwohl man ihn nicht ins Bett mitnehmen kann). Wer dagegen nach Auswahl und Überblick verlangt, wird sich zurücksehnen nach der handlichen „Bücherinsel im Datenmeer" (Axel Rütters). Die zwei Millionen Artikel, die wir gelesen haben, sind jederzeit auf Datenträger verfügbar – die von uns ausgewählten und „komponierten" dreitausend dagegen nicht. ■

---

2 │ Einverstanden

1 Finden Sie auch, dass alte Zeitungen interessant und unterhaltsam sind?

2 Der Verfasser behauptet, dass Zeitungen viel mehr Informationen übermitteln als das Fernsehen. Glauben Sie das auch?

3 Was meint der Verfasser wohl, wenn er das Internet so beschreibt: „…ein Datenmeer … , in dem man zur Hälfte ertrinkt, zur Hälfte verdurstet"?

4 Was gefällt Ihnen besser: Dreitausend ausgewählte Artikel in einem Buch oder zwei Millionen Artikel im Internet? Warum?

3 │ Projekt: Magazine online

Vergleichen Sie die Onlineausgabe mit der gedruckten Version einer Ausgabe desselben Magazins (z.B. *Der Spiegel* oder *Focus*): Da es eine kostenlose Onlineausgabe gibt, lohnt es sich noch, ein gedrucktes Exemplar zu kaufen?

Schreiben Sie einen Bericht über dieses Thema. Folgende Fragen können Ihnen dabei helfen:

1 Welche Version finden Sie:
  - einfacher zu benutzen?
  - leichter zu lesen?
  - ausführlicher?
  - interessanter?
  - unterhaltsamer?

2 Enthält die Onlineversion:
  - alle Berichte aus der gedruckten Ausgabe?
  - nur einige Berichte aus der gedruckten Ausgabe?
  - zusätzliche Nachrichten, die nicht in der gedruckten Ausgabe vorkommen?
  - Kurzversionen von Berichten aus der gedruckten Ausgabe?
  - genau so viele und genau so schöne Bilder (Fotos und Grafiken) wie die gedruckte Ausgabe?
  - Ton oder Video?
  - mehr oder weniger Werbung als die gedruckte Ausgabe?
  - mehr Artikel für junge Leser?

3 Ist die Onlineversion völlig kostenlos oder gibt es zusätzliche Teile bzw. Dienste (z.B. Archiv-Suche), für die man eine Gebühr zahlen muss?

4 Welche Möglichkeiten bietet die Onlineversion, die die Druckversion nicht bietet? (z.B. Archiv)

5 Welche Möglichkeiten bietet die Druckversion, die die Onlineversion nicht bietet? (z.B. im Zug oder im Bus lesen)

6 Welche Vorteile hat es wahrscheinlich für den Verlag, das Magazin online anzubieten?

7 Wie wird Ihrer Meinung nach die Onlineversion finanziert?

*N*ie mehr Ladenschluss!

Einstieg

Vorteile und Nachteile des Internet-Einkaufens: Entscheiden Sie, ob die folgenden Begriffe zum Thema Online-Shopping eher positiv, negativ oder beides sein kann:

	+	–	beides
• kein Ladenschluss			
• kein Kontakt zu anderen Menschen			
• keine überfüllten Geschäfte			
• Bedrohung für traditionelle Geschäfte			
• Auswahl aus der ganzen Welt			
• zu Hause bleiben			
• bequem			
• einsam			
• Sicherheitsprobleme			

A

Einkaufsfieber im World Wide Web

Nie mehr Ladenschluss, nie mehr überfüllte Geschäfte: Immer mehr Computerbesitzer erledigen ihre Einkäufe mit Hilfe des Internet. 1998 gingen bereits mehr als 800 000 Deutsche rund um die Uhr auf Shopping-Tour – weltweit, ohne das Haus zu verlassen, bequem via Datenleitung. Die Zahl der Nutzer wird im Jahr 2001 auf 5,4 Millionen steigen, prognostiziert die Marktforschungsfirma IDC. Die deutschen Internet-Einkäufer werden dann Waren für etwa 30 Milliarden Mark bestellen.

Aus Angst vor Betrügern zahlen die meisten deutschen Cyber-Einkäufer per Scheck, per Nachnahme oder gegen Rechnung. 84 Prozent der Nutzer befürchten, Hacker könnten ihnen mit der entwendeten Kreditkartennummer Schaden zufügen.

Dabei missbrauchen weniger Hacker als vielmehr unseriöse Händler das Internet. Handel und Banken arbeiten an Sicherheitssyste-

FOCUS

1   **Textverständnis**

Lesen Sie den Artikel über deutsche Internet-Einkäufer und beantworten Sie die folgenden Fragen, indem Sie Sätze aus dem Text umschreiben.

1   Nennen Sie vier im Artikel erwähnte Vorteile für Internet-Einkäufer.

2   Was hat eine Marktforschungsfirma für das Jahr 2001 vorhergesagt?

3   Warum wollen die meisten deutschen Internet-Einkäufer nicht mit einer Kreditkarte zahlen?

4   Wer missbraucht das Vertrauen der im Internet mit Kreditkarten zahlenden Einkäufer?

5   Was wird dagegen gemacht?

B))) Das Internet als Einkaufsnetz

2 Hörverständnis   B)))

Hören Sie den Radiobericht über das Online-Einkaufen und ergänzen Sie die Zusammenfassung mit den jeweils passenden Adjektiven aus dem Kasten:

Mit dem World Wide Web ist es für die Hersteller leichter als je zuvor, direkt an die Endabnehmer zu verkaufen. Banken offerieren __(1)__ Finanzdienstleistungen und Beratung, Computerfirmen veröffentlichen ihre __(2)__ Programme online, Verlage publizieren __(3)__ Lektüre, und immer mehr __(4)__ , __(5)__ Händler werden via Netz zum Versandhaus mit __(6)__ Kundschaft. Ziehen die __(7)__ Kunden mit, könnte sich die __(8)__ Technologie zu einer __(9)__ Bedrohung für den __(10)__ Handel entwickeln.

traditionellen	neuen	elektronische
verschiedene	neue	deutschen
weltweiter	kleine	ernsten
ortsansässige		

3 Grammatikübung: Adjektivendungen

1 Lesen Sie Aufgabe 2 noch einmal. Für jedes Adjektiv im Kästchen: Welcher Gruppe (1–3; ■ Grammatik) gehört die Adjektivendung an?

2 Vervollständigen Sie die folgenden Sätze, indem Sie allen Adjektiven die richtige Endung geben:

a Der neu__ Trend zum Internet-Einkaufen bedroht die traditionell__ Geschäfte.

b Deutsch__ Hersteller können mit dem World Wide Web international__ Kunden erreichen.

c Durch das Internet kann man zum Beispiel finanziell__ Beratung bekommen, neu__ Programme kaufen oder einen billig__ Flug buchen.

d In extrem__ Fällen haben Internet-Einkäufer nicht viel Kontakt zu ander__ Menschen.

e Ein groß__ Vorteil des Internet-Einkaufens ist, dass es keine überfüllt__ Geschäfte gibt.

f Die Zahl der deutsch__ Nutzer wird steigen.

g Viel__ Nutzer haben groß__ Angst vor Betrügern.

h Manche unseriös__ Händler missbrauchen das Internet und man muss vorsichtig__ sein.

Grammatik: Adjektivendungen

Wenn Adjektive vor dem Substantiv stehen, brauchen sie immer eine Endung.

Zum Beispiel:
Die Geschäfte sind überfüllt (keine Endung)
Die überfüllten Geschäfte (Endung)

Die Adjektivendungen teilen sich in drei Gruppen auf.

Gruppe 1
der/die/das + Adjektiv + Substantiv
(auch dieser, jener, jeder, aller usw.):

Singular			
	m	f	n
Nom.			
Akk.		e	
Gen.		en	
Dat.			
Plural			
Nom.			
Akk.		en	
Gen.			
Dat.			

Zum Beispiel:
Die letzte Marktforschung zeigt uns die neuesten Entwicklungen.

Gruppe 2
ein/eine/ein + Adjektiv + Substantiv
(auch mein, dein, Ihr, kein usw.):

Singular			
	m	f	n
Nom.	er		es
Akk.		e	es
Gen.			
Dat.		en	
Plural			
Nom.			
Akk.		en	
Gen.			
Dat.			

Zum Beispiel:
Mein neuer Computer hat ein sehr gutes Textverarbeitungsprogramm.

Gruppe 3
Adjektiv + Substantiv:

Singular			
	m	f	n
Nom.	er		es
Akk.		e	es
Gen.	en	er	en
Dat.	em		em
Plural			
Nom.			
Akk.		e	
Gen.		er	
Dat.		en	

Zum Beispiel:
Deutsche Computerfirmen verkaufen neue Software online.

Nie mehr Ladenschluss!

Im »Tante-Emma-Laden«

Udo Jürgens

Im Einkaufscenter und Discount,
da bin ich immer schlecht gelaunt.
Im endlos großen Supermarkt
da droht mir gleich ein Herzinfarkt.
Da liegen die Regale voll,
ich weiß nicht, was ich nehmen soll.
Da wird das Kaufen zur Tortur.
Ich geh zu Tante Emma nur.

Im Tante-Emma-Laden
an der Ecke vis-à-vis,
wenn an der Tür die Glocke bimmelt,
ist das beinah schon Nostalgie.

Im Supermarkt bin ich allein,
beim Suchen hilft mir da kein Schwein.
Ich schieb die Karre hin und her
und schau bei andern, was kauft der?
Dann steh ich Schlange beim Bezahlen,
das ist gar nicht auszumalen.
Ich weiß, wo ich Kunde bin,
ich geh zu Tante Emma hin.

Im Tante-Emma-Laden...
ist das beinah schon Melodie.

Bei Tante Emma ist's privat,
sie ist kein Warenautomat.
Sie sagt, wenn ich nicht zahlen kann:
»Was macht das schon? Da schreib ich an.«
Wenn Tante Emma nicht mehr ist
und ein Discount den Laden frißt,
setz ich mich auf den Bürgersteig
und trete in den Hungerstreik.

Im Tante-Emma-Laden...
ist das beinah schon Poesie!

---

1 Textverständnis

Lesen Sie den Text des Liedes von Udo Jürgens „Im Tante-Emma-Laden" und beantworten Sie die folgenden Fragen dazu:

1 Wie nennt man einen Tante-Emma-Laden auf Englisch?

2 Wer hilft ihm beim Suchen in einem Supermarkt?

3 Warum sind die vollen Regale im Supermarkt für ihn ein Problem?

4 Wie ist es im Supermarkt beim Bezahlen?

5 Was gefällt ihm an Tante-Emma-Läden?

6 In welchem Fall würde er in den Hungerstreik treten?

2 Wortschatzanalyse

Im Lied drückt Udo Jürgens seine Meinung aus. Welche Vokabeln benutzt er, um den Kontrast zwischen Tante-Emma-Läden und großen Supermärkten zu beschreiben? Erstellen Sie zwei Listen.

Tante-Emma-Laden	Supermarkt
Glocke	Schlecht gelaunt

3 Einerseits ... andererseits ...

Haben Tante-Emma-Läden Nachteile im Vergleich zu Supermärkten oder zum Online-Einkaufen? Sammeln Sie einige Argumente in der Klasse.

Bilden Sie dann Sätze, in denen Sie Vorteile und Nachteile erwähnen, und „einerseits ... andererseits ..." benutzen.

Beispiel

Einerseits sind Tante-Emma-Läden freundlicher als Supermärkte, andererseits sind sie oft teurer.

4 Die neue Dimension des Einkaufens

1 Vervollständigen Sie den Text auf der Direkt-Kauf-Webseite mit den Adjektiven aus dem Kästchen.

täglich	lang	hoch
günstiger	lang	verschiedenst
günstigst	teuer	

2 Versehen Sie jetzt alle Adjektive mit der richtigen Endung.

5 Internetsuche

Suchen Sie selbst im Internet eine Online-Einkauf-Webseite in deutscher Sprache. Drucken Sie die Seite aus und zeigen Sie sie der Klasse. Benutzen Sie den Ausdruck dann für das Rollenspiel.

6 Rollenspiel: Shoppen statt Schleppen?

Arbeiten Sie mit einem Partner. Eine(r) von Ihnen kauft regelmäßig im Internet ein (Lebensmittel und andere Produkte). Sie versuchen, Ihren Freund / Ihre Freundin, der/die immer in örtlichen Geschäften einkauft, von den Vorteilen zu überzeugen. Machen Sie sich beide zuerst einige Notizen als Vorbereitung.

7 Brief an eine Ortszeitung

Die Existenz der kleinen Geschäfte in Ihrer Stadt ist von einem großen Supermarkt außerhalb der Stadt und vom Internet-Einkaufen bedroht. Schreiben Sie einen Brief von etwa 200 Wörtern an eine Ortszeitung, in dem Sie die Wichtigkeit der kleinen örtlichen Geschäfte betonen.

Benutzen Sie Vokabeln von den letzten vier Seiten sowie die Ausdrücke zur Meinungsäußerung auf Seite 101.

Netsite: http://www.direktkauf.de/

Willkommen bei DIREKT KAUF!

Produkt suchen

Hier können Sie nach Stichworten (z.B. Haribo) suchen

 Warenkorb ansehen

Bitte Bereich wählen

- ☐ Brot, Kuchen, Gebäck
- ☐ Kaffee, Tee, Kakao
- ☐ Müsli, Cornflakes
- ☐ Fertiggerichte
- ☐ Grundnahrungsmittel
- ☐ Reformartikel
- ☐ Feinkost
- ☐ Konserven
- ☐ Suppen

Die neue Dimension des Einkaufens in Europa. Endlich Spaß beim Einkaufen ohne Stress!

Vergessen Sie die Preisvergleiche, die ___(1)___ Wege und die ___(2)___ Rechnungen. Denn DIREKT KAUF kommt Ihnen gleich mehrfach entgegen. Sie sparen mit ___(3)___ Preisen, denn wir sparen uns ___(4)___ Ladenmieten und Nebenkosten. Sie sparen eine Menge Zeit und Nerven. Sie bestellen von zu Hause aus und wir liefern Ihre Ware direkt ins Haus. Ohne ___(5)___ Schleppen, bis an Ihre Haustür.

Jeder Haushalt verbraucht Produkte des ___(6)___ Bedarfs aus den ___(7)___ Bereichen: von Grundnahrungsmittel bis zu Kosmetik, von Haushaltswaren bis zu Süßigkeiten.

Wir bringen Ihnen diese Markenartikel (von Persil mega Perls bis Cornflakes von Kellogs, von Suchard Express bis Nivea Creme) zu ___(8)___ Preisen direkt ins Haus, binnen 48 Stunden.

Pinnwand

5 Von der Schule zur Arbeitswelt:
Köln und das Rheinland

Schule

Nebenjobs

Ausbildung

Arbeitswelt

*M*ehr Arbeit, weniger Spaß?

Einstieg

Wie gefällt Ihnen das Leben in der Oberstufe? Arbeiten Sie zu zweit. Stellen Sie Ihrem Partner / Ihrer Partnerin die sechs Fragen über die Oberstufe. Im Kästchen finden Sie einige Anregungen für die Antworten.

1 Beschreiben Sie den Alltag in der Oberstufe.
2 Wie unterscheidet sich der Alltag in der Oberstufe von dem in der Sekundarstufe?
3 Was gefällt Ihnen am besten?
4 Womit haben Sie die größten Schwierigkeiten?
5 Was möchten Sie später machen?
6 Wird man in der Schule darauf vorbereitet?

AG-Möglichkeiten • Selbstverantwortung • selbstständiger • keine Pflichtfächer • freie Wahl • keine Schuluniform • neue Herausforderungen • überfordet sein • Interessen folgen können • unter Stress leiden • weniger Fächer •

A))) Alltag in der Oberstufe

Wie ist es in der Oberstufe in Deutschland? Drei Abiturienten äußern ihre Meinung. Sie besuchen alle dasselbe Gymnasium in Bonn.

Jan besucht die 13. Klasse. Er ist in der 12. Klasse sitzen geblieben, aber dieses Jahr hat er etwas bessere Noten bekommen. Seine Leistungsfächer sind Erdkunde und Mathematik. Er würde gern Geologe werden.

Johannes besucht die 11. Klasse. Er wird Englisch und Informatik als Leistungsfächer wählen. Er interessiert sich für alles, was mit Computern zu tun hat und möchte später in der Computerbranche arbeiten.

Katrin besucht die 13. Klasse. Sie konzentriert sich auf Chemie und Biologie. Sie bereitet gerade ihre mündliche Prüfung in Deutsch vor und ist ziemlich gestresst. Sie möchte Ärztin werden.

1 Wer sagt das? (A))))

Wer hat was gesagt? Kreuzen Sie die zutreffende Person an.

		Johannes	Jan	Katrin
1	Der Schultag ist länger.			
2	Das Fachangebot ist breiter.			
3	Die Verantwortung ist größer.			
4	Wir schreiben häufiger Klassenarbeiten.			
5	Die Leistungskurse erfordern mehr Arbeit.			
6	Die Noten sind wichtiger.			
7	Die AG-Möglichkeiten sind geringer.			
8	Die Berufsberatung könnte besser sein.			

Denken Sie dran!

STEIGERUNGSFORMEN + ADJEKTIVENDUNG

Wenn Komparativ- und Superlativformen vor einem Substantiv stehen, das sie beschreiben, nehmen sie die Endungen von Adjektiven an:

Komparativ:

Wir genießen größere Freiheit.

Superlativ:

*Deutsch gilt als eines der schwierig**sten** Fächer.*
Adjektivendungen ■ Lektion 4, S.107

UNREGELMÄßIGE STEIGERUNGSFORMEN

Denken Sie daran, dass viele einsilbige Adjektive den Komparativ und Superlativ mit Umlaut bilden:

groß   größer   größt-

Welche fünf Adjektive haben unregelmäßige Steigerungsformen?

■ Grammatik zum Nachschlagen, S.172

2 Ihrer Meinung nach

Vervollständigen Sie die Sätze mit Komparativ- und Superlativformen + passenden Adjektivendungen.

1 Unser Gymnasium hat das _____ Fachangebot in Bonn.

2 Ich bin wegen der _____ Forderungen der Leistungskurse gestresst.

3 Ich habe in Mathe die _____ Schwierigkeiten.

4 Letztes Jahr hatte ich _____ Noten als dieses Jahr.

5 Wir brauchen eine _____ Vorbereitung auf die Arbeitswelt.

> hoch   groß   schlecht   gut   breit

3 Schriftliche Zusammenfassung

Wie ist also der Alltag in der deutschen Oberstufe? Schreiben Sie eine Zusammenfassung über das, was Sie gelernt haben. Sie können die Schlüsselwörter im Kästchen benutzen.

> *sich unterscheiden von* (+ Dativ)
>
> Ganztagsunterricht   Leistungsfächer   auswählen
> drei Jahrgänge   Klassenarbeiten schreiben
> sitzen bleiben   Hausaufgaben   Berufsberatung
> Vorbereitung auf das Studium

4 Kassettenarbeit

Nehmen Sie Ihre eigenen Erfahrungen in der Oberstufe auf Kassette auf. Sie sollten folgende Themen erwähnen:

- die Alltagsroutine
- Ihre Fächer
- Ihre Zukunftspläne
- positive Aspekte der Oberstufe
- negative Aspekte der Oberstufe

5 Die Oberstufe – hier und in Deutschland

Benutzen Sie sowohl die Information und Meinungen der deutschen Schüler als auch Ihre Kenntnisse und die Meinungen Ihrer britischen Mitschüler, um einen Aufsatz zu schreiben. Überlegen Sie, wie Sie das Material am besten organisieren. Besprechen Sie das Thema mit Ihrem Lehrer und zeigen Sie ihm/ihr einen Plan, bevor Sie zu schreiben beginnen.

Qual der Wahl

Was ist an einer Schule wichtig? Ordnen Sie diese Vorschläge in Ihre persönliche Reihenfolge (die wichtigsten zuerst). Vielleicht haben Sie auch weitere Ideen.

- das Engagement der Lehrer
- das Gemeinschaftsgefühl
- die Atmosphäre
- die Schulabschlüsse
- die Schulgebäude
- die Vorbereitung auf das Berufsleben

A))) Schulstatistik

1 **Hörverständnis – Lückentext** **A**)))

Hören Sie den Bericht und vervollständigen Sie den Text.

Schultypen: Run aufs Gymnasium

Bei den weiterführenden Schulen liegt das Gymnasium vorn: 46 Prozent aller Eltern wollen das Abi für ihr Kind.

Rund _____ Mark gibt der Staat jährlich für _____ allgemeinbildende Schulen aus. Dort arbeiten _____ Lehrer, lernen _____ Schüler.

Schüler an deutschen Schulen
Schuljahr 1997/98 (in Prozent)

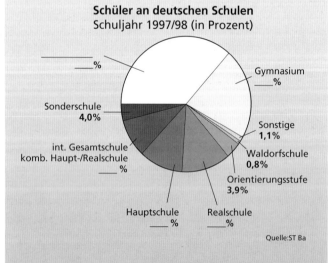

____%

Sonderschule
4,0%

int. Gesamtschule
komb. Haupt-/Realschule
____ %

Hauptschule
____ %

Realschule
____ %

Gymnasium
____ %

Sonstige
1,1%

Waldorfschule
0,8%

Orientierungsstufe
3,9%

Quelle:ST Ba

FOCUS

B

Gymnasium oder Realschule?
Eltern erzählen:

„Ferdinands Bruder hat das Gymnasium nicht geschafft. Ihm wollten wir diese Erfahrung ersparen, obwohl er geeignet gewesen wäre. In der Realschule fühlt er sich wohl."

Gabriele und Werner Maurer.
(Sohn Ferdinand, 14, besucht die 8. Klasse Realschule in Schwabmünchen)

„Für uns war das große Angebot entscheidend, das Engagement der Lehrer und vor allem der Austausch mit ausländischen Schulen."

Theresia Schmitz und Christoph Möllers.
(Sohn Sebastian, 14, besucht das St.-Benno Gymnasium in Dresden)

„In seiner Schule muss unser Junge im Team bestehen, wie später im Beruf auch. Dank der Projektarbeit bleibt er lange an einer Sache dran. Der Vorteil: Was hier gelernt wird, sitzt."

Jutta und Andreas Büdinger.
(Sohn David, 14, besucht die Helene-Lange Schule in Wiesbaden)

„Wir haben uns schon vier verschiedene Schulen angesehen. Mein Sohn will aufs Gymnasium. Aber ich habe Angst, dass ihn das überfordert."

Susanne Dederke
(Sohn Yannicl, 10, besucht die Hegholt-Grundschule in Hamburg)

„Wir wollen unserer Tochter bei einem Gymnasium anmelden, bei dem sie nach der zwölften Klasse das Abitur machen kann. Die deutsche Schulausbildung dauert zu lang."

Sabine und Hermann Andreas
(Tochter Helene, 9)

FOCUS

2 Kurz gesagt

Finden Sie für jedes Zitat eine treffende Zusammenfassung (a–e).

a Es würde für ihn zu viel sein.

b Er würde sich dort nicht wohl fühlen.

c Sie würde es schon nach der 12. Klasse schaffen.

d An einer anderen Schule würde er keinen Auslandsaufenthalt machen können.

e Er würde an einer anderen Schule nicht so gut lernen.

3 Zusammenfassung

Ihre Eltern wollen wissen, was deutsche Eltern an deutschen Schulen ärgert! Fassen Sie die Ergebnisse der Umfrage auf Englisch zusammen.

Was vermissen Ihre Eltern wahrscheinlich am meisten an Ihrer Schule? Was finden sie an Ihrer Schule am besten? Und Sie?

4 Was würden Sie machen?

Wenn Sie Schuldirektor(in) wären, was würden Sie an Ihrer Schule ändern? Bilden Sie Sätze mit würde + Infinitiv.

Beispiele

Ich **würde** den Unterricht freitags um zwölf Uhr beenden.

Ich **würde** mehr und leistungsfähigere Computer kaufen.

Grammatik: würde + Infinitiv

Um auszudrücken, dass etwas (noch) nicht geschehen ist, jedoch geschehen könnte, kann man würde + Infinitiv benutzen.

Zum Beispiel:

*Alex und Jurek sind begabt in Fremdsprachen. Sie lernen zur Zeit Portugiesisch und **würden** mit Italienisch keinerlei Schwierigkeiten haben.*

*Wir wollen nicht nach Dresden umziehen: Birgit **würde** es schwer fallen, ihre Freundinnen zurückzulassen.*

■ Grammatik zum Nachschlagen, S.182

Umfrage
Was Eltern vermissen

Das Institut für Schulentwicklungsforschung fragte 3182 Eltern, worum sich Schulen verstärkt kümmern sollten.
Defizite in jeder Hinsicht: Eltern wünschen sich sowohl eine bessere Allgemeinbildung als auch mehr Selbstdisziplin.
Im Osten ist die Unzufriedenheit offenbar besonders groß.

Vorbereitung auf das Berufsleben

| West | 64% |
| Ost | 80% |

gute Allgemeinbildung

61%
66%

Selbstdisziplin und Durchhaltevermögen

55%
70%

Probleme erkennen und Lösungswege entwickeln

54%
70%

Beschäftigung mit Alltagsproblemen der Kinder und Jugendlichen

50%
69%

soziale Kompetenzen und Teamfähigkeit

50%
54%

vertieftes Fachwissen

45%
54%

möglichst hohe Schulabschlüsse

29%
39%

Quelle: IFS Umfrage 1997

FOCUS

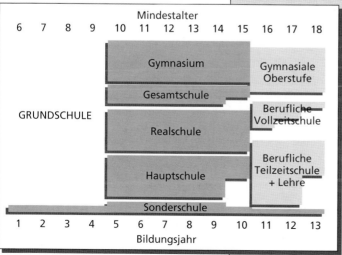

Mindestalter

| 6 | 7 | 8 | 9 | 10 | 11 | 12 | 13 | 14 | 15 | 16 | 17 | 18 |

Gymnasium — Gymnasiale Oberstufe

Gesamtschule

GRUNDSCHULE — Berufliche Vollzeitschule

Realschule

Hauptschule — Berufliche Teilzeitschule + Lehre

Sonderschule

| 1 | 2 | 3 | 4 | 5 | 6 | 7 | 8 | 9 | 10 | 11 | 12 | 13 |

Bildungsjahr

Qual der Wahl

Woran kann man eine gute Schule erkennen?

a Gehen Sie durch die Eingangshalle und Flure der Schule. Vermitteln diese einen Eindruck von Wartesaal oder Kaserne – oder sind die Räume ansprechend gestaltet? Sehen Sie Ausstellungen von Schülerarbeiten?

b Versuchen Sie, einige Klassenräume zu besichtigen. Haben diese eine angenehme Lernatmosphäre oder sind es nur kahle Räume? Sieht man Schüler konzentriert arbeiten?

c Sprechen Sie mit dem Schulleiter. Besuchen Sie die entsprechenden Info-Abende oder vereinbaren Sie einen Gesprächstermin.

d Erkundigen Sie sich, welche Angebote außerhalb des Unterrichts existieren – von der Schülerband über Selbstverteidigungkurse bis zur Computer-AG.

Beobachten Sie ein halbes Jahr lang in der Lokalzeitung: Gibt es an dieser Schule besondere Aktivitäten, über die in der Presse berichtet wird?

f Fragen Sie Schüler der Schule unter anderem nach folgenden Dingen:
- Kontrollieren die Lehrer die Hausaufgaben, die sie stellen?
- Beginnt der Unterricht normalerweise pünktlich?

g Fragen Sie Eltern deren Kinder diese Schule besuchen, unter anderem nach folgenden Dingen:
- Verstehen die Kinder häufig ihre Hausaufgaben nicht?
- Nehmen die Lehrer sich Zeit, wenn Eltern mit ihnen sprechen wollen?
- Werden Eltern über besondere Vorhaben ausreichend informiert?

FOCUS

e

---

1 | **Fehlende Überschriften**

Geben Sie jedem Textabschnitt (a–g) eine passende Überschrift.

- Elternumfrage
- Freizeitmöglichkeiten
- Gespräch mit dem Schulleiter
- Klassenräume
- Öffentlichkeit
- Rundgang
- Schülerumfrage

2 | **Bewertung einer Schule**

Lesen Sie den Text noch einmal und schreiben Sie dann einen kurzen Text über die Stärken Ihrer Schule. Entscheiden Sie, ob Sie den Bericht persönlich („Unsere Schule …") oder unpersönlich („Wenn man die Schule besucht …") gestalten wollen.

Schlechte Noten von der Wirtschaft

FOCUS befragte deutsche Unternehmen nach der Qualität der Schulbildung. Ergebnis: Die Personalchefs halten hiesige Schüler allenfalls für Mittelmaß.

Die Personalprofis von 26 Firmen benoteten Schlüsselqualifikationen von deutschen **Schulabgängern**. Am besten schnitten dabei die Abiturienten ab.

Enorme Defizite attestieren die Firmen den Pennälern hinsichtlich **Allgemeinbildung und Kreativität**. Einige

Personalchefs registrieren deutliche **Qualifikationsunterschiede** zwischen den Bewerbern aus verschiedenen Bundesländern. Positiv fallen Bayern, Baden-Württemberg und Sachsen auf.

Personalchefs deutscher Unternehmen benoteten die Schlüsselqualifikationen der Schulabgänger.

	Hauptschüler	Realschüler	Gymnasiasten
Note	1 2 3 4 5 6	1 2 3 4 5 6	1 2 3 4 5 6
Teamfähigkeit	3,7	2,7	2,7
Selbstständigkeit	3,9	3,0	2,2
Durchsetzungsvermögen	3,8	3,3	2,5
Kreativität	4,0	3,4	3,0
Flexibilität	4,0	2,9	2,6
Allgemeinbildung	4,2	3,3	2,9
Fachwissen	4,1	3,1	2,8
Motivation	3,2	2,7	2,3
Gesamtnote	3,9	3,0	2,6

FOCUS

3 Richtig, falsch oder nicht im Text?

1 Deutsche Unternehmer sind mit der Qualität der Schulbildung zufrieden.

2 Die Qualität der Qualifikationen eines Schulabgängers scheint vom Bundesland abhängig zu sein.

3 Am besten aufs Berufsleben vorbereitet sind die Gymnasiasten.

4 Schulabgänger aus dem Ausland sind besser aufs Berufsleben vorbereitet.

5 Es fehlt zu vielen Schulabgängern an Kreativität.

6 Hauptschüler können besonders gut in einem Team arbeiten.

7 Die Gesamtnote für Realschüler ist besser als die für Hauptschüler.

8 Die wichtigsten Eigenschaften sind Kreativität und eine gute Allgemeinbildung.

4 Substantive

Suchen Sie im Text Substantive mit folgenden Bedeutungen:

1 Die Fähigkeit, etwas Neues zu erfinden.

2 Die Fähigkeit, mit anderen zusammenzuarbeiten.

3 Die Fähigkeit, z.B. Probleme selbst zu lösen.

4 Das, was man über ein bestimmtes Gebiet weiß.

5 Die Fähigkeit, sein Ziel zu erreichen.

5 Definitionen

Wie könnte man folgende Eigenschaften auf Deutsch definieren?

1 Flexibilität   4 Konzentrationsfähigkeit

2 Selbstdarstellung   5 Anpassungsfähigkeit

3 Eigenständigkeit

Nebenjobs: Knete in der Tasche

Arbeiten Sie mit einem Partner / einer Partnerin zusammen: Stellen Sie ihm/ihr die Fragen vom Fragebogen. Notieren Sie seine/ihre Antworten und tragen Sie diese dann der Klasse vor.

Fragebogen: Nebenjobs

1. Hast du einen Job, den du neben der Schule machst?

WENN JA:

2. Was für einen Job hast du?

3. Warum arbeitest du? (z.B. um Geld zu haben, weil es Spaß macht, um Erfahrungen zu sammeln)

WENN NEIN:

4. Hast du je einen Job gehabt?

5. Warum arbeitest du nicht? (z.B. weil du die Freizeit genießen willst, weil du nichts Interessantes findest, weil viele Jobs schlecht bezahlt sind)

1 **Überschriften** **A**

Hier sind die Überschriften für die Absätze a–d. Wo gehören sie hin?

| Jobsuche | Zeit | Planung | Geld |

A

JOBS – DARAUF SOLLTEST DU ACHTEN

Jobs sind eine gute Möglichkeit, das Taschengeld aufzubessern oder sich auch einen kleinen Traum zu erfüllen, für den es von den Eltern kein Geld gibt. Außerdem bieten sie die Möglichkeit, einmal in die Arbeitswelt hineinzuschnuppern, eigene Erfahrungen zu sammeln. Hier sind ein paar Tipps und Hinweise:

a Willst du regelmäßig ein paar Mark mehr haben oder brauchst du einen größeren Betrag für eine Anschaffung, Urlaub usw? Entsprechend muss der Job sein! Sich ein Jahr nebenbei abrackern und dann das Geld für den neuen Computer doch nicht zusammenkriegen, macht keinen Sinn.

b Der Job muss ein Nebenjob bleiben. Wenn am Ende nur Stress mit Eltern, Schule oder Clique steht, weil du vor lauter Jobben keine Zeit mehr hast,

nützt dir auch die *Knete* nichts. Also überleg dir vorher, ob der Job nebenher zu erledigen ist, wie viel Zeit du brauchst und vor allem auch, wann du sie brauchst.

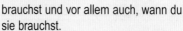

c Jobben heißt immer, Kompromisse zu machen und manchmal auch miese Arbeiten zu erledigen. Außerdem ist es nicht leicht, Jobs zu finden. Aber: Du und deine Arbeit sind etwas wert und sollten auch angemessen bezahlt werden. Verhandeln ist angesagt und vielleicht auch einmal Nein sagen, wenn das Angebot zu weit unter deinen Vorstellungen liegt. Aber du solltest dir überlegen, ob es für

Arbeit nicht auch einen anderen Gegenwert als Geld gibt. Ein etwas schlechter bezahlter Job in einem Altenheim bringt dir persönlich mehr als eine Menge Knete bei Akkordmaloche auf der Baustelle.

d Die Konkurrenz ist groß, Jobs werden von vielen gesucht. Du findest sie z.B. in den Kleinanzeigen der Tageszeitungen oder Wochenblätter. Allerdings – dort suchen auch alle anderen. Einfallsreichtum, Eigeninitiative und ein bisschen Mut sind angesagt: Lauf doch einmal ein paar Tage in deinem Stadtteil herum und klappere alle Geschäfte, Firmen usw. ab.

2   Synonyme

Suchen Sie Ausdrücke (und Redewendungen) im Text, die Folgendes bedeuten:

1   eine kleine Probe machen
2   Geldsumme
3   hart arbeiten
4   weil du so viel arbeitest
5   schlecht
6   man sollte verhandeln
7   ganz viel Geld
8   gründlich absuchen

Welche von den Wörtern und Redewendungen sind Ihrer Meinung nach umgangssprachlich?

3   Nebenjobs – eine Zusammenfassung

Vervollständigen Sie die Sätze mit Wörtern aus dem Text.

1   Jobs sind eine gute _____ , einmal eigene _____ in der _____ zu sammeln.

2   Man kann durch einen Job sein Taschengeld _____ oder das Geld für eine größere _____ wie zum Beispiel einen Computer verdienen.

3   Man sollte sich _____ , wie viel Zeit man für den Job braucht und ob man ihn nebenher _____ kann.

4   Man sollte bereit sein, zu _____ und manchmal auch Nein zu sagen, wenn der Job schlecht _____ ist.

5   Man braucht _____ , Eigen_____ und ein bisschen _____ , um einen Job zu finden.

4   Ratschläge

Entscheiden Sie, welche Modalverben (müssen, wollen usw.) hier am besten passen. (Manchmal gibt es mehr als eine Möglichkeit.) Schreiben Sie die richtigen Verbformen in die Lücken. Wählen Sie dazu den passenden Infinitiv aus dem Kästchen (Sie brauchen zwei davon für Satz 1).

1   Sie _____ einfallsreich _____ und Eigeninitiative _____ , um eine passende Arbeit zu finden.

2   Vielleicht _____ du dir _____ , ob diese Stelle für dich die richtige ist.

3   Wenn ihr mehr Taschengeld braucht, _____ ihr es selber _____ .

4   Durch Nebenjobs _____ man relevante Erfahrungen für den späteren Beruf _____ .

5   Die Schularbeit _____ ihr dabei nicht _____ .

> sein   sammeln   verdienen   überlegen
> vernachlässigen   zeigen

Denken Sie dran!

MODALVERBEN

Mit ihrer Hilfe drückt man aus, wie jemand zu einer Handlung steht. Man benutzt ein Modalverb mit einem zweiten Verb: dem Vollverb. Das Vollverb steht im Infinitiv ohne zu:

> ***Willst*** *du ein paar Mark mehr* **verdienen***?*

Man kann Modalverben in vier Kategorien einteilen: *Notwendigkeit*, *Lust*, *Erlaubnis* und *Möglichkeit*.

Welcher Kategorie würden Sie folgende Verben zuordnen?

- dürfen   • mögen   • müssen   • wollen
- können   • möchte   • sollen

Notwendigkeit: müssen
Lust:
Erlaubnis (oder Verbot):
Möglichkeit:

B))) **Nebenjobs: Studenten berichten**

5   Wer war das?

Was trifft für wen zu? Kreuzen Sie an.

		Katja	Jens	Holger
1	Will ein bisschen nebenher verdienen			
2	Möchte in Italien Urlaub machen			
3	Sucht einen Einstieg in den Beruf			
4	Will keine Kompromisse machen			
5	Kommt mit den Kollegen und Kolleginnen gut aus			
6	Findet den Job stressig			
7	Verdient viel Geld			
8	Findet keinen Job			

*E*ine praktische Ausbildung nach dem Abi?

Einige Ausbildungsberufe

- Arzthelferin
- Automobilkauffrau
- Bauzeichner
- Dachdecker
- Fachinformatikerin
- Fleischer
- Hotelfachmann
- Industriemechanikerin
- Kartograf
- Köchin
- Maurer
- Tierpfleger

Nachdem Sie den Text über das System der Berufsausbildung in Deutschland gelesen haben, sehen Sie sich die Liste von Ausbildungsberufen an. Wie lautet die weibliche bzw. die männliche Form der Berufe? Wie nennen wir diese Berufe auf Englisch?

In Deutschland gibt es für über 300 anerkannte **Ausbildungsberufe** eine strukturierte praktische **Berufsausbildung**. Die jungen Leute, die ausgebildet werden, nennt man **Auszubildende** oder „**Azubis**". Sie sind in der Regel zwischen 15 und 19 Jahre alt, aber zunehmend kommen 19-jährige dazu, die das Abitur gemacht haben. Die Ausbildung dauert zwei bis drei Jahre; Abiturienten haben jedoch die Möglichkeit, ihre Ausbildung um sechs bis zwölf Monate zu verkürzen. Die Auszubildenden arbeiten in einem Betrieb und besuchen auch eine **Berufsschule**. Die Auszubildenden unterzeichnen einen **Lehrvertrag** und erhalten einen festen **Lohn** oder ein festes **Gehalt** für ihre Arbeit.

A

Ex-Schüler berichten

CHRISTINE, 19 »Ich war mit meinen Eltern oft auf Reisen. Da hat mich die Atmosphäre in Hotels immer fasziniert.« Ein Schülerpraktikum in einem Hotel gab schließlich den Ausschlag: Sie bewarb sich um eine Lehrstelle als Hotelfachfrau. Seit August lernt Christine in einem Hotel in Köln, zog für die Ausbildung von Jena in die Rheinmetropole. »Ich wollte unbedingt in eine Großstadt«, sagt sie. Auf ein Studium hatte Christine keine Lust: »Ich wollte erst mal was Praktisches machen.«

HANNES, 22, will später mal was mit Leuten zu tun haben, »die richtig viel Geld haben« – so viel, dass sie einen Berater brauchen, der ihnen sagt, wie sie es am besten anlegen. »Investment-Banking ist mein Ziel«, sagt der Auszubildende

aus Wesel. Nicht unbedingt wegen der reichen Leute, sondern »weil man in diesem Job viel Kontakt zu Kunden hat«. Er lernt im zweiten Jahr bei einer großen Bank und steht kurz vor der Abschlussprüfung. Anschließend will er studieren. Warum dann erst die Lehre? »Ich gehe viel zielgerichteter ans Studium, als wenn ich gleich an die Uni gegangen wäre.« Manchmal nervt ihn zwar die Berufsschule (»oft langweiliges Auswendiglernen«), aber ansonsten findet er die Ausbildung »einfach Klasse«.

ELLEN, 20, macht zur Zeit eine Ausbildung zur Bauzeichnerin. Nach dem Abitur wollte die Bochumerin eigentlich Architektur studieren. Da jedoch der Numerus Clausus für sie zu hoch war, hat sie sich für die

Lehre entschieden. »Ich habe schon immer gerne gezeichnet und fand Mathe und Physik auch Klasse. Nach der Lehre werde ich wohl noch Bauingenieurwesen studieren, da ich mehr mit Mathe machen möchte. Derzeit zeichne ich hauptsächlich, dann gehe ich manchmal noch zur Baustellenkontrolle mit und während eines Praktikums musste ich in einer Lehrwerkstatt mauern – das war ganz witzig.«

---

1 **Kurz notiert**

Machen Sie für alle drei Schüler Notizen auf Deutsch zu den folgenden Fragen:

- Was für eine Ausbildung macht er/sie und wo?
- Warum hat er/sie diesen Beruf gewählt?
- Warum hat er/sie eine Lehre gewählt, statt zu studieren?

2 **Interview**

Stellen Sie sich vor, Sie sind eine der drei Personen aus dem Artikel. Wählen Sie eine aus. Beantworten Sie jetzt die Fragen Ihres Lehrers / Ihrer Lehrerin, indem Sie Information aus dem Artikel verwenden, und auch Ihre Fantasie spielen lassen!

3 | Im Café

Bringen Sie die Aussagen (a–l) in die richtige Reihenfolge, so dass ein Dialog entsteht. (Tipp: H ist die erste Aussage.)

B

Anna und Niels machen eine dreijährige Ausbildung als Industriekaufmann. Sie haben gerade ihre Zwischenprüfung bestanden. Statt mit ihren guten Noten zufrieden zu sein, sind sie jedoch deprimiert. Sie sitzen jetzt im Café mit ihren zwei Freunden, Chris und Kim, die ihre Ausbildung schon abgeschlossen haben.

d *Das verstehe ich. Ich erinnere mich noch, dass man es mir nicht erlaubte, schwierigere Aufgaben selbstständig zu erledigen. Ich habe das mit dem Ausbilder besprochen. Wenn der Ausbilder weiß, dass ihr die Arbeit zu leicht findet, kann er vielleicht schwierigere Aufgaben für euch finden.*

a *Ach, Kim, wir haben einfach keine Lust mehr auf die Ausbildung. Wir müssen noch eineinhalb Jahre lernen!*

b *Ich glaube nicht, dass die Mitarbeiter sich um uns kümmern. Sie sind nur mit ihrer eigenen Arbeit beschäftigt.*

c *Ich habe ein anderes Problem: Ich bin oft ziemlich müde, weil ich am Wochenende auch einen Nebenjob habe. Da bin ich wichtig, während die Ausbildung in der Firma manchmal sehr langweilig ist. Und der Nebenjob ist auch gut bezahlt.*

e *Der Nebenjob ist vielleicht keine gute Idee. Wenn du die Ausbildung erfolgreich abschließt, wirst du nachher viel mehr verdienen, als jetzt mit dem Nebenjob.*

f *Du hast Recht. Gerade aus diesem Grund musst du selber handeln, auch wenn das im Moment für dich schwierig ist. Du musst Eigeninitiative zeigen.*

j *Alle Mitarbeiter behandeln uns bloß als Auszubildende, die nur die einfache und eintönige Arbeit machen können. Es ist verständlich, wenn wir die Motivation verlieren, nicht wahr?*

k *Du hast Recht. Aber eineinhalb Jahre, das ist eine sehr lange Zeit.*

l *Muss man immer guter Laune sein?*

g *Du weißt noch nicht, wie kurz das ist!*

h *Ihr seht verstimmt aus.*

i *Nein, aber ihr könntet wenigstens sagen, was euch fehlt.*

C))) **Im Café – Hörtext**

4 | Anders gesagt   **B** **C**)))

Hören Sie jetzt den Dialog. In der Aufnahme drücken sich die vier Sprecher anders aus als im Dialogtext oben, aber der Sinn der Aussagen ist gleich. Vergleichen Sie den Text mit dem aufgenommenen Gespräch: Haben Sie die Aussagen richtig geordnet?

5 | Schreibanlass

Schreiben Sie einen Brief von etwa 180 Wörtern an einen Freund / eine Freundin in Deutschland, der/die als Azubi eine Lehre bei einer Bank macht. Erzählen Sie, was Sie an dem deutschen System einer praktischen, strukturierten Berufsausbildung gut finden, und stellen Sie auch Fragen. Sie könnten die Möglichkeiten in Ihrem Land und Ihre eigene Zukunftspläne erwähnen.

Ein Jahr dazwischen

Was möchten Sie nach dem Schulabschluss machen? Benutzen Sie die Vorschläge im Kästchen als Denkanstoß. Beginnen Sie:

Ich würde gern …

Ich möchte …

- bei der Ernte helfen
- Kinder betreuen
- reisen
- Schildkröten in Thailand retten
- faulenzen
- einer Hilfsorganisation beitreten
- im Ausland jobben
- in einem Kibbutz wohnen
- meine Sprachkenntnisse vertiefen

1 Übergangszeit sinnvoll genutzt

Hier ist ein Auszug aus dem „*Jobjournal*" der Zeitschrift *Freundin*. Er enhält Tipps für junge Frauen, wie sie ihre Chancen im Beruf verbessern können, indem sie die Zeit zwischen Schulabschluss und Studium oder Lehre sinnvoll gestalten. Die Tipps haben wir aus den Spalten entfernt und durcheinander gebracht: Können Sie sie an der richtigen Stelle wieder einfügen?

MEDIZIN , SOZIALES	HANDEL, FINANZWESEN	HANDWERK	NATUR- UND UMWELTSCHUTZ
z.B. Krankenschwester, Ärztin, Lehrerin	z.B. Bürokauffrau, Bankkauffrau	z.B. Schneiderin, technische Zeichnerin	z.B. Öko-Ranger, Landschaftsgärtnerin

Die Tipps

- Aupair-Mädchen
- Auslandsjob auf einer Plantage
- Auslandsjob im Verkauf/Vertrieb
- Auslandsjob im Kunsthandwerksbetrieb
- Berufsbezogener PC-Kurs, z.B. Finanzbuchhaltung
- Ehrenamtliches Engagement bei einem Umweltverband
- Freiwilliges Ökologisches Jahr*

- Freiwilliges Soziales Jahr*
- Praktikum bei einer Umweltschutzorganisation
- Praktikum im kaufmännischen Bereich
- Praktikum in einem Krankenhaus
- Praktikum in einer Textilfirma
- »Schnupperlehre« (zwei bis vier Wochen)
- Sprachkurse

* In Deutschland machen junge Frauen weder Militärdienst noch Zivildienst. In einigen Bundesländern haben sie jedoch die Möglichkeit, freiwillig im sozialen Bereich oder im Umweltbereich zu arbeiten.

2 Partnerarbeit

Partner/in A: Besprechen Sie Ihre Zukunftspläne mit Ihrem Partner / Ihrer Partnerin. Bitten Sie ihn/sie um Rat. Beginnen Sie:

Ich möchte/würde gern … werden.

Was würdest du an meiner Stelle machen?

Partner/in B: Beraten Sie Ihre/n Partner/in. Beginnen Sie:

Ich an deiner Stelle würde …

Grammatik: Der Konjunktiv

Der Konjunktiv ist eine besondere Form des Verbs*. Er wird in *Konditionalsätzen* gebraucht.

Ein Konditionalsatz ist ein Teilsatz ('clause') mit wenn + Konjunktiv. Er drückt eine Bedingung ('condition') aus. Wenn man über eine Situation reden will, die (noch) nicht eingetreten, aber denkbar ist, verwendet man einen Konditionalsatz.

Zum Beispiel:

> **Wenn ich reich wäre**, *würde ich eine Weltreise machen.*

Durch den Konjunktiv (wäre) drückt der Sprecher aus, dass das Gesagte nicht wirklich (ich bin nicht reich), aber denkbar ist.

Wie in diesem Fall folgt dem Konditionalsatz oft ein Hauptsatz mit würde + Infinitiv. Es kann jedoch auch ein Hauptsatz mit Konjunktiv folgen.

Zum Beispiel:

> *Wenn ich reich wäre, **hätte** ich mehr Möglichkeiten.*

Das ist nur bei den Verben haben, sein und können üblich.

Zeitformen des Konjunktivs

Nur das Imperfekt und das Plusquamperfekt des Konjunktivs kommen in Konditionalsätzen vor:

Imperfekt
haben
ich hätte	wir hätten
du hättest	ihr hättet
	Sie hätten
er/sie/es hätte	sie hätten

sein
ich wäre	wir wären
du wär(e)st	ihr wär(e)t
	Sie wären
er/sie/es wäre	sie wären

Starke Verben:
- Umlaut im Stammvokal (-a-, -o-, -u-, -au-; es gibt Ausnahmen ■ Verbtabellen, S.185)
- Endung -e in 1. und 3. Person Singular

Zum Beispiel:

geben
ich gäbe	wir gäben
du gäbst	ihr gäbt
	Sie gäben
er/sie/es gäbe	sie gäben

Bei den meisten anderen Verben ist der Konjunktiv nicht vom Indikativ zu unterscheiden.

■ Verbtabellen S.185

Plusquamperfekt
hätte/wäre + Partizip Perfekt.

Zum Beispiel:

sehen
*ich hätte gesehen
du hättest gesehen
usw.*

gehen
*ich wäre gegangen
du wär(e)st gegangen
usw.*

Welche Zeitform brauche ich?

Für eine Situation, die gegenwärtig ist: *Imperfekt*:

> *Wenn ich jetzt die Zeit **hätte**, würde ich eine Weltreise machen.*

Für eine Situation, die in der Vergangenheit liegt: *Plusquamperfekt*:

> *Wenn ich damals die Zeit **gehabt hätte**, hätte ich eine Weltreise gemacht.*

* Der Konjunktiv ist keine Zeitform ('tense'), sondern ein Modus ('mood'). Der andere Modus ist der Indikativ. Damit sind die „normalen" Verbformen gemeint, die Sie schon kennen.

---

3 Was gehört zusammen?

Welche Satzanfänge passen zu welchem Satzende?

1 ... würde er/sie nach Asien reisen.

2 ... wäre er/sie in Australien geblieben.

3 ... wird er/sie in einer Kinderklinik arbeiten.

  a Wenn Anna die Chance hat, ...

  b Wenn Kati den Mut hätte, ...

  c Wenn Uschi mehr Geld gehabt hätte, ...

  d Wenn Tom es nicht so eilig gehabt hätte, ...

  e Wenn man Horst besser beraten hätte, ...

  f Wenn Erik es sich besser überlegte, ...

4 Imperfekt des Konjunktivs

Wie lauten die entsprechenden Konjunktivformen? Schlagen Sie in den Verbtabellen nach. ■ S.185

1 Sie waren	7 wir lagen
2 du hattest	8 wir mochten
3 wir fuhren	9 er konnte
4 sie standen	10 du gingst
5 er sah	11 ihr last
6 sie legte	12 ich war

Kultur SPOT

Die Künste im Rheinland

Die Architektur

Heute gibt es in Deutschland immer mehr Beispiele einer modernen, experimentierfreudigen und doch menschengerechten Architektur. Manches gelungene Bauwerk verdankt seine Entstehung noch immer dem Stil und Denken des Bauhauses. Aber auch neuere Trends der Architektur wie die Postmoderne haben bemerkenswerte Bauten entstehen lassen. Auch Kulturbauten werden als architektonische Meisterwerke anerkannt. Einen der hervorragendsten Museums neubauten, die sich der Umgebung anpassen, schuf Godfrid Haberer für das Museum Ludwig in Köln (1986).

„Beethon"

Sie ist bereits zum neuen Symbol der Beethovenstadt Bonn geworden: die Betonskulptur „Beethon" des Düsseldorfer Künstlers Klaus Kammerichs, die seit 1986 vor der Beethovenhalle steht und weit über die Grenzen der Stadt hinaus bekannt geworden ist. „Beethon" hatte Professor Kammerichs als Beitrag zur Ausstellung „Mythos Beethoven" zum Beethovenfest 1986 geschaffen. Ende 1990 beschloss der Stadtrat, „Beethon" zu kaufen.

Quelle: Oberbürgermeisterin der Stadt Bonn

*Prof. Kammerichs Skulptur „Beethon"
vor der Beethovenhalle*

DIE BILDENDEN KÜNSTE
August Macke
1887–1914

1887	August Robert Ludwig Macke wird am 3. Januar geboren. Kurz nach der Geburt bezieht die Familie in Köln ein Haus in der Brüsseler Strasse, wo sie bis zu Mackes 13. Lebensjahr wohnt
1897	Schüler am Kreuzgymnasium in Köln
1900	Umzug der Familie nach Bonn
	Besuch des Bonner Realgymnasiums
1904–1906	Kunststudium an der Königlich Preußischen Akademie in Düsseldorf
1909	Am 5. Oktober Heirat mit Elisabeth Gerhard
1910	Rückkehr nach Bonn
	Bekanntschaft mit Bonner und Kölner Museumsleitern und Galeristen
	Teilnahme an der ersten Ausstellung der Künstlergruppe „Der Blaue Reiter"
1913	Organisator der Ausstellung „Rheinische Expressionisten" in Bonn
1914	Am 8. August Einzug zum Kriegsdienst
	Am 26. September wird August Macke in einem Gefecht erschossen

Auf die Uni gehen

Setzen Sie die Wörter aus dem Kästchen paarweise zusammen (in einem Fall sogar drei Wörter), um Begriffe zu erhalten, die in den Bereich des Studiums gehören. Wie lauten die zusammengesetzten Wörter auf Englisch?

Zum Beispiel:

Studien + Gebühren = die Studiengebühren

haupt	*Studien*	Saal	neben	Studien	Semester
Fach	Gang	Heim	Studenten	wohn	Schule
hoch	Fach	*Gebühren*	Ferien	hör	

Rolf: „Köln ist eine tolle Stadt."

Rolf (27)

Was studieren Sie, Rolf?

Ich studiere Englisch und Sozialwissenschaften und ich möchte einmal Lehrer werden, das heißt, ich studiere auf Lehramt für die Sekundarstufe II.

Warum haben Sie diese Fächer ausgesucht?

Englisch, weil mir die Sprache einfach sehr gut gefällt und ich denke ich werde sie mal später im Leben auch außerhalb meines Berufes sehr gut verwenden können.

Und wo studieren Sie?

An der Universität in Köln.

Warum haben Sie Köln gewählt?

Köln ist eine tolle Stadt. Sie hat sehr viel zu bieten: Es gibt viele nette Studentenkneipen zum Beispiel und ein großes kulturelles Programm.

Gefällt Ihnen der Studiengang?

Das Studium in Köln hat gewisse Probleme – Köln ist, glaube ich, die Universität mit den meisten Studenten in Deutschland und deshalb sind die Seminare und alle Veranstaltungen sehr überfüllt. Man muss unter Umständen anstehen, um überhaupt in ein Seminar reinzukommen oder man muss eben auf dem Boden sitzen.

A INTERVIEWS MIT STUDENTEN

Heike (23)

Was studieren Sie, Heike?

Im Hauptfach studiere ich Auslandsgermanistik, im ersten Nebenfach Amerikanische Literaturwissenschaft und im zweiten Nebenfach Erziehungswissenschaften.

Warum haben Sie diese Fächer gewählt?

Um ehrlich zu sein, weil meine Freundin das Gleiche studiert hat. Ich war damals in Amerika und wusste nicht genau, was ich nach meinem Auslandsjahr machen sollte und ihr hat das sehr gefallen und ich hab' gedacht: OK, machst du halt das Gleiche.

Macht es Spaß?

Also ja, ich finde es eigentlich nett. Was mir nicht gefällt ist, es geht ein bisschen d'runter und d'rüber manchmal.

Heike (rechts): „Ich hab' gedacht: OK, machst du halt das Gleiche."

1 Interviews mit Studenten

Lesen Sie die Interviews mit Heike und Rolf.

A Beschreiben Sie mit Ihren eigenen Worten, warum die beiden sich für diese Studienfächer entschieden haben.

B Heike und Rolf benutzen andere Begriffe als die hier angeführten. Suchen Sie die entsprechenden Begriffe und Redewendungen in deren Antworten.

Beispiel

in meinem Privatleben ➤

außerhalb meines Berufes (Rolf)

1 Deutsch als Fremdsprache

2 sie hat das gemocht

3 Vorlesungen, Versammlungen, usw.

4 es gibt sehr viel zu tun

5 dasselbe

6 zu voll

7 manchmal

8 bestimmte

B))) Was wird das wohl kosten?

2 Hörverständnis

Hören Sie drei deutsche Studenten, Manja, Guido und Katarina. Machen Sie für alle drei Notizen auf Deutsch (möglichst ausführlich) zu den folgenden Fragen:

- Wo studiert er/sie?
- Warum hat er/sie diese Uni gewählt?
- Was sind ungefähr seine/ihre monatlichen Lebenshaltungskosten?
- Muss er/sie nebenbei Geld verdienen?

3 Das Studium finanzieren

Lesen Sie das Flugblatt des Kölner Studentenwerks. Es berät Studenten über verschiedene Finanzierungs-möglichkeiten – wie lauten diese auf Englisch? Welche davon sind auch in Ihrem Land für Studenten wichtig?

Das Studium finanzieren
BAföG-ABC

NICHT RESIGNIEREN – DAS STUDIUM LÄSST SICH AUF VERSCHIEDENE ARTEN FINANZIEREN

Hier finden Sie Ansprechpartner, Tipps und Informationen zur Studienfinanzierung. Damit Sie Umwege sparen, sollten Sie zuerst jedoch zur BAföG-Abteilung gehen, um Ihre BAföG-Ansprüche zu klären.

Häufig kann auch in akuten Notsituationen geholfen werden. Devise: Vor der Krise steht die Beratung von der Psycho-Sozialen Beratungsstelle des Kölner Studentenwerks.

Das Kölner Studentenwerk informiert über:

BAföG-ABC (Wer nicht fragt – der nichts bekommt – zu 50 % geschenktes Geld)

Darlehen

Stiftungen und Stipendien

Ermäßigungen

Jobs und Geldverdienen (Tipps zur Jobsuche)

Versicherungen und Steuern

---

4 Klassendiskussion – Wo studieren?

Diskutieren Sie die folgenden Fragen zum Studium mit den anderen Schülern in der Klasse:

1 Viele Studenten in der Bundesrepublik wählen eine Uni / eine Hochschule, die in der Nähe Ihrer Heimatstadt liegt. Was könnten die Gründe dafür sein? Nennen Sie einige.

2 Ist dies auch in Ihrem Land der Fall? Wie haben Studenten in Ihrem Bekanntenkreis eine Uni gewählt?

3 Wissen Sie was ein Studium in Ihrem Land kostet? (Gebühren, Bücher, Lebensunterhalt usw.)

4 Welche Pläne haben Sie im Hinblick auf Ihr Studium?

5 Schreibanlass

Fassen Sie die Antworten der Klasse zu den vier Fragen in einem kurzen Artikel (etwa 200 Wörter) für eine Studentenzeitung in Deutschland zusammen. Sie können entweder als „Deutsche(r)" oder als Sie selbst schreiben. Finden Sie einen passenden Titel für Ihren Artikel.

Tipps für den Traumjob

Lesen Sie die Stellenanzeige aus verschiedenen deutschen Tageszeitungen und wählen Sie eine davon, um die Sie sich für die nächsten Sommerferien eventuell bewerben würden. Erklären Sie, warum Sie diese Stelle gewählt haben.

URLAUB – DAS GESCHÄFT DER ZUKUNFT!

Wir suchen eine(n) englischsprechende(n) Assistent(in) für unser Reisebüro (Juli, August). Sie sind gut organisiert, zuverlässig, kontaktfreudig, vielleicht Student(in). MS Office-Kenntnisse sind wünschenswert. Wir bieten DM1800- mtl.

TFA – Deutschland, Hohenkamp 12, 31249 Hohenhameln

EMPFANGSMITARBEITER/IN

(Sommersaison)

internationale Hotelkette
alle üblichen Tätigkeiten
Kenntnis von möglichst zwei Fremdsprachen
sicherer Umgang mit dem PC

Kontakt:
Le Meridién Parkhotel
Wiesenplatz 18
60329 Frankfurt/Main
Frau Isolde Günemann
(024) 26 32-109

Die Stadt Goslar (knapp 50 000 Einwohner) sucht ab Juli für 6–8 Wochen

GÄRTNER(IN) – SPIEL- UND SPORTFLÄCHEN

Arbeitsbedingungen gem. BMT-GII, Lohnzahlung nach BMT-GII. Gärtnerische Pflege- und Instandhaltungsarbeit auf Grünflächen, Spiel- und Sportflächen in der Stadt.

Wir setzen Verantwortungsbewusstsein und Zuverlässigkeit voraus. Erfahrungen sind vorteilhaft, aber nicht Bedingung. Führerschein ist erforderlich.

Goslar ist eine Fremdenverkehrsstadt im Harz. Der Naturpark »Harz« bietet vielseitige Freizeitmöglichkeiten. Die Altstadt von Goslar wurde in die UNESCO-Liste für das Weltkulturerbe aufgenommen.

Bewerbungen mit üblichen Unterlagen erbeten an:
Stadt Goslar, Postfach 15 28, 38615 Goslar

1   Schriftliche Bewerbungen

Hier sind einige Sätze, die man für einen Bewerbungsbrief verwenden könnte.
Versuchen Sie sie in die richtige Reihenfolge zu bringen.

a In meiner Freizeit habe ich schon Erfahrungen im Bereich … gemacht.

b (Ort, Datum)

c Ich freue mich, bald von Ihnen zu hören.

d Ich würde in einem Vorstellungsgespräch weitere Auskünfte geben.

e Mit freundlichen Grüßen

f (Adresse der Firma)

g ich bewerbe mich um die Stelle als … .

h (Eigene Adresse)

i Meine Hauptfächer in der Schule / an der Universität waren …

j Hierbei beziehe ich mich auf Ihre Anzeige in der … vom …

k Anbei finden Sie meinen Lebenslauf mit Foto und Zeugnissen.

l Sehr geehrte Damen und Herren,

m Es macht mir großen Spaß …

2 **Einen Bewerbungsbrief schreiben**

Schreiben Sie jetzt einen Bewerbungsbrief für die von Ihnen gewählte Stelle.

A

Tabellarischer Lebenslauf

Name:	Ina Schäfer
Geboren:	28.07.1973
Geburtsort:	Wolfsburg
Familienstand:	ledig
Eltern:	Otto Schäfer, Dipl.-Ing.
	Ingrid Schäfer geb. Sammann, Hausfrau
Geschwister:	Andreas Schäfer

Schulbesuche:	1979–1983 Astrid Lindgren-Grundschule, Wolfsburg.
	1983–1992 Heinrich-Nordhoff-Gesamtschule mit gymnasialer Oberstufe, Wolfsburg, Abitur 1992.
Auslandsaufenthalt:	1992–1993 Au-pair, Southampton, Großbritannien, Cambridge Proficiency in English sowie die CPE–Zusatzprüfung Literatur erfolgreich abgeschlossen.
Studium:	1993 Haupt- und Realschullehramt für Englisch und Geschichte, Justus-Liebig-Universität, Gießen.
Auslandsaufenthalt:	1995–1996 Foreign Language Assistant, Gesamtschule in Thame, Großbritannien.
Studium:	1996 Wiederaufnahme des Studiums zum Wintersemester.
Unterrichtstätigkeit:	1997–1998 Leiterin eines Englischkurs an der Volkshochschule Wetzlar.
Examen:	1998 erfolgreicher Abschluss des Ersten Staatsexamens für Haupt- und Realschullehramt an der Justus-Liebig-Universität in Gießen.
Besondere Kenntnisse:	EDV, Microsoft Office, Führerschein

3 **Lebenslauf – richtig oder falsch?**

Lesen Sie den tabellarischen Lebenslauf und entscheiden Sie, ob die folgenden Sätze richtig (R), falsch (F) oder nicht erwähnt (?) sind.

1. Als Schulabschluss hat Ina Schäfer die mittlere Reife gemacht.
2. Sie hat studiert, um Gymnasiallehrerin zu werden.
3. Sie hat auch Erwachsene unterrichtet.
4. Als zweites Nebenfach hat sie Geschichte studiert.
5. Sie hat ihr Studium unterbrochen.
6. In weiteren drei Jahren wird ihre Ausbildung zu Ende sein.

4 **Einen Lebenslauf schreiben**

Schreiben Sie jetzt Ihren eigenen tabellarischen Lebenslauf auf Deutsch. Benutzen Sie Inas Lebenslauf als Muster.

5 **Partnerarbeit – Interviewfragen**

Stellen Sie einem Partner / einer Partnerin Fragen über seinen/ihren Lebenslauf, ohne den Lebenslauf zu sehen. Sie sollten sich gegenseitig siezen, wie bei einem Interview.

Beispiele
Wann/Wo sind Sie geboren?
Welche Schulen haben Sie besucht?
Haben Sie während Ihrer Schulzeit ein Arbeitspraktikum gemacht?
Welchen Schulabschluss haben Sie? Und was machen Sie jetzt?
Was machen Sie in Ihrer Freizeit?

Denken Sie sich weitere Fragen aus.

*T*ipps für den Traumjob

A

Das Vorstellungsgespräch

Wenn Sie zu einem Vorstellungsgespräch eingeladen werden, sollten Sie darauf so gut wie möglich vorbereitet sein.

1. Informieren Sie sich über das Unternehmen

   Hier gibt es z.B. die Möglichkeiten, sich die Webseite des Unternehmens (wenn vorhanden) anzusehen oder sich Informationsmaterial zuschicken zu lassen.

2. Stellen Sie Fragen über das Unternehmen zusammen, die Sie während des Bewerbungsgesprächs stellen wollen.

   Damit zeigen Sie Interesse und haben darüber hinaus die Möglichkeit das Gespräch aktiv mitzugestalten! Sie sollten jedoch keine grundlegenden Fragen stellen, denn das würde zeigen, dass Sie sich nicht über das Unternehmen informiert haben.

3. Bereiten Sie sich auf Fragen vor, die Ihnen gestellt werden könnten:

   • Erzählen Sie etwas über sich!

   • Warum haben Sie sich bei uns beworben?

   • Warum wollen Sie Ihre derzeitige Firma verlassen?
   • Warum wollen Sie Ihren Arbeitsplatz wechseln?
   • Nennen Sie mir drei Gründe, warum wir Sie nehmen sollen!
   • Nennen Sie mir drei Gründe, warum wir Sie nicht nehmen sollen!
   • Nennen Sie mir drei Ihrer Stärken!
   • Nennen Sie mir drei Ihrer Schwächen!
   • Wie verbringen Sie Ihre Freizeit?
   • Was würden Sie gerne verdienen?
   • Was wissen Sie über uns?

4. Nehmen Sie sich Zeit für das Gespräch!

   Auf keinen Fall sollten Sie während des Vorstellungsgesprächs auf die Uhr sehen oder gar das Gespräch beenden müssen, weil Sie noch einen anderen dringenden Termin haben!

5. Achten Sie auf eine offene und aufrechte Körperhaltung!

---

1 Vorbereitung auf das Vorstellungsgespräch A

Lesen Sie den Artikel „Das Vorstellungsgespräch" und vervollständigen Sie mit Ihren eigenen Worten diese kurze Zusammenfassung:

> Vor dem Vorstellungsgespräch sollte man sich … und auch … damit … . Es ist auch wichtig … und …
>
> Man sollte nicht vergessen, …

2 Zeitformen von Modalverben

Konjugieren Sie ein Modalverb durch alle Personen (ich, du, er/sie/es usw.) und durch alle Zeitformen (Präsens, Imperfekt, Perfekt, Plusquamperfekt und Futur).

Übersetzen Sie die folgenden Sätze ins Englische:

1 Ich *habe* in den letzten Sommerferien Spanisch *lernen können*.

2 Ich *habe* neulich meinen Nebenjob als Kellnerin *aufgeben müssen*.

3 Ich *wollte* letztes Jahr in Deutschland *arbeiten*, aber ich war krank.

4 Ich *möchte* später eine Stelle bei einer deutschen Bank *finden*.

5 Ich *könnte* für zwei Monate in Ihrer Firma *arbeiten*.

6 Ich *sollte* eigentlich mehr für mein Deutsch *tun*.

B))) Kandidatinnen beim Vorstellungsgespräch

3 Stärken und Schwächen B)))

Hören Sie die zwei Kandidatinnen bei ihren Bewerbungsgesprächen. Was für einen Eindruck machen sie? Kreuzen Sie für jede Kandidatin das Zutreffende an.

	Frau Arendts	Frau Frickert
pünktlich		
selbstbewusst		
gut vorbereitet		
interessiert		
kontaktfreudig		
flexibel		
erfahren		
zuverlässig		
ehrgeizig		

Grammatik: Die Modalverben

Die wichtigsten Zeitformen

		Präsens	Imperfekt
dürfen	ich	darf	durfte
können	ich	kann	konnte
mögen	ich	mag	mochte
müssen	ich	muss	musste
sollen	ich	soll	sollte
wollen	ich	will	wollte

Imperfekt des Konjunktivs	Perfekt	
dürfte	habe … dürfen	(gedurft)
könnte	habe … können	(gekonnt)
möchte	habe … mögen	(gemocht)
müsste	habe … müssen	(gemusst)
sollte	habe … sollen	(gesollt)
wollte	habe … wollen	(gewollt)

Satzbau: Infinitiv ans Ende

Modalverben werden meistens als Hilfsverben gebraucht. Das heißt, sie werden zusammen mit dem Infinitiv eines anderen Verbs verwendet. Dieser Infinitiv steht am Ende des Teilsatzes, in dem er vorkommt:

- Ohne Modalverb – Verb an zweiter Stelle:
  *Ich **besuchte** die Webseite der Firma, um mich zu informieren.*

- Mit Modalverb – Infinitiv ans Ende:
  *Ich wollte die Webseite der Firma **besuchen**, um mich zu informieren.*

Modalverben ohne Infinitiv

Modalverben können jedoch auch ohne andere Verben gebraucht werden, zum Beispiel:

*Ich versuchte es, aber ich **konnte** es nicht.*

Dieser Gebrauch kommt relativ selten vor – außer beim Verb mögen:

*Ich **mochte** ihn damals nicht, und ich **mag** ihn auch heute nicht.*

Bei mögen wird gewöhnlich nur die Form möchte mit dem Infinitiv verwendet:

*Ich **möchte** mich um diese Stelle **bewerben**.*

Wenn man ein alleinstehendes Modalverb im Perfekt verwendet, hat es ein anderes Partizip Perfekt (in Klammern in der Tabelle):

*Ich habe ihn nie **gemocht**. Das habe ich nie **gekonnt**. Das hast du ja **gewollt**.*

Imperfekt des Konjunktivs

Achtung! Diese Form bezieht sich *nicht* auf die Vergangenheit, sondern auf die Gegenwart oder Zukunft. Durch den Gebrauch des Konjunktivs wird die Bedeutung des Verbs leicht geändert:

dürfte	should (likelihood) *Es dürfte keine Probleme geben.*
könnte	could *Ich könnte es selber machen.*
möchte	would like *Ich möchte dich um Rat bitten.*
müsste	ought to, might (also likelihood) *Ich müsste es wissen. Er müsste da sein.*
sollte	ought to *Ich sollte etwas tun.*

■ Grammatik zum Nachschlagen, S.179

---

4 Fragen über das Unternehmen

Sie werden zu einem Vorstellungsgespräch eingeladen für die Stelle, um die Sie sich beworben haben. Erstellen Sie eine Liste von möglichen Fragen, die Sie über die Stelle und das Unternehmen stellen könnten.

5 Erzählen Sie etwas über sich selbst!

Sie sollten sich auch auf Fragen vorbereiten, die Ihnen gestellt werden könnten. Lesen Sie noch einmal Absatz 3 des Artikels und notieren Sie mögliche Antworten zu den Fragen.

6 Rollenspiel: Ein Vorstellungsgespräch

Ihr Lehrer spielt jetzt die Rolle des Interviewers bei Ihrem Vorstellungsgespräch. Versuchen Sie, die Fragen so selbstbewusst wie möglich zu beantworten und auch Ihre eigenen Fragen zu stellen. Sie dürfen einige Notizen machen und diese im Vorstellungsgespräch verwenden.

Nichts für schwache Nerven

Einstieg

Wie wird eine handwerkliche Ausbildung in Deutschland organisiert? Sehen Sie sich die Tabelle an und erklären Sie mit Hilfe dieser Ausdrücke, wie die Ausbildung eines Handwerkers organisiert ist.

Grundausbildung	eine Lehre machen	in einer Fachschule
Fachspezialisierung	die Meisterprüfung	in einer spezialisierten Fachschule oder Akademie
Weiterbildung	Studium	an einer Universität

1 Raten Sie mal!

Bevor Sie anfangen zu lesen: Decken Sie den zweiten Absatz des Textes zu.

Lesen Sie jetzt den ersten Absatz. Was meinen Sie:

1 Wo arbeitet Professor Dr. Barbara Schock-Werner?

2 Was macht sie? Was für einen Beruf hat sie?

Sammeln Sie Ideen in der Klasse. Lesen Sie erst dann weiter. Haben Sie richtig geraten?

2 Definitionen

Finden Sie im Text Ausdrücke, die Folgendes bedeuten:

1 etwas Besonderes, mit dem man etwas identifizieren kann

2 der Bau hat angefangen

3 gibt Arbeit an

4 dauert ewig

5 das Erhalten und Bewahren von alten Gebäuden und Monumenten

6 die Handwerker/innen, die den Dom restaurieren

A

Eine ungewöhnliche Frau mit einem höchst ungewöhnlichen Arbeitsplatz

Nichts für schwache Nerven. Mit einem energischen Ruck schließt die Frau in Schwarz die Tür zum Bauaufzug. Der stählerne Käfig rumpelt an der Außenseite des _____ nach oben, vorbei an bemoosten Giebeln und Türmchen, bunten Kirchenfenstern, Engeln und Heiligen. In fast 60 Meter Höhe bleibt er ratternd und schaukelnd stehen. Aussteigen. Professor Dr. Barbara Schock-Werner, die _____, auf dem Weg zu einer ihrer regelmäßigen Inspektionen.

Eine ungewöhnliche Frau an einem der ungewöhnlichsten Arbeitsplätze in Deutschland. Der Kölner Dom ist für das Rheinland mehr als nur eine gotische Kirche, er bedeutet ein Stück Identität. 157 Meter hoch, monumental und filigran zugleich, reckt er, zwei Zeigefingern gleich, die beide Haupttürme in den Himmel. Vor 750 Jahren wurde der Grundstein gelegt. Seither beschäftigt der Dom Generationen von Handwerkern. »Erhalten und bewahren, das ist der Sinn unserer Arbeit. Und die hört nie auf.« So nüchtern-pragmatisch beschreibt Barbara Schock-Werner diesen Kraftakt an Denkmalschutz. Seit Anfang dieses Jahres leitet die 52-jährige die Dombauhütte – als erste Dombaumeisterin in der Geschichte des Bauwerks. Übrigens als einzige in Deutschland.

BRIGITTE

B))) Wie wird man Dombaumeisterin?

3 Richtig oder falsch?

Hören Sie eine Radiosendung über Professor Dr. Barbara Schock-Werner.

Sind diese Aussagen richtig oder falsch? Verbessern Sie die falschen Sätze.

1 Professor Dr. Barbara Schock-Werner ist in Köln sehr bekannt.

2 Sie ist Handwerkerin im Kölner Dom.

3 Sie hat eine Lehre als Bauzeichnerin gemacht.

4 Sie durfte nicht auf einer Baustelle arbeiten.

5 Sie verfügt über den Abschluss als Diplom-Ingenieurin gemacht.

6 Sie interessiert sich sehr für Häuser.

7 Sie verfügt über Spezialkenntnisse auf dem Gebiet mittelalterlicher Kunstgeschichte.

8 Es gibt wenige Frauen in der Dombauhütte.

4 Lebenslauf

Hören Sie den Radiobericht noch einmal und füllen Sie den Lebenslauf aus.

Vorname:
Nachname:
Geboren: in Schwaben
Schulabschluss:

Ausbildung
Lehre:
Studium:
Abschluss:
Weiterbildung: mittelalterliche Kunstgeschichte
Abschluss: Doktor

Arbeit
1. Stelle:
2. Stelle: Lehrerin an der Akademie der
                           Bildenden Künste, Nürnberg
Jetzige Stelle:

5 Handwerkerin sein

Hier lesen Sie über Möglichkeiten, als Handwerkerin in der Kölner Dombauhütte zu arbeiten. Bringen Sie die Stellen und die Ausbildungen (a–f) zusammen.

Archäologische Restauratorin
Archäologische Zeichnerin
Glasmalerin
Glasrestauratorin
Goldschmiedin
Steinmetzin

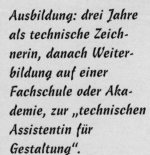

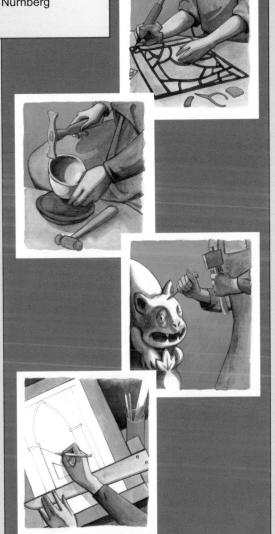

a *Ausbildung: drei Jahre, danach zwei Jahre Glas-fachschule. Nach der Meisterprüfung möglich: ein dreijähriges Studium mit Abschluss als „Gestalterin im Handwerk".*

b *Ausbildung: drei Jahre als Glasmalerin, danach zwei Jahre Glasfachschule. Nach der Meisterprüfung: Weiter-bildung zur staatlich geprüften „Restauratorin im Handwerk".*

c *Ausbildung: dreijährige Lehre in einem handwerk-lichtechnischen Beruf, z.B. Glasmalerin. Nach der Meisterprüfung: Studium, z.B. am Römisch-Germanischen Zentral-museum Mainz; Abschluss: „Restauratorin für archäologische Objekte".*

d *Ausbildung: drei Jahre als technische Zeich-nerin, danach Weiter-bildung auf einer Fachschule oder Aka-demie, zur „technischen Assistentin für Gestaltung".*

e *Ausbildung: drei Jahre handwerkliche Lehre, danach Meisterschule bis zur Meisterprüfung. Anschließend Weiter-bildung zur staatlich geprüften „Restauratorin im Handwerk".*

f *Ausbildung: drei Jahre handwerkliche Ausbild-ung, danach Meisterschule; Abschluss: Goldschmiedemeisterin. Danach Weiter-qualifizierung, zum Beispiel in mittelalterlicher Goldschmiedekunst.*

BRIGITTE

Jungunternehmer

Welche dieser Eigenschaften sind für einen Jungunternehmer wichtig? Wählen Sie die vier wichtigsten aus. Vergleichen Sie die Eigenschaften in der Klasse und begründen Sie Ihre Wahl.

Ehrgeiz	Realismus
Eigensinn	Risikobereitschaft
Fitness	Rücksichtslosigkeit
Flexibilität	Selbstständigkeit
Geselligkeit	Selbstsicherheit
Idealismus	Vorsicht
Kompromissbereitschaft	

Ⓐ

Der Weg zum Erfolg
Tipps für Jungunternehmer/innen

Es gibt keine zuverlässigen Erfolgsrezepte für Existenzgründer, aber an folgende Punkte sollte man denken, bevor man den ersten Schritt wagt:

Persönliche Eigenschaften

Sowas wie der »typische« Unternehmer existiert nicht. Am besten sollte man die Klischees von schickgekleideten, draufgängerischen Typen, die man im Fernsehen gesehen hat, vergessen. Trotzdem: Wer sich selbst gut kennt, hat als Unternehmer bessere Chancen. Wichtige Fragen: Welches sind meine Stärken und Schwächen? Bin ich bereit, lange zu arbeiten? Kann ich mit Stress fertig werden? Kann ich mir selbst Ziele setzen? Wird meine Familie mich unterstützen?

Branchen- u. Fachkenntnisse

Existenzgründer müssen selbstverständlich ihr Metier beherrschen. Am besten ist, wenn man sich in der Branche bereits auskennt und über Kontakte verfügt.

Geschäftsidee

Man sollte sich überlegen: Was ist das Besondere an meiner Idee? Wie werden meine Kunden davon profitieren? Wer etwas völlig Neues verkaufen will, muss sein Angebot besonders ausführlich beschreiben können.

Marktchancen

Kommt die Idee an? Ein wenig Marktforschung ist ratsam, z.B. möglichst viele Bekannte fragen, was sie von der Idee halten. Vielleicht kann man auch potenzielle Kunden um ihre Meinung bitten. Seine Zielgruppe sollte man auf jeden Fall präzise definieren.

Marketing

Wie werden potentielle Kunden vom Angebot erfahren? Auf welchen Vertriebswegen gelangt das Produkt zum Kunden?

Konkurrenz

Was macht die Konkurrenz? Man sollte das Angebot anderer Firmen unter die Lupe nehmen. Informationen erhält man z.B. im Internet, auf Messen oder durch »Testkäufe«.
Wenn es viele Firmen mit einem ähnlichen Angebot gibt, wird der Neuling Schwierigkeiten haben, sich gegen die Konkurrenz zu behaupten. Wer eine richtige »Marktlücke« entdeckt hat, hat bessere Chancen.

Finanzen

Die Startkosten sollte man nicht unterschätzen. Ist eine Büroausstattung nötig? Geschäftsräume? Der Jungunternehmer wird auf jeden Fall Geld ausgeben müssen, bevor er welches verdient. Woher kommen die Mittel, um diese Finanzlücke zu schließen?

Rentabilität

Lässt sich mit der Idee überhaupt Geld verdienen? Viele Neulinge freuen sich über die hohen Umsätze, die sie machen, verlieren aber leicht die Kosten aus dem Blick. Man sollte erst mal den erwarteten (nicht erhofften!) Umsatz und die erwarteten Kosten für die ersten drei Jahre kalkulieren. Das wird zeigen, ob die Idee ausreichende Gewinne abwirft.

Zukunftsaussichten

Wie wird sich die Branche in Zukunft entwickeln? Und die Nachfrage? Wenn die Idee Erfolg hat, wird man mit Nachahmern rechnen müssen: Wie lange hält der Vorsprung vor der Konkurrenz?

1 Business – Vokabular

Folgende Ausdrücke (1–13) kommen im Text vor. Können Sie allen Ausdrücken die passende Definition zuordnen?

1	der Unternehmer	**a**	der Gesamtwert der Waren, die man verkauft
2	der Existenzgründer	**b**	jemand, der eine Firma besitzt (und leitet)
3	der Kunde	**c**	das, was vom Umsatz übrig bleibt, nachdem man die Kosten abgezogen hat
4	das Angebot	**d**	ein Bereich, in dem es noch keine geeigneten Produkte gibt
5	die Zielgruppe	**e**	der Wunsch, ein Produkt zu kaufen
6	der Vertriebsweg	**f**	jemand, der eine neue Firma gründet
7	die Konkurrenz	**g**	jemand, der ein Produkt (eine Ware oder eine Dienstleistung) in Anspruch nimmt
8	die Marktlücke	**h**	das, was es auf dem Markt zu kaufen gibt
9	die Geschäftsräume	**i**	Firmen, die ein ähnliches Angebot haben
10	die Rentabilität	**j**	die Fähigkeit, ausreichende Gewinne abzuwerfen
11	der Umsatz	**k**	diejenigen, an die man sein Produkt verkaufen will
12	der Gewinn	**l**	der Ort, an dem ein Unternehmen seine Ware produziert / seine Dienstleistung erbringt
13	die Nachfrage	**m**	wie das Produkt vom Verkäufer zum Kunden kommt

2 Unternehmensberatung

Ein Freund / eine Freundin will eine Firma gründen. Er/sie bittet Sie um Rat. Verwenden Sie den Text, um nützliche Ratschläge zu geben. Drücken Sie sie mit Ihren eigenen Worten aus.

Beispiel

> *Bin ich der richtige Typ dafür?*

Den „richtigen" Typ gibt es gar nicht. Aber ich würde mir einige wichtige Fragen stellen …

> *Werde ich mit meiner Idee genug Geld verdienen können?*

> *Welche Kenntnisse brauche ich?*

> *Hat meine Idee gute Erfolgschancen?*

Denken Sie dran!

RATSCHLÄGE GEBEN

Ratschläge kann man unterschiedlich formulieren.

Vorsichtig:

- *Du könntest …* + Infinitivkonstruktion
- *Wie wäre es mit …* + Substantiv
- *Wie wäre es, wenn …* + Nebensatz (Konditional, Verb ➤ Ende)

Weniger vorsichtig:

- *Du solltest (vielleicht) …* + Infinitivkonstruktion
- *Ich (an deiner Stelle) würde …* + Infinitivkonstruktion
- *Ich schlage vor …* + Infinitivkonstruktion
- *Ich schlage vor, dass du …* + Nebensatz (Verb ➤ Ende)

Bestimmt:

- Imperativ
- *Du musst (unbedingt / auf jeden Fall) …* + Infinitivkonstruktion

N.B. Wie gehen die ihr- und Sie-Formen?

■ Grammatik zum Nachschlagen, S.167

Jungunternehmer

A Warum Jungunternehmer sich selbstständig machen

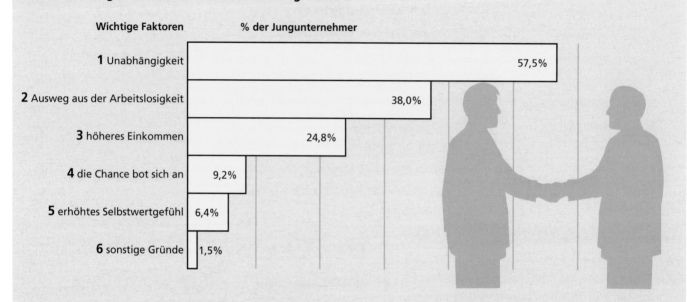

Wichtige Faktoren	% der Jungunternehmer
1 Unabhängigkeit	57,5%
2 Ausweg aus der Arbeitslosigkeit	38,0%
3 höheres Einkommen	24,8%
4 die Chance bot sich an	9,2%
5 erhöhtes Selbstwertgefühl	6,4%
6 sonstige Gründe	1,5%

B Warum Jungunternehmer scheitern

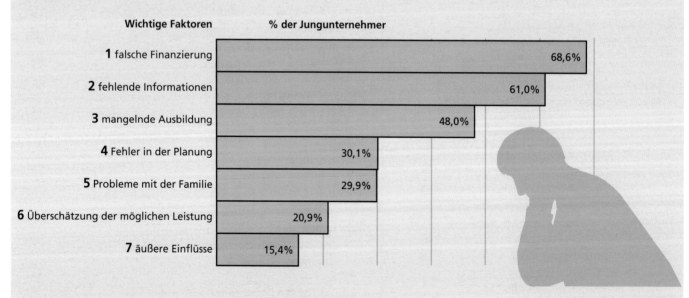

Wichtige Faktoren	% der Jungunternehmer
1 falsche Finanzierung	68,6%
2 fehlende Informationen	61,0%
3 mangelnde Ausbildung	48,0%
4 Fehler in der Planung	30,1%
5 Probleme mit der Familie	29,9%
6 Überschätzung der möglichen Leistung	20,9%
7 äußere Einflüsse	15,4%

1997 starteten 530 000 Jungunternehmer in Deutschland.

Im selben Jahr mussten 440 000 Unternehmer aufgeben.

B))) Jungunternehmer berichten

1 Aus welchen Gründen?

Hören Sie die Berichte von Jungunternehmern und vergleichen Sie diese mit der Statistik. Welche Faktoren (A 1–6, B 1–7 auf Seite 136) haben bei welchem Unternehmer eine Rolle gespielt?

A: Warum Jungunternehmer sich selbstständig machen

Gunda

Karsten

Uwe

Hedwig

B: Warum Jungunternehmer scheitern

Bernd

Lea

Nadja

Die Zahl der Selbstständigen stieg 1997 in Deutschland auf 9,2% der Erwerbstätigen (1991: 7,3%). Den höchsten Anteil an Selbstständigen hatten Hamburg (10,8%) und Berlin (10,2%). In den Wirtschaftsbereichen Dienstleistungen und Handel ist die Zahl der Selbstständigen mit jeweils über 1,1 Millionen Personen besonders hoch.

Nach Schätzungen des Bundesarbeitsministeriums gehörten zu den Selbstständigen auch rund 0,5-1 Million Schein-Selbstständige, die als angeblich freie Mitarbeiter ohne arbeits- und sozialrechtliche Absicherung beschäftigt sind, in Wirklichkeit aber in einem arbeitnehmertypischen Verhältnis zum Unternehmen stehen.

2 Synonyme

Finden Sie im Text Synonyme für:

1 Menschen, die arbeiten

2 Menschen, die für sich selbst arbeiten

3 wenn man (gegen Bezahlung) etwas für jemanden macht

4 Kauf und Verkauf von Waren

5 ungefähre Kalkulationen

6 ungefähr

7 Menschen, die für eine Firma arbeiten, aber nicht fest angestellt sind

8 Firma

3 Diskussion

1 Was sind „Schein-Selbstständige"?

2 Welche Probleme ergeben sich für solche „Schein-Selbstständigen", (a) wenn sie krank werden, (b) wenn die Firma sie entlässt?

3 Welche Vorteile ergeben sich für Firmen, die „Schein-Selbstständige" beschäftigen?

4 Schreibarbeit

Sie wollen in Deutschland eine Firma gründen / sich selbstständig machen. Schreiben Sie an Ihren deutschen Bankmanager:

- Schildern Sie kurz Ihre Geschäftsidee (z.B. Software-Firma, Übersetzungsdienst, Discjockey, Gärtnerei)

- Legen Sie die Startkosten dar (z.B. € 6000 für Computersystem; € 500 für neuen Telefonanschluss, € 12 000 für Lieferwagen usw.) und schreiben Sie, wie hoch der Kredit sein soll.

- Bitten Sie um einen Termin, um Ihr Vorhaben weiter zu besprechen.

■ Lektion 2, S.29 Geschäftsbriefe

Die Ausdrücke im Kästchen könnten nützlich sein.

Die Startkosten werden € 000 betragen …

… einen Kredit in Höhe von …

… einen Termin vereinbaren …

Ich brauche also insgesamt …

Ich freue mich darauf, bald von Ihnen zu hören

Ich habe vor, …

… um diese Firma zu gründen, …

Pinnwand

Dem Schulstress kann man leicht entgehen, vermeidet man es aufzustehen.

Wenn die Arbeiter was unternehmen, müssen die Unternehmer arbeiten

Wer keinen Erfolg hat, ist immer noch von statistischer Relevanz

Wenn alles schläft und einer spricht, den Zustand nennt man Unterricht

Alle reden von der Schule, aber keiner tut was dagegen

Lieber Gott, mach mich nicht groß – ich werd ja doch bloß arbeitslos

Bei uns kann jeder werden, was er will – ob er will oder nicht

Lieber 'ne Fünf in Mathe als gar keine persönliche Note

Der hat's gut!

Der Junge ist auf dem Weg in die Schule. Er rast, denn er ist spät dran, rennt einen Mann mit Aktentasche fast um. Der Mann ist auf dem Weg ins Büro. »Verzeihung«, murmelt der Junge. »Paß doch auf!« sagt der Mann.

Dabei sehen sie sich an, einen Augenblick lang, und …

… der Junge denkt:

»Der hat's gut! Spaziert da gemütlich in sein Büro, jeden Tag. Keiner schnauzt ihn an, wenn er mal fünf Minuten zu spät kommt. Dann setzt der sich an seinen Schreibtisch, ruft seine Sekretärin und diktiert. Mir diktiert die Köhler gleich, und ich kann's selbst schreiben. O Mann, der hat nicht den Kummer mit Arbeiten schreiben, Hausaufgaben machen und so 'ner großen zickigen Schwester, die immer »Spast« und »Blödmann« zu einem sagt und einen damit auf die Palme bringt. Mensch, keine Schule mehr haben. Wenigstens schon mal sechzehn sein. Schön wäre das.«

… der Mann denkt:

»Der hat's gut! Rast in die Schule, als ging's um sein Leben. Ja, Schule … mit dem würde ich gern tauschen. Wenn ich so an meinen Schreibtisch denke, vollgepackt mit lauter unangenehmen Sachen wartet der auf mich. Sind doch kleine Sorgen, die man so hat, wenn man noch in die Schule gehen kann. Zu der Zeit ist doch alles nur halb so schlimm. Wenn man erst mal erwachsen ist … Verantwortung, Verpflichtungen. Ach, Schwamm drüber. Die Zeit kann man nicht anhalten, auch nicht zurückdrehn. Es geht halt so weiter, im alten Trott, man ist eben kein Kind mehr.«

6 Verkehr und die Umwelt:

Leipzig und Sachsen

Auto fahren

Luftverschmutzung

Umweltschutz

Energieversorgung und die Umwelt

Junge Autofahrer

Einstieg

Zusammengesetzte Wörter: Suchen Sie in den Texten auf diesen beiden Seiten und im Wörterbuch so viele Wörter wie möglich, die die Silbe „fahr" enthalten. Tragen Sie sie nach Wortarten geordnet in die Tabelle ein. Wie heißen die Wörter auf Englisch?

Verben	Substantive
Auto fahren	die Fahrschule(n)

Fahrschule Rupp –
Führerschein-Checkliste

Der Führerschein ist eine wichtige Sache im Leben. Deshalb sollte man sich die Fahrschule seines Vertrauens sorgfältig auswählen und nichts überstürzen. In meiner Fahrschule steht die Sicherheit an erster Stelle. Du wirst von mir sorgfältig auf das Leben nach der Fahrschule vorbereitet, d.h. du erhältst alle nötigen Fahrkenntnisse, um dich später auch alleine verantwortungsvoll und sicher im Straßenverkehr zurechtfinden zu können.

Du hast bei uns auch die Möglichkeit, dir alles einmal unverbindlich in einer kostenlosen Schnupperstunde anzusehen und dich in Ruhe zu entscheiden. Solltest du deine Wahl getroffen haben (und ich hoffe, für uns), kannst du in den nachfolgenden Punkten nachlesen, wie so eine Fahrausbildung abläuft.

a Damit man weiß, dass du auch erkennen kannst, was so auf der Straße abgeht, musst du erst einmal einen Sehtest absolvieren. Diesen kannst du für ein paar Mark bei jeden Optiker machen (dauert auch nur ein paar Minuten). Außerdem ist es Pflicht, einen Erste-Hilfe-Kurs zu belegen, damit man im Notfall auch in der Lage ist, verunglückten Menschen zu helfen. Diese Erste-Hilfe-Kurse werden regelmäßig vom Roten Kreuz, dem Malteser Hilfsdienst usw. angeboten. Wir können dir bei der Anmeldung auch sagen, wann und wo der nächste Kurs stattfindet und dir entsprechende Adressen geben.

b Der theoretische Unterricht findet bei uns in der Fahrschule statt. Zu Beginn einer Stunde hat jeder die Möglichkeit einen Prüfungsfragebogen auszufüllen, um seinen momentanen Wissensstand zu überprüfen. Im weiteren Verlauf der Stunde erklären wir dir dann alles, was du wissen musst, um die theoretische Prüfung zu bestehen.

Der Gesetzgeber schreibt abhängig von der Führerscheinklasse eine bestimmte Mindestanzahl von zu absolvierenden Theoriestunden vor – 14 Stunden. Darüber hinaus kannst du natürlich weitere Theoriestunden besuchen – so viele du willst, wenn du dich noch unsicher fühlst.

c Im praktischen Unterricht bringe ich dir bei, wie man das Fahrzeug bedient und übe mit dir im Straßenverkehr. Auch bei den praktischen Stunden ist eine Mindestanzahl von Fahrstunden vorgeschrieben: Man unterscheidet zwischen Übungsfahrten und Sonderfahrten. Zu den Sonderfahrten zählen die Überlandfahrt, Autobahnfahrt und Nachtfahrt. Du musst 5 Überlandfahrten, 4 Autobahnfahrten und 3 Nachtfahrten absolvieren. Alle übrigen Fahrstunden sind Übungsfahrten. Eine Fahrstunde dauert übrigens 45 Minuten.

d Diese Prüfung besteht darin, einige Fragebögen, die du ja schon aus dem theoretischen Unterricht kennst, richtig auszufüllen.

e Diese Prüfung kannst du frühestens 4 Wochen vor deinem 18. Geburtstag ablegen. Voraussetzung dafür ist ebenfalls, dass du die theoretische Prüfung bestanden hast.

Ein Prüfer vom TÜV (Technischer Überwachungsverein) möchte dabei sehen, was wir im theoretischen und praktischen Unterricht geübt haben, also dass du dich mit dem Fahrzeug sicher, verantwortungsbewusst und rücksichtsvoll im Straßenverkehr bewegen kannst. Die praktische Prüfung dauert 45 Minuten, also genauso lange wie eine Fahrstunde. Du brauchst auch keine Angst davor zu haben, denn wir werden vorher alles sorgfältig geübt haben. Hast du die Prüfung bestanden, bekommst du deinen Führerschein sofort ausgehändigt, sofern du schon 18 Jahre alt bist, andernfalls kannst du ihn dir an deinem Geburtstag bei der Führerscheinstelle abholen. ■

1 Führerschein-Checkliste

Überfliegen Sie noch einmal die Checkliste der *Fahrschule Rupp* und ordnen Sie den folgenden Überschriften jeweils dem passenden Absatz (a–e) zu:

- Die Theoriestunden
- Die praktische Prüfung
- Die theoretische Prüfung
- Sehtest und Erste Hilfe
- Die Fahrstunden

2 Der Führerschein in Deutschland

Ihr Freund, der den Text nicht versteht, will wissen, wie man den Führerschein in Deutschland macht. Wie alt muss man sein? Sind Fahrstunden Pflicht? Welche Prüfungen gibt es? Lesen Sie jetzt sorgfältig den Text und notieren Sie etwa zehn wesentliche Punkte für ihn auf Englisch.

3 Die Fahrausbildung – Modalverben

Vervollständigen Sie diese Sätze, indem Sie die jeweils passende Kombination Modalverb + Infinitiv aus dem Kästchen an der richtigen Stelle einfügen:

Beispiel

Man sich sorgfältig auf zwei die Prüfungen.

*Man **muss** sich sorgfältig auf die zwei Prüfungen* **vorbereiten**.

1 Manchmal man sich nach einer kostenlosen Schnupperstunde für eine Fahrschule.

2 Man erstmals einen Sehtest und einen Erste-Hilfe-Kurs.

3 Um die theoretische Prüfung zu machen, man mindestens 14 Stunden Theoriestunden.

4 Man natürlich weitere Theoriestunden, wenn man sich noch unsicher fühlt.

5 Im praktischen Unterricht Fahranfänger Überland-fahrten, Autobahnfahrten und Nachtfahrten, sowie auch normale Übungsfahrten.

6 Wenn man, man die praktische Prüfung auch bis zu vier Wochen vor dem 18. Geburtstag.

Modalverben	Infinitive
dürfen	ablegen
dürfen	absolvieren
können	besuchen
~~müssen~~	entscheiden
müssen	machen
müssen	machen
müssen	~~vorbereiten~~
wollen	

4 Und der Führerschein in Ihrem Land?

Verwenden Sie jetzt ähnliche Sätze, um das System in Ihrem Land zu beschreiben. Sammeln Sie Informationen in der Klasse.

5 Partnerarbeit: Die Fahrausbildung

Stellen Sie einem Partner / einer Partnerin einige der folgenden Fragen, um seine / ihre Meinung herauszubekommen. Sie können auch eigene Fragen stellen.

Hast du schon den Führerschein? Einen vorläufigen ('provisional') Führerschein?

Wirst du Auto fahren lernen? Wann?

Wirst du Fahrstunden nehmen? Warum (nicht)?

Sollten Fahrstunden auch hier Pflicht sein?

Was kostet eine Fahrstunde?

Wie findest du das System bei uns?

Sollten wir auch Nachtfahrten machen müssen?

Was findest du gut an der Fahrausbildung in Deutschland?

B))) Zehn Jahre Führerschein auf Probe!

6 Hörverständnis

Nachdem deutsche Autofahrer die Fahrprüfung bestanden haben, müssen sie eine Probezeit von zwei Jahren durchlaufen. Hören Sie den kurzen Radiobericht über den Führerschein auf Probe und tragen Sie die fehlenden Zahlen in die Tabelle ein:

Fahrerlaubnis auf Probe eingeführt	
Anzahl der Personen in der Probezeit Mitte 1996	
Darunter Frauen	
Fahranfänger jünger als 25 Jahre	
Führerscheinerwerber mit 18 Jahren	
Erwerbungen pro Jahr	

Junge Autofahrer

1 Gefahr auf den Straßen

Die folgenden Sätze betreffen das Unfallrisiko für junge Autofahrer. Verbinden Sie die Satzänfange mit dem jeweils passenden Satzende und vervollständigen Sie die Sätze.

1 Junge Autofahrer verursachen mehr Unfälle, …

2 Autofahrer zwischen 18 und 24 Jahren verursachen 59% der Unfälle …

3 1995 sind in Deutschland 2159 Menschen dieser Altersgruppe …

4 Ein Grund dafür ist, …

5 Junge Autofahrer wollen auch …

6 Das Hauptproblem ist, dass …

7 Das Unfallrisiko ist höher …

8 In Europa ist es oft schwer für junge Autofahrer, …

a … an denen kein anderes Fahrzeug beteiligt ist.

b … wenn zwei junge Männer vorne im Auto sitzen.

c … als man proportional erwarten würde.

d … bei Autounfällen ums Leben gekommen.

e … eine preiswerte Versicherung zu bekommen.

f … ihren Freunden imponieren.

g … Menschen dieser Altersgruppe häufig zu schnell fahren.

h … dass junge Autofahrer nicht viel Erfahrung haben.

2 Junge Autofahrer leben am gefährlichsten ◢A◣

Lesen Sie jetzt den Zeitungsbericht über junge Autofahrer und Verkehrsunfälle. Welche Sachverhalte aus dem Artikel finden sich in den Sätzen 1–8 wieder?

◢A◣

Junge Autofahrer leben am gefährlichsten

Autofahrer zwischen 18 und 24 Jahren sind überproportional an Unfällen beteiligt. Sie verursachen nach einem Bericht der Zeitschrift »Auto/Straßenverkehr« dreimal so häufig Unfälle wie es ihrem Anteil an den Autofahrern insgesamt entsprechen würde. Bei Verkehrsunfällen ohne Fremdbeteiligung beträgt ihr Anteil sogar 59 Prozent. 1995 starben in Deutschland 2159 Menschen dieser Altersgruppe bei Verkehrsunfällen. Als Ursache macht eine Studie das Leugnen von Risiko in allen Lebensbereichen aus. Hinzu kommen mangelnde Erfahrung, Übermut und Imponiergehabe. Besonders hoch ist das Unfallrisiko, wenn ein männlicher Autofahrer einen Geschlechtsgenossen als Beifahrer hat, es sinkt, wenn eine Frau daneben sitzt. Trotzdem stieg die Zahl der getöteten jungen Frauen in nur einem Jahr um 19 Prozent; die meisten starben auf dem Beifahrersitz. Die hohe Unfallquote dieser Altersgruppe ist nach den Recherchen von »Auto/Straßenverkehr« jedoch keineswegs nur ein deutsches Problem. Die EU-Kommission ermittelte, dass jährlich zwei Millionen junge Menschen in Europa den Führerschein machen. 2000 von ihnen kommen im ersten Jahr ihrer Fahrpraxis ums Leben.

◢B◣))) **Mehr Sicherheit für junge Fahrer**

3 Hörverständnis

Hören Sie jetzt den Radiobericht. Entscheiden Sie, ob die folgenden Aussagen richtig oder falsch sind. Korrigieren Sie die falschen Sätze.

1 Im Mai fand die Info-Tour „Don't drink and drive" statt.

2 Man wird einen Verkehrssicherheitspreis verleihen.

3 Das Unfallrisiko ist in der Altersgruppe der 14- bis 24-jährigen besonders hoch.

4 Der Staatsminister meint, dass junge Leute die Verantwortung für sich und andere nicht vergessen sollten.

5 Die Info-Tour wird an neun verschiedenen Orten in Sachsen Halt machen.

6 Das Thema des Wettbewerbs ist „Tempolimits".

7 Der Wettbewerb erstreckt sich über ein Jahr.

8 Der beste Beitrag in jeder Gruppe wird 3000 DM gewinnen.

ALKOHOL AM STEUER

50 Prozent fallen beim „Idiotentest" durch

BONN – Mehr Wiederholungstäter mit Alkohol im Straßenverkehr unterwegs. Fast die Hälfte aller Autofahrer, die wegen Alkohol am Steuer zur Medizinisch-Psychologischen Untersuchung (MPU) beim TÜV bestellt werden, fällt durch. Wie

in den Vorjahren hätten sich auch 1997 rund 48 Prozent der Alkoholfahrer bei der Untersuchung, im Volksmund „Idiotentest" genannt, als ungeeignet zum Führen eines Kraftfahrzeugs erwiesen, sagte der TÜV-Psychologe Hans Utzelmann am Mittwoch in Bonn. Allerdings sei die Zahl der Fahrer, die erstmals mit einem hohen Blutalkoholpegel erwischt wurden, zurückgegangen. Dagegen nahm die Zahl derjenigen zu, die wiederholt betrunken am Steuer saßen.

Angebot: Alkoholtester
(ALCOGUARD)

Testurteil Auto/Straßenverkehr:
„Sehr empfehlenswert"

- elektronische Sensoren garantieren genaue Messung des Alkohols im Atem
- Testergebnis: auf Zehntel Promille gleiche Präzision wie ein Polizeigerät
- genaue Anzeige
- einfache Bedienung
- Hinweis auf gesetzliche Grenzwerte
- 3 R6 Batterien oder 12V Anschluss im Pkw
- zur eigenen Nutzung oder als Geschenk
- für Discotheken und Gaststätten
- denken Sie auch an den Restalkohol am nächsten Morgen
- Gewicht 140 g
- Größe 65 × 35 × 165 mm

Für nur DM 109,95 inkl. Versand, inkl. 4 Mundstücke, Tasche, Adapter zum Zigarettenanzünder.

Geld-zurück-Garantie bei Nichtfunktion

4 Alkohol am Steuer

Lesen Sie den Bericht über den „Idiotentest" sowie die Anzeige für den Alkoholtester. Erstellen Sie eine Liste von 10 wichtigen Vokabeln zum Thema Alkohol am Steuer. Vergleichen Sie Ihre Listen in der Klasse.

5 Alkoholtester ALCOGUARD

Beantworten Sie die folgenden Fragen auf Deutsch:

1 Wozu dient *Alcoguard*?
2 Wie genau ist das Gerät angeblich?
3 Woher kommt der Strom für den Alkoholtester?
4 Wann oder wo könnte man den *Alcoguard* benutzen?
5 Welche anderen Vorteile des *Alcoguards* werden in der Anzeige erwähnt?
6 Könnte Ihrer Meinung nach so ein Gerät gefährlich sein? Inwiefern?

6 Klassendiskussion – Das Unfallrisiko

Verhalten sich tatsächlich so viele junge Autofahrer verkehrsgefährdend? Sind Sie selbst Autofahrer oder haben Sie junge Bekannte, die schon Auto fahren? Wie stehen Sie zu den folgenden Aussagen?

Bereiten Sie Ihren mündlichen Beitrag vor, um ihn mit den anderen in der Klasse diskutieren zu können.

- Junge Autofahrer sind gefährlich, weil sie wenig Erfahrung haben.
- Alle jungen Autofahrer sind übermütig und denken nicht an die Gefahren.
- Junge Männer am Steuer wollen ihren Freunden imponieren.
- Junge Frauen fahren sicherer als junge Männer.
- Ältere Leute sind verantwortungsvoller, was Alkohol am Steuer betrifft.
- Man sollte gar keinen Alkohol trinken dürfen, wenn man Auto fährt.

7 Schreibanlass

Junge Autofahrer werden ständig in Ihrer Tageszeitung kritisiert. Schreiben Sie einen Brief von etwa 200 Wörtern an die Redaktion, um die Fahrer in Ihrer Altersgruppe zu verteidigen.

Überfüllte Straßen

Kennen Sie sich gut mit Autos aus?
Wo gehören diese Autoteile hin?

der Blinker (-)
der Kofferraum (¨e)
der Reifen (-)
der Scheinwerfer (-)
der Sicherheitsgurt (e)
die Bremse (n)
die Windschutzscheibe (n)
das Rad (¨er)
das Schiebedach (¨er)
das Steuer (-)

A

Verkehr auf Sachsens Straßen gestiegen

Ergebnisse der Verkehrszählung

Den dicksten Verkehr in Sachsen im vergangenen Jahr gab es am Freitag, dem 24. Mai, auf der Bundesautobahn A4: In 24 Stunden hatten 76 901 Fahrzeuge die automatische Zählstelle Dresden-Hellerau passiert. Das sind rein rechnerisch mehr als 50 Autos pro Minute. Insgesamt nahm der Verkehr auf den sächsischen Autobahnen seit 1993 um 12 Prozent zu, sagte Dr. Bernd Rohde, Abteilungsleiter Straßenbau im Sächsischen Staatsministerium für Wirtschaft und Arbeit, am 3. April in Dresden.

Die am stärksten befahrene Autobahn in Sachsen ist weiterhin die A4. Zwischen dem Dreieck Chemnitz und der Anschlussstelle Chemnitz Nord wurden durchschnittlich etwa 69 000 Fahrzeuge in 24 Stunden gezählt. Mit ca. 36 000

Fahrzeugen sind die B2 südlich von Leipzig, mit ca. 30 000 Fahrzeugen die B95 nördlich Chemnitz und mit ca. 26 000 Fahrzeugen die B172 bei Heidenau die balastetsten Bundesstraßen.

Nach ersten Ergebnissen der Dauerzählstellen ist der Grenzübergang B172-Schmilka mit 4 500 PKW/Tag der wichtigste für den PKW-Verkehr. Der LKW-Verkehr konzentriert sich auf die Grenzübergänge B170-Zinnwald (350 LKW/Tag) und A4-Ludwigsdorf (300 LKW/Tag).

Diese Daten werden benötigt, um die Straßenbauplanung schnell an die sich verändernden Verkehrsströme anzupassen und damit die Sicherheit auf den Straßen zu verbessern.

---

1 **Verkehrszählung** **A**

A Lesen Sie den Bericht über die Verkehrszählung in Sachsen und beantworten Sie die folgenden Fragen auf Deutsch:

1 Wovon handelt der Bericht?

2 Wie hat man die Fahrzeuge gezählt?

3 Wie haben sich die Verkehrszahlen seit 1993 geändert?

4 Welche ist die verkehrsreichste Autobahn in Sachsen?

5 Welche Grenzübergänge werden sehr häufig von Lastwagen benutzt?

6 Warum braucht man diese Zahlen?

B Die folgenden Zahlen werden im Bericht erwähnt. Schreiben Sie jeweils einen Satz auf Deutsch, um ihre Bedeutung zu erklären.

Beispiel

dreißigtausend

Circa 30 000 Fahrzeuge wurden durchschnittlich in 24 Stunden auf der B95 nördlich von Chemnitz gezählt.

1 fünfzig

2 zwölf

3 neunundsechzigtausend

4 sechsundzwanzigtausend

5 viertausendfünfhundert

6 dreihundert

B))) Verkehrstote

2 | Hörverständnis

Hören Sie den Radiobericht über die Zahl der im deutschen Straßenverkehr Getöteten. Setzen Sie die jeweils zutreffenden Zahlen ein:

Im Straßenverkehr getöte Personen 1996	
Zahl der Verletzten	
Unfälle insgesamt	
Bundesdurchschnitt der Verkehrstoten 1996	
Brandenburg	
Mecklenburg	

3 | Wie können Sie Kraftstoff sparen?

Fahren Sie umweltfreundlich? Wissen Sie, wie Sie als Autofahrer Benzin sparen und weniger Auspuffgase erzeugen können? Überprüfen Sie Ihre Antworten zu den Fragen (manchmal ist mehr als eine Antwort richtig).

4 | Umweltfreundliches Autofahren

Wie kann man sich als Autofahrer umweltfreundlicher verhalten? Notieren Sie Ihre Vorschläge und besprechen Sie sie in der Klasse.

Beispiele

Man kann möglichst früh in den zweiten Gang schalten.
Man kann Tempolimits beachten.

KRAFTSTOFF IST TEUER – SPAREN IST NICHT SCHWER

A Wie können Sie Kraftstoff sparen?

1. Dachgepäckträger oder Skihalter entfernen, wenn sie nicht gebraucht werden.
2. Möglichst mit hohen Drehzahlen fahren.
3. Bei längerem Warten Motor abstellen.

B Welche Fahrweise führt zu erhöhtem Kraftstoffverbrauch?

1. Längeres Fahren bei hoher Geschwindigkeit.
2. Scharfes Anfahren bei „Grün".
3. Längeres Fahren mit gezogener Starterklappe (choke).

C Wie können Sie nach einem Kaltstart Kraftstoff sparen und sich gleichzeitig umweltfreundlich verhalten?

1. Ohne Warmlaufenlassen des Motors gleich losfahren.
2. Motor im Stand warmlaufen lassen, dann erst losfahren.
3. Möglichst spät in den zweiten Gang schalten.

D Wie können Sie den Kraftstoffverbrauch eines Fahrzeuges senken?

1. Rechtzeitig bleifrei tanken.
2. Verbrauchte Zündkerzen erneuern.
3. Den richtigen Reifendruck haben.

D))) Autosünder

5 | Hörverständnis

Hören Sie die zwei Auto-Fanatiker an, Herrn Dietrich und Frau Lehmann. Wer sagt was? Was wird nicht erwähnt?

		Herr Dietrich	Frau Lehmann
1	Ich fahre gern schnell auf der Autobahn.		
2	Ich poliere jeden Sonntag mein Auto.		
3	Ich spare für einen Mercedes.		
4	Ich brauche mein Auto für meine Arbeit.		
5	Ich interessiere mich nicht für die Umwelt.		
6	Ich habe keine Zeit für Busse.		

Überfüllte Straßen

Autoarme Innenstadt bleibt Plan für Leipzig

Die City sollte ab Dezember autoarm gestaltet werden, doch zunächst sorgten fehlende Poller und mangelnde Kontrollen an den Vormittagen eher für ein Verkehrschaos in der Innenstadt. Selbst die neue Fußgängerzone in der Nikolaistraße war meist zugeparkt.

1 Autoarme Innenstädte Ⓐ Ⓑ

Lesen Sie die beiden Zeitungsausschnitte über Verkehrsmaßnahmen in Innenstädten und beantworten Sie die folgenden Fragen:

1 Warum waren die Maßnahmen für die Leipziger Innenstadt am Anfang nicht sehr erfolgreich?

2 Was hat die EU-Kommission vor?

3 Warum findet der ADAC den Plan ungerecht?

4 Wie nennt man eine zusätzliche Gebühr für die Innenstadt?

5 Was sind laut ADAC die beiden Nachteile solcher Gebühren?

6 Weshalb appelliert der ADAC an die Regierung?

Ⓒ))) Mautgebüren für Autobahnen

2 Hörverständnis Ⓒ)))

Hören Sie den Ausschnitt aus einer Radiosendung über mögliche Mautgebühren für deutsche Autobahnen und vervollständigen Sie die folgenden Sätze:

1 Der Verkehrsexperte _____ die Pläne.

2 Die Mauteinnahmen würden nur dem weiteren _____ des Straßennetzes dienen.

3 Man kann sagen: „Wer _____ säht, wird _____ ernten."

4 Es würde dann mehr _____ auf den Nebenstrecken geben.

5 Dann würde es auf diesen Straßen mehr Belastung der Umwelt mit _____ und _____ geben.

Gebühren für Fahrt in die City

ADAC, 16. März – Die Pläne der EU-Kommission, für die Fahrt in Innenstädten von den Autofahrern zusätzliche Gebühren zu verlangen, stößt auf entschiedenen Protest des ADAC. Die Autofahrer haben durch hohe Steuerbelastungen ihre Straßen bereits voll bezahlt. Sie jetzt noch einmal zusätzlich zur Kasse zu bitten, ist – so ADAC-Präsident Otto Flimm – eine Zumutung ohnegleichen: „Die Herren in Brüssel haben keinerlei Kompetenz zum Verkehrsgeschehen in unseren Städten. Wer eine City-Maut verlangt, muss wissen, dass er damit erheblich mehr Verkehr im Umland verursacht und darüber hinaus den Einzelhandel empfindlich schädigt."

Der ADAC unterstützt die Bemühungen der EU-Kommission, die Umweltauswirkungen des Verkehrs zu minimieren, eine mehr belastende Verlagerung des Verkehrs ist aber nicht hinzunehmen. An die Regierung appelliert der ADAC, diesen Brüsseler Einmischungsversuchen energisch zu widersprechen.

3 Umweltspuren – Synonyme ◆

Lesen Sie die Presseinformation des BUND. Wie werden die folgenden Begriffe und Redewendungen im Text ausgedrückt?

1 Busse, die Teil des öffentlichen Verkehrsnetzes sind

2 staatliche Verwaltungseinheiten

3 der öffentliche Verkehr innerhalb einer Stadt

4 Reisende

5 sich reduzieren

6 Leute, die ihr Transportmittel gewechselt haben

7 die geplanten Abfahrtzeiten der Linienbusse

8 die Stadt, die in der Umfrage an letzter Stelle steht

4 Zeitformen ◆

Welche der folgenden Zeitformen kommt im Text über Umweltspuren nicht vor?

• das Präsens   • das Imperfekt

• das Perfekt   • das Futur

Mehr „Umweltspuren" für Busse, Taxis und Räder schaffen!

Linienbusse kämen schneller im Stadtverkehr voran, wären pünktlicher und attraktiver, wenn es in Städten und Gemeinden mehr separate Fahrspuren für sie gäbe. Der Bund für Umwelt und Naturschutz Deutschland (BUND) hat deshalb Städte und Gemeinden dazu aufgerufen, das Angebot sogenannter „Umweltspuren" für Busse, Taxis und Fahrräder massiv auszuweiten. „Städte, die den öffentlichen Personen-Nahverkehr fördern wollen, können dies so am billigsten tun", sagte Peter Westenberger, der Verkehrs-Experte des BUND, am Sonntag in Bonn. Klagen der Fahrgäste über verspätete Busse würden dann deutlich abnehmen, die Zahl der Umsteiger vom Auto in den Bus steigen. In München zum Beispiel wird der Fahrplan nach Angaben der Stadtwerke durch Busspuren optimal eingehalten. Eine BUND-Umfrage bei den 13 größten deutschen Städten ergab allerdings große Unterschiede: Allein die Hälfte der bundesweit nur 182 Kilometer Busspuren hat die Hauptstadt Berlin ausgewiesen, wohingegen das Umfrage-Schlusslicht Duisburg gar keine separaten Spuren hat.

5 Heißt umweltfreundlich autofeindlich?

Ist alles, was gut für die Umwelt ist, unbedingt schlecht für die Autofahrer? Sortieren Sie die Begriffe aus dem Kästchen in den Ihrer Meinung nach passenden Teil des Assoziogramms:

- Tempolimits einführen
- bleifreies Benzin verbrauchen
- unabhängig sein
- Umweltspuren einführen
- frei sein
- schnell fahren
- Fußgängerzonen haben
- zentrale Parkplätze bauen
- einen Katalysator haben
- das öffentliche Verkehrsnetz benutzen
- bequem sein
- Straßen bauen
- die City-Maut zahlen
- Mitfahrgelegenheiten anbieten

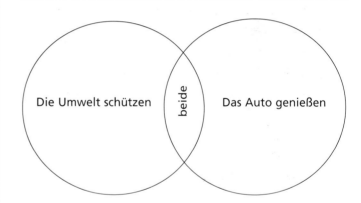

6 Debatte – Umweltfreund gegen Autofanatiker

Bereiten Sie eine der beiden Rollen für eine heiße Debatte mit einem Partner / einer Partnerin vor! Stellen Sie sich darauf ein, Kompromisse finden zu müssen.

DER UMWELTFREUND
Sie versuchen, Ihren Partner / Ihre Partnerin zu überreden, nicht so oft mit dem Auto zu fahren. Sie erklären, warum die Umweltspuren und die City-Maut in der Stadt gute Ideen sind. Ihrer Meinung nach sollten Autofahrer viel höhere Steuern zahlen.

DER AUTOFANATIKER
Sie lieben Ihr Auto und benutzen nie die öffentlichen Verkehrsmittel. Sie legen auch sehr kurze Strecken nie zu Fuß zurück. Sie wollen keine zusätzlichen Gebühren zahlen – Sie zahlen schon zu viel Steuern als Autofahrer. Sie finden die Umweltspuren und die City-Maut in der Stadt sehr ärgerlich.

7 Schreibanlass – E-Mail an den ADAC

Das Thema Verkehrsmaßnahmen wird auch auf den Webseiten vom ADAC debattiert. Schreiben Sie entweder als Umweltfreund oder als Autofanatiker einen Beitrag dazu, indem Sie sich über Umweltspuren, autofreie Innenstädte, Sondergebühren für Autofahrer und den öffentlichen Verkehr äußern.

Dicke Luft

die Belastung
das Klima
die Natur
die Gesundheit
der Schadstoff
die Bevölkerung
der Straßenbau
das Schwefeldioxid
die Umwelt
der Lärm
der Verkehr
die Freizeit
der Treibhauseffekt

Einstieg

Welche dieser Wörter passen *nicht* zum Thema Luftverschmutzung?

---

1   Lückentext

Vervollständigen Sie den Text mit den passenden
Substantiven.

Einfluss   Folgen   Gesundheit   Jahren
Luftbelastung   Personen   Deutschland   Rückgang
Umwelt   Verbesserung

2   Richtig oder falsch?

1 Die Luft ist reiner geworden.

2 Die Luftbelastung ist geringer geworden.

3 Die Umwelt wird durch die Luftbelastung geschädigt.

4 Die Gesundheit der Bevölkerung wird durch die
Luftverschmutzung beeinflusst.

4 Die Folgen der Luftverschmutzung können ernst sein.

A

LUFTVERSCHMUTZUNG ZURÜCKGEGANGEN

Bei den meisten Luftschadstoffen hat in den letzten
_____ ein _____ der Belastung
stattgefunden. Trotz dieser _____ ist die heutige
_____, die einen direkten _____ auf die
_____ und auf die _____ der Bevölkerung
hat, immer noch zu hoch. Sie muss weiter reduziert
werden, denn in _____ sterben jährlich mehrere
tausend _____ vorzeitig an den _____ der
Luftbelastung.

B

Luftverschmutzung im Gebiet der ehemaligen DDR

Die Luftverschmutzung wird für die Klimaveränderung, den
Treibhauseffekt, das Waldsterben, den Sommersmog,
sowie die Boden- und Wasserverschmutzung
verantwortlich gemacht. Die Luftverschmutzung im
Gebiet der ehemaligen DDR nimmt drastisch ab.
Durch die Stilllegung veralteter Braunkohlekraftwerke und
Feuerungsanlagen sowie die Ausrüstung der noch in
Betrieb befindlichen Anlagen mit Filtern wurde von
1989 bis 1995 der Ausstoß von Schwefeldioxid um 65%,
der von Staub um 90% reduziert.

Grammatik: Das Passiv

Das Passiv ist das Gegengewicht zum Aktiv. Schwerpunkt des Passivs ist der Vorgang und nicht der Handelnde. Oft ist der Handelnde unwichtig oder nicht bekannt.

Aktiv	*Autoabgase verschmutzen die Luft.*	Der Handelnde wird betont.
Passiv	*Die Luft wird verschmutzt.*	Der Vorgang wird betont.

Das Passiv bildet man mit dem Hilfsverb werden + Partizip Perfekt.

Zeitformen des Passivs

Das Passiv hat dieselben Zeitformen wie das Aktiv. Hier sind die nützlichsten:

Präsens	*Die Luft **wird verschmutzt.***
	*Die Wälder **werden gefährdet.***
Imperfekt	*Die Luft **wurde verschmutzt.***
	*Die Wälder **wurden gefährdet.***
Perfekt	*Die Luft **ist verschmutzt worden.***
	*Die Wälder **sind gefährdet worden.***
Plusquamperfekt	*Die Luft **war verschmutzt worden.***
	*Die Wälder **waren gefährdet worden.***

Struktur eines Passivsatzes

Das Akkusativobjekt des Aktivsatzes wird zum Subjekt (Nominativ) des Passivsatzes.

Das Subjekt des Aktivsatzes kann meistens mit von + Dativ oder durch + Akkusativ in den Passivsatz aufgenommen werden.

Aktiv	***Die Verkehrsministerin** erklärte **den Plan.***
Passiv	***Der Plan** wurde **von der Verkehrsministerin** erklärt.*

---

3 **Grammatikübung: Das Passiv**

A Suchen Sie im Text Beispiele für das Passiv.

B Vervollständigen Sie mit Hilfe des Textes diese Passivsätze über Luftverschmutzung im Gebiet der ehemaligen DDR. Wählen Sie eine passende Zeitform.

1 Die Luftverschmutzung _____ für die Klimaveränderung verantwortlich _____ .

2 Zum Glück _____ der Ausstoß von Schwefeldioxid _____ .

3 Die Luftbelastung durch Staub _____ zugleich _____ .

4 Die Luftqualität in der ehemaligen DDR _____ durch verschiedene Maßnahmen verbessert _____ .

5 Aber solange es noch Sommersmog sowie Boden- und Wasserverschmutzung gibt, _____ die Luftverschmutzung dafür verantwortlich _____ .

C Schreiben Sie im Präsens Passivsätze über die Ursachen und Verursacher der Luftverschmutzung.

Beispiel

Was?	Schwefeldioxid	*Passivsatz:*	Schwefeldioxid wird von Kraftwerken ausgeblasen.
Von wem?	von Kraftwerken		
Verb?	ausblasen		

Was?	**Von wem? Durch wen?**	**Verb?**
die Luft	durch Autoabgase	verschmutzen
die Ozonschicht	durch die Luftbelastung	gefährden
die Schadstoffemissionen	durch strenge Maßnahmen	reduzieren
der Ausstoß von Staub	durch Filter	reduzieren
die Braunkohlekraftwerke	von der Regierung	stilllegen
die Situation	durch eine umweltbewusste Politik	verbessern

*B*ürgerinitiative

Was ist eine Bürgerinitiative? Lesen Sie die drei Definitionen und entscheiden Sie, welche richtig ist.

a Der Versuch der Regierung oder der Gemeinde, alle Bürger bei einer amtlichen Stelle zu registrieren.

b Der Versuch der politischen Parteien, Bürger auf ihre Rechte (Staatsbürgerrechte) aufmerksam zu machen und ihre Beteiligung an dem politischen Prozess zu fördern.

c Der Versuch einer Gruppe von Bürgern, die Aufmerksamkeit der Öffentlichkeit auf bestimmte Probleme zu lenken.

Kennen Sie Beispiele von Bürgerinitiativen in Ihrer Gegend oder in Ihrem Land?

A

Die Bürgerinitiative Markkleeberg-Ost

Und das können Sie tun:
Beteiligen Sie sich am Raumordnungsverfahren.
Vom 13.10. – 17.11. können die Planunterlagen im Rathaus Markkleeberg eingesehen werden.
Bis zum 30.11. haben Sie die Gelegenheit und das Recht, Ihre Meinung in Form einer schriftlichen Stellungnahme vorzubringen.

**Protestieren Sie mit einer Protestpostkarte gegen den Straßenbau.
Unterstützen Sie unsere Aktivitäten mit einer Spende.**

---

1 **Proteste** **A**

A Suchen Sie die entsprechenden deutschen Ausdrücke im Text:

1 to participate in

2 to protest against

3 to support with / by means of

B Suchen Sie die englischen Bedeutungen:

1 ein Raumordnungsverfahren

2 die Planunterlagen

3 eine schriftliche Stellungnahme

2 Vermutungen über die Bürgerinitiative

Bevor Sie weiterlesen, denken Sie nach:

1 Wogegen protestieren wohl die Bürger von Markkleeberg-Ost?

2 Was wollen sie wohl von der Regierung oder der Gemeinde?

3 Was ist für sie wichtig?

Lesen Sie jetzt weiter, um Ihre Antworten zu überprüfen. Haben Sie richtig geraten?

C))) Die Wichtigkeit der Weinteichsenke

3 Hörverständnis C)))

Hören Sie jetzt den ersten Teil eines Radioberichts über die Ziele der Bürgerinitiative Markkleeberg-Ost und beantworten Sie die Fragen.

1 Was will die Bürgerinitiative?

2 Warum ist die Weinteichsenke so wichtig?

3 Was will das Straßenbauamt Leipzig?

4 Was bedeudet das für die Weinteichsenke?

5 Was findet man in der Weinteichsenke?

B

Die Ziele der Bürgerinitiative Markkleeberg-Ost

Die Bürgerinitiative Markkleeberg-Ost und der ÖKOLÖWE kämpfen für den Erhalt der Weinteichsenke*. Helfen Sie uns, die letzte unverbaute Pleißenbachaue** im Leipziger Süden vor dem Zugriff der Straßenbauer zu retten! Noch nie war die Weinteichsenke so bedroht wie heute und noch nie war der Schutz dieser Naturlandschaft dringender geboten. Im Oktober diesen Jahres begann das Raumordnungsverfahren für den künftigen Straßenbau der Staatsstraße S46 (S46). Das Straßenbauamt Leipzig will mit dem Bau der S46 für den zunehmenden Autoverkehr eine neue Trasse zwischen Markkleeberg-Ost und Wachau asphaltieren. Damit wird die Ruhe für die Weinteichsenke vorbei sein!

* Weinteichsenke: Name eines Flusstals
** Pleißenbachaue: Pleiße ist der Name eines Flusses; eine Bachaue ist eine wasserreiche Wiese um einen Bach

D))) Argumente gegen den Straßenbau

4 Hörverständnis D)))

Hören Sie jetzt im zweiten Teil des Berichts die Argumente gegen den Straßenbau Markkleeberg-Ost und vervollständigen Sie den Text.

Der Straßenbau wird folgende Konsequenzen haben:

• Die Ortsstruktur von Markkleeberg-Ost wird mittig zerschnitten und die anliegenden Wohngebiete werden in ihrer Wohnqualität _____(a)_____ ;

• Die Weinteichsenke wird als letzte unverbaute Pleißenbachaue, welche besonderen Schutzes bedarf, _____(b)_____ ;

• Zwei Sportplätze, der Friedhof, ein neu entstehender Kindergarten und eine Schule _____(c)_____ _____(d)_____ ;

• Kindern und Jugendlichen geht ein Spielplatz _____(e)_____ ;

• Ein ursprünglich erhaltenes Stück Landschaft und eine Oase der Ruhe mit Wald, Feld, Teich und Bachlauf, einem anmutigen Relief und vielen seltenen Tieren und Pflanzen _____(f)_____ unwiederbringlich _____(g)_____ ;

• Doch ist _____(h)_____ die einzige Alternative? Wir sagen **Nein**!

• Die Stadt Markkleeberg braucht ein _____(i)_____ , das Wege zu weniger _____(j)_____ aufzeigt:

• Bau von _____(k)_____ zur Förderung des Radfahrens als umweltverträgliche Alternative;

• Einführung eines innerstädtischen _____(l)_____ , das alle Ortsteile und die wichtigsten Zielpunkte verbindet;

• _____(m)_____ von bestehenden Straßenbahnstrecken in das Gewerbegebiet Wachau und in das Wohngebiet Eulenberg/Cospudener See;

• Verbesserung des _____(n)_____ nach Leipzig und in das Umland.

5 Schreibanlass

Schreiben Sie eine Protestpostkarte gegen den Straßenbau.

Bringen Sie Ihre Meinung in Form einer schriftlichen Stellungnahme vor.

6 Rollenspiel: Aber ich bin dafür!

Sie nehmen an einem Gespräch mit Mitgliedern des ÖKOLÖWEN und der Bürgerinitiative teil, aber Sie sind der Meinung, dass der Straßenbau nötig ist. Mit Hilfe der Argumente für den Straßenbahn erklären Sie, warum Sie für den Bau der Straße sind.

Kultur SPOT

Leipzig 1989

Die Bürgerbewegung in der DDR

Ausgehend von Leipzig hatte sich im Oktober 1989 innerhalb zweier Wochen eine bis dahin in der DDR unvorstellbare Protestwelle über das ganze Land ausgebreitet, auf die die Regierung zunächst mit Gewalt, dann mit Gesprächen und Kompromissen und schließlich am 9. November mit der Öffnung der Mauer reagiert hatte.

Montagsdemonstrationen in Leipzig

Vier Jahrzehnte lang war die Politik der DDR durch das Machtmonopol der SED bestimmt worden, bis im Herbst 1989 die gewaltfreie Bürgerbewegung schneeballartig an Größe zunahm und ihre Forderungen immer deutlicher formulierte. Die »friedliche Revolution«, initiiert und getragen von den DDR-Bürgern und -Bürgerinnen, hatte ihren Lauf genommen. Im Anschluss an das traditionell stattfindende Montagsgebet in der Nikolaikirche in Leipzig kam es seit etwa Mitte August 1989 zu immer größeren Demonstrationen in der Innenstadt. Am 6. Oktober gingen 150 000 Menschen auf die Straße, am 6. November forderten fast 500 000 Reise-, Versammlungs- und Vereinigungsfreiheit. In dieser Zeit wurde auch der bekannt gewordene Ruf »Wir sind das Volk!« geprägt, der später von vielen zu »Wir sind ein Volk!« umgeformt wurde.

„Leipzig erinnert an den Herbst '89"

Leipziger Bürgerinnen und Bürger, die 1989 nach den Friedensgebeten in der Nikolaikirche zu Hunderten, dann Tausenden und zuletzt zu Zehntausenden auf den Leipziger Innenstadtring zogen, haben Geschichte geschrieben. Die Bilder von den „Montagsdemos" im Herbst 1989 gingen um die Welt. Mutig-verzweifelte Menschen riefen „Wir sind das Volk" und forderten demokratische Grundrechte in einer verkrusteten Gesellschaft ein.

Eine Dekade nach Beginn der Friedlichen Revolution des Jahres 1989 und der bevorstehende Eintritt in ein neues Jahrtausend bieten in besonderer Weise Anlass, den grundlegenden demokratischen Veränderungen in der Gesellschaft nachzuspüren und Fragen an die Zukunft zu stellen: Wo sind wir auf dem Weg zur Demokratie angekommen? Wie bewerten wir die Veränderungen? ■

Oktober

FRIEDENSGEBETE
Regelmäßiger Gottesdienst jeden *Montag 17 Uhr* in der Nikolaikirche

VERANSTALTUNGSREIHE
Heute vor 10 Jahren – Auf dem Weg zur Friedlichen Revolution
Die Veranstaltungsreihe „Heute vor 10 Jahren – Auf dem Weg zur Friedlichen Revolution" fokussiert die Ereignisse des Jahres 1989 auf den Tag genau, die in ihrer Eigendynamik mit zum Sturz des DDR-Regimes beigetragen haben.

02.10.1999	**Trotz Angst und Gewalt: 20 000 Demonstranten gegen das SED-Regime**
07.10.1999	**Der 40. Jahrestag – DDR-weite Proteste gegen das Regime**
jeweils 15 Uhr	Als Auftakt führt ein einstündiger Stadtrundgang an die Schauplätze der Ereignisse. Treffpunkt: Nikolaikirche
16 Uhr	**Führung durch die Ausstellung „STASI – Macht und Banalität"** Treffpunkt: „Runde Ecke"
19 Uhr	**Podiumsveranstaltung und Diskussion mit Zeitzeugen** Es können damalige Akteure, Leipziger Bürger und Gäste miteinander in ein Gespräch kommen. Wichtig ist den Veranstaltern, die Beweggründe und Träume von einst mit der Realität der Gegenwart in Bezug zu setzen. Museum in der „Runden Ecke" Saal
08.10.1999 18 Uhr	**Wir sind das Volk** Gesprächsreihe zwischen Leipziger/innen und Neu-Leipziger/innen zum Herbst '89 Erinnerungen und Deutungen prominenter Zeitzeugen (N.N.) Volkshochschule

Die Umweltgeneration?

Recyclingvokabeln: Wie lauten die folgenden Vokabeln auf Englisch? Wenn Sie es nicht wissen, raten Sie und schlagen Sie dann erst im Wörterbuch nach.

1 Einwegverpackung	4 Müll	7 retten
2 Mehrwegverpackung	5 Sammelstelle	8 Verbraucher
3 Recyclingpapier	6 verantwortlich	9 sparen

1 Lückentext

Vier Jugendliche wurden gefragt, was sie persönlich für die Umwelt tun. Die Vokabeln (Einstieg 1–9) stammen fast alle aus ihren Antworten. Setzen Sie die Wörter in die jeweils richtige Lücke. Passen Sie auf: Es gibt nur acht Lücken – ein Wort gehört nicht dazu!

2 Wer sagt was?

Welche von den vier Jugendlichen hätte Folgendes sagen können?

1 Ich versuche zu Hause Energie zu sparen.

2 Auch beim Einkaufen denke ich an die Umwelt.

3 Ich bringe Altpapier usw. zum Sammelcontainer.

4 Es hat keinen Zweck, als Einzelner zu handeln.

5 Meine Eltern sind nicht so begeistert.

6 Wir sind für die Zukunft verantwortlich.

7 Ich versuche, Einwegverpackungen zu vermeiden.

A

Was tust du persönlich für die Umwelt?

Max, 18
Ich halte die Umwelt für sehr wichtig. Es sind die Jugendlichen von heute, die die Welt ___(a)___ müssen. Ich versuche weniger Wasser zu verbrauchen, indem ich dusche, statt in der Badewanne zu baden. Ich mache immer das Licht und die Heizung aus, sobald ich ein Zimmer verlasse. Aber es ist schwer, da meine Eltern nicht viel daran denken – mein Vater zum Beispiel wäscht jeden Samstag das Auto und meine Mutter denkt beim Einkaufen nicht an die Umwelt. Ich als Einzelner kann nicht viel machen.

Julia, 19
In unserem Dorf haben wir eine ___(b)___, wo wir Altglas, Alufolie, Papier und Pappe abgeben. Bei uns kaufen wir ___(c)___ für den Computer und wir verbrauchen so wenige Plastiktüten wie möglich vom Supermarkt. Da wir auf dem Land wohnen, gibt es nicht viele Busse, also ein Auto brauchen wir schon, aber wir versuchen immer Benzin zu ___(d)___ .

Heidrun, 17
Wie kann ich der Umwelt helfen, wenn die Politiker immer noch zögern? Sie reden nur davon, aber tun sehr wenig. Wir als ___(e)___ sind nicht dafür ___(f)___ . Die großen Probleme, wie die Luftverschmutzung und das Ozonloch, müssen zuerst gelöst werden.

Andi, 17
Ich bin, was die Umwelt betrifft, ziemlich engagiert. Ich habe bei einer Kampagne in der Schule mitgeholfen, Recyclingprodukte an die Schüler zu verkaufen. Ich finde es gut, dass wir in unserer Stadt den ___(g)___ zu Hause trennen müssen. Wenn ich einkaufe, versuche ich auf die Verpackung zu achten – aber Produkte mit ___(h)___ wie Glas sind oft teurer und das müssen die Händler ändern.

3 **Und was sagen Sie dazu?**

Was denken Sie darüber? Was machen Sie persönlich für die Umwelt zu Hause oder in der Schule? Erzählen Sie den anderen in der Klasse.

4 **Jugend-Kampagne „Overdose"**

Lesen Sie die Webseite von der BUND-Jugend-Kampagne „Overdose" und den kurzen Zeitungsbericht darüber, und entscheiden Sie, ob die folgenden Sätze richtig oder falsch sind:

1 Diese neue Kampagne zielt auf Jugendliche.

2 Junge Leute sollten Getränke eher in Flaschen als in Dosen kaufen.

3 Die Kampagne nützt traditionelle Kommunikationswege.

4 Getränkedosen bestehen aus Weißblech und Aluminium.

5 Bei ihrer Produktion wird die Luft verschmutzt.

6 Es werden immer weniger Dosen verwendet.

5 **Übersetzung** **C**

Übersetzen Sie den Zeitungsbericht „Jugend-Kampagne Overdose" ins Englische.

D))) **Jugend-Kampagne „Overdose"**

6 **Hörverständnis** **D**)))

Hören Sie den Radiobericht zur Jugend-Kampagne „Overdose" und beantworten Sie die folgenden Fragen darüber:

1 Wie lautet die Internet-Adresse der Kampagne?

2 Nennen Sie drei weitere Medien, die für diese Kampagne genutzt werden.

3 Sollte die Kampagne erfolgreich sein, wie werden Jugendliche dann Mehrwegverpackung bewerten?

4 Welche drei Unterschiede zwischen der Produktion einer Dose und der einer Flasche werden genannt?

5 Was erfahren wir über die jährliche Anzahl leerer Dosen in Deutschland?

B

Totenschein für die Dose

Dosen bestehen größtenteils aus Weißblech. Für jede erzeugte Tonne Weißblech geraten 10-mal so viel Dioxine in die Umwelt wie bei der Verbrennung einer Tonne Müll. Deckel und Verschluss der Dosen sind hingegen aus Aluminium. Bei der Aluminiumproduktion in der Dritten Welt und in Osteuropa werden die Schadstoffe einfach in die Luft geblasen und bedenkenlos ganze Landstriche verwüstet.

Selbst höchste Recyclingquoten würden an dem Totenschein für Dosen nichts ändern. Die immensen Umweltbelastungen werden bereits bei der Produktion der Dose verursacht.

Wir wollen uns ja nicht mit Kleinigkeiten aufhalten. Auf die ein oder andere Dose käme es bestimmt nicht an. Aber wir reden von 6 000 000 000 Dosen, allein in Deutschland. 6 Milliarden Dosen. Tendenz steigend. Diese Giftschlange windet sich 16-mal rund um die Erde.

Weg mit der Dose!

7 **Schreibanlass**

Sie schreiben auf Deutsch einen Brief an einen Freund / eine Freundin, der/die die Oberstufe in Deutschland besucht. Erzählen Sie, dass Sie zur Zeit das Thema Umwelt durchnehmen, und was Sie persönlich und Ihre Familie für die Umwelt tun. Was wird in Ihrer Stadt / Ihrem Dorf gemacht? Stellen Sie auch Ihrem Freund / Ihrer Freundin Fragen darüber.

C

Jugend-Kampagne „Overdose"

Der Bund für Umwelt und Naturschutz Deutschland (BUND) hat eine große Jugend-Kampagne „Overdose" gestartet. Diese Kampagne soll Jugendliche dafür gewinnen, Mehrweg gegenüber Getränkedosen zu bevorzugen. Um dieses Ziel zu erreichen, setzt der Umweltverband auf moderne, jugendgerechte Kommunikationswege: Internet-Auftritt, eine Overdose-CD mit Musik bekannter Hip-Hop-Künstler, eine Multimedia-CD-ROM und große Schulpartys sollen die Jugendlichen im Laufe des Jahres für „die müllfreie Tour" begeistern. Als ersten Baustein dieser Abfallvermeidungs-Kampagne stellte der BUND am Dienstag in Düsseldorf das Internet-Angebot von „Overdose" vor.

Danach: Die Bergbaufolgelandschaft

A Geschichte einer Landschaft

1 Diese fünf Bilder zeigen die Entwicklung einer einzigen Landschaft im Laufe des 20. Jahrhunderts. Können Sie sie in die richtige Reihenfolge bringen?

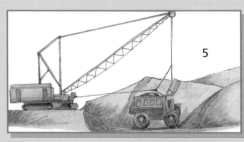

2 Wählen Sie für jedes Bild die beste Überschrift:

- Freizeitaktivitäten am Wasser
- Auenlandschaft
- Hinterlassenschaft der Industrie
- Braunkohlenbergbau
- öde, zerstörte Landschaft

B Wortschatz

Hier sind Wörter und Ausdrücke, die für das Verständnis des Lesetextes **A** wichtig sind. Wie lauten sie auf Englisch? Schlagen Sie im Wörterbuch nach.

der Wandel	der Industrieraum	der Zusammenbruch
das Flachland	die (Fluss-)Aue	der Laubwald
die Kippe	der Braunkohlenbergbau	der Eingriff
der Bagger	der Aufschwung	die Wende
zusammenbrechen	die Massenarbeitslosigkeit	die Landwirtschaft
die Ortschaft	die Freizeitaktivität	die Freizeitgestaltung
die Bebauung	künstlich	

Eine Region im Wandel

a Mit dem Südraum Leipzig erleben wir eine Region im Wandel von einem Industrieraum des 20. Jahrhunderts zu einem Lebens-, Wirtschafts- und Kulturraum des 21. Jahrhunderts. Das bedeutet, dass wir mitten in einem Jahrhundertsprung leben. Der Zusammenbruch vieler Industrien und die damit verbundene hohe Arbeitslosigkeit erzeugen Ängste und Spannungen.

b Ursprünglich war das Gebiet Flachland, unterbrochen durch die Flussauen. Südlich von Bad Lausick und Borna leitete das Hügelland sanft zum Erzgebirge über. Diese Landschaft gibt es fast nicht mehr. Dafür sind öde Landstriche mit neuartiger Pflanzenwelt, eigenartigen Laubwäldern, riesigen Hügel – Kippen genannt – und mächtigen Seen entstanden. Es ist eine ganz andere Landschaft, die Bergbaufolgelandschaft mit eigenen Reizen und völlig neuen Möglichkeiten für die Menschen.

c Am 15. März 1799 begann der Braunkohlenbergbau in Borna und in der näheren Umgebung der Stadt. Nun begann der Eingriff in die Natur, zuerst ganz langsam, mit Schubkarre und Schaufel, dann aber mit immer größer werdenden Baggern und schließlich mit Förderbrücken, die alles bisher Dagewesene übertrafen. »Schwarzes Gold« wurde die Kohle genannt. Ab der Jahrhundertwende kamen aus allen Gegenden des Reiches Arbeiter, die hier ihr Glück versuchen wollten. Schnell stieg die Einwohnerzahl von Borna und vielen Dörfern zwischen der Stadt und Markkleeberg. Der wirtschaftliche Aufschwung überstrahlte alles. Die Natur war zerstört. Die Auen gab es nicht mehr. Der Wald fiel der Braunkohle zum Opfer. »Mondlandschaft« war der volkstümliche Begriff für die abgekippten Böden.

d Mit der Wende brach die Nutzung der Braunkohle weitgehend zusammen. Neben der zerstörten Landschaft kam die Massenarbeitslosigkeit. Für den überfälligen Strukturwandel wurden mehrere Konferenzen ins Leben gerufen. Besonders die 3. Südraumkonferenz hat neue und ungeahnte Möglichkeiten aufgezeigt.

e »Wir dürfen aber die Augen nicht verschließen, darauf hoffend, wir könnten durch bloßes Abwarten große Ziele erreichen. Vielleicht hilft uns dabei die Erkenntnis, dass über die Jahrhunderte und Jahrtausende immer schon der Wandel das einzig Beständige in dieser Region war.« Mit diesen Worten beschrieb der Regierungspräsident die Notwendigkeit von Veränderungen. Der heutige Südraum ist ein Raum, der durch menschliche Arbeit entstanden ist. Die Eingriffe in die Natur und die ökologischen Zerstörungen können nicht rückgängig gemacht werden.

f Das Besondere an der 3. Südraumkonferenz war, dass internationale Teams ebenso die Möglichkeiten einer ökologischen Landwirtschaft aufzeigten wie neue Besiedlungsstrukturen, die Wohnen, Arbeiten, Ausbildung und Freizeitaktivitäten am Wasser integrieren sollen. Einzigartige Ortschaften werden als Partner bestehender Dörfer oder als Wiederaufbau überbaggerter historischer Orte entstehen. Nach den Vorstellungen der Planer soll es drei Kategorien von Seen geben: Seen, die sofort zur Freizeitgestaltung herzurichten sind; Seen, die zur Bebauung und zu Biotopen terrassiert werden sollen; und Seen, die man für 50 Jahre erst Mal sich selbst überlässt.

g Der Leipziger Südraum ist von einer eigenartigen Schönheit. Diese künstliche Landschaft bietet sich als ein gigantisches Experimentierfeld an. Die Attraktivität des Südraumes bietet dem Tourismus ideale Möglichkeiten. Jeder kommt hier auf seine Kosten. Besonders aber ist das Land geeignet für Wanderer, Wasser- und Motorsportler, Radwanderer, Jäger, Angler und Naturforscher aller Arten.

Danach : Die Bergbaufolgelandschaft

1 Kurz gesagt

Lesen Sie den Text „Eine Region im Wandel" auf Seite 157.

Jeder Satz unten fasst einen Absatz des Textes (a–g) zusammen. Welche Zusammenfassung entspricht welchem Absatz?

1 Die ursprüngliche Landschaft gibt es nicht mehr.

2 Die Region ist schön und für den Tourismus sehr geeignet.

3 Es gibt hier viele neue Möglichkeiten in den Bereichen Landwirtschaft, Wohnen, Freizeit und Ökologie.

4 Die industrielle Entwicklung ging auf Kosten der Natur.

5 Der Südraum Leipzig erlebt zur Zeit große Veränderungen.

6 Die Industrie brach zusammen. Man brauchte neue Ideen.

7 Die Naturlandschaft kann man nicht wiederbringen. Man muss etwas Neues schaffen.

2 Textverständnis

Beantworten Sie die folgenden Fragen. Verwenden Sie dabei den entsprechenden Absatz des Textes auf Seite 157.

1 Warum sind viele Arbeitsplätze in der Region gefährdet oder bereits verloren? (Absatz **a**)

2 Wie sah die Landschaft ursprünglich aus? (Absatz **b**)

3 Warum hat sie sich so sehr verändert? (Absatz **c**)

4 Warum gab es nach der Wende Massenarbeitslosigkeit? (Absatz **d**)

5 Ist der Südraum Leipzig eine künstliche oder eine natürliche Landschaft? Begründen Sie Ihre Antwort. (Absatz **e**)

6 Nennen Sie drei Folgen der dritten Südraumkonferenz. (Absatz **f**)

7 Wie werden Touristen das Gebiet in Zukunft nützen? (Absatz **g**)

3 | **Reportage**

Erstellen Sie eine mündliche und eine schriftliche Reportage über die Veränderungen im Südraum Leipzig. Wählen Sie jeweils eine mündliche und eine schriftliche Aufgabe.

Mündliche Aufgabe

Entweder:

Sie nehmen an einer Diskussionsrunde über die Zukunft der Region teil. Wählen Sie unter folgenden Rollen eine aus:

  a Sie sind seit Jahren Einwohner von Borna, einer Stadt im Südraum Leipzig.

  b Sie sind ein Planer, der für die Bergbaufolgelandschaft verantwortlich ist.

  c Sie sind ein Arbeitsloser, der früher im Tagebau gearbeitet hat.

  d Sie sind ein Greenpeace-Mitglied, das sich für die Umwelt einsetzt.

  e Sie sind ein Mitarbeiter des Touristenzentrums in Borna.

Oder:

Sie bringen eine Reportage im Rundfunk über eine Region im Wandel.

Schriftliche Aufgabe

Entweder:

Stellen Sie sich vor, Sie sind zum erstenmal seit 30 Jahren zu Besuch in der Region. Notieren Sie in Ihrem Tagebuch, wie Sie die Region erleben.

  Beispiel

  • Welchen Eindruck macht die heutige Landschaft auf Sie?

  • Wie war die Region vor 30 Jahren?

  • Was enttäuscht Sie jetzt?

  • Welche Veränderungen finden Sie gut?

Oder:

Sie schreiben einen Bericht über die Region für eine Umweltorganisation. Sie müssen folgende Punkte erwähnen:

  • den industriellen Hintergrund

  • die Zerstörung

  • welche Verbesserungen schon durchgefürt wurden

  • die Aussichten

Denken Sie dran!

EIGENE GEDANKEN AUSDRÜCKEN

Einen Vorschlag machen

Ich schlage vor, dass …
Wie wäre es mit …?
Es wäre keine schlechte Idee, …
Was halten Sie von …?

Ein Argument bekräftigen

Es ist völlig klar, dass …
Eines ist sicher: …
Tatsache ist (doch), dass …

Zweifel ausdrücken

Es ist fraglich, ob …
Es ist unwahrscheinlich, dass …
Davon bin ich nicht überzeugt.
Das finde ich fragwürdig.

Einen Vorschlag ablehnen

Das kann ich nicht akzeptieren.
Das ist völlig ausgeschlossen.
Leider geht das nicht.

Einen Vorschlag annehmen

Wirklich eine tolle Idee!
Ich finde es gut, dass Sie …
Das ist genau das, was wir brauchen.

  ■ Lektion 4, S.101: Eine Meinung äußern

 **E**nergiekrise,
Klimakatastrophe

Welche Energiequellen kennen Sie? Nennen Sie den deutschen Ausdruck für jedes Symbol. Schlagen Sie im Wörterbuch nach, wenn Sie ein Wort nicht kennen.

1.   2.   3.   4.   5.

6.   7.   8.   9.   10.

Teilen Sie die Energiequellen in zwei Gruppen auf: *fossile Energiequellen, erneuerbare Energiequellen*. Ein Wort passt nicht dazu. Welches? Warum nicht?

Ⓐ))) Energiequellen der Zukunft

1   **Das Problem ist ...**   Ⓐ)))

1   Bevor Sie die Aufnahme hören: Fast alle Energiequellen haben Nachteile. In der Tabelle stehen mehrere Energiequellen, traditionelle und „alternative". Welche Nachteile haben Ihrer Meinung nach diese Energiequellen? Kreuzen Sie an.

2   Hören Sie jetzt die Aufnahme. Welche Nachteile werden für diese Energiequellen genannt? Füllen Sie noch einmal die Tabelle aus. Gibt es Unterschiede zu Ihren Antworten?

	fossile Brennstoffe	Wasser	Wind	Sonne	Kernspaltung	Fusion	Wellen/ Gezeiten
nicht erneuerbar							
Verschmutzung / giftige Abfälle							
Treibhausgase							
Verlust von natürlichen Lebensräumen							
Klima/Geografie muss geeignet sein							
technisch noch nicht möglich							

B))) So entsteht der Treibhauseffekt

2 Der Treibhauseffekt – Diagramm   B)))

Hören Sie die Aufnahme und vervollständigen Sie dann den Diagramm-Text mit den Verben aus dem Kästchen. Hinweis: Im Text stehen viele Verben im Passiv.

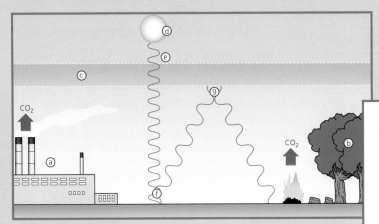

a Öl, Kohle und Erdgas _____ _____.
Kohlendioxid _____ _____.

b Tropische Wälder _____ _____ und _____. Durch diese Brandrodung _____ Kohlendioxid _____.

c Viel von dem freigesetzten Kohlendioxid _____ in der Atmosphäre.

d Die Sonne _____ elektromagnetische Energie _____.

e Kurzwellenstrahlung (sichtbares Licht) _____ die Atmosphäre. Die Erdoberfläche _____ _____.

f Die Erde _____ diese Energie als Langwellenstrahlung (Infrarotstrahlung) wieder _____.

g Die Langwellenstrahlung _____ von der kohlendioxidhaltigen Atmosphäre _____ und _____ nicht ins All. Die Erde _____ wärmer.

abgeben	abstrahlen	bleiben	durchdringen
entkommen	erwärmen	fällen	freisetzen (x 2)
verbrennen (x 2)	werden	widerspiegeln	

Denken Sie dran!

TRENNBARE UND UNTRENNBARE VERBEN

Vergessen Sie nicht: Nicht alle Präfixe sind trennbar.

1 Verben mit folgenden Präfixen sind immer untrennbar:

be-, emp-, ent-, er-, ge-, miss-, ver-, zer-

*Wir haben zu viel Kohle und Öl **verbrannt.***

Diese Präfixe existieren nicht als eigenständige Wörter.

2 Präfixe, die auch als eigenständige Wörter existieren, sind meistens trennbar:

*Die **Sonne** gibt gefährliche UV-Strahlen **ab**.*
*Die Brandrodung hat Kohlendioxid **freigesetzt**.*

3 Bei folgenden Präfixen muss man jedoch aufpassen, weil sie sowohl *trennbare* als auch *untrennbare* Verben bilden können:

durch-, hinter-, über-, um-, unter-, voll-, wider-, wieder-

Trennbar:

*Die Protestaktion **drang** schließlich bis zum Minister **durch**.*
*Sie hat ihrem Kind eine Decke **übergelegt**.*

Untrennbar:

*Die Strahlen **durchdringen** die Ozonschicht nicht.*
*Wir haben uns den Plan genau **überlegt**.*

Trennbare Präfixe sind immer betont; untrennbare Präfixe sind nie betont.*

*****miss**verstehen ist hier die einzige Ausnahme.

■ Grammatik zum Nachschlagen, S.178

*E*nergiekrise: Klimakatastrophe

)) Klimakiller Nummer eins

A

1 Hörverständnis)))

Hören Sie den Bericht über den Treibhauseffekt. Vervollständigen Sie den Text mit den zutreffenden Zahlen.

5	0,028	600	50	1	13	280	7
50	357	22 000 000 000		17	100 000		

Je mehr Treibhausgase in die Atmosphäre entweichen, desto mehr Wärme wird in ihr festgehalten. Mit einem Anteil von ____(1)____ Prozent am menschengemachten Treibhauseffekt ist Kohlendioxid der Klimakiller Nummer ____(2)____ ; jährlich heizen etwa ____(3)____ Milliarden Tonnen das Klima auf. Hinzu kommen andere Treibhausgase wie FCKW ____(4)____ Prozent, Methan ____(5)____ Prozent, Ozon ____(6)____ Prozent und Lachgas ____(7)____ Prozent. Mehr als ____(8)____ Jahre lang überstieg die Kohlendioxidkonzentration in der Atmosphäre nie ____(9)____ Prozent oder ____(10)____ ppm (parts per million = Teile je Millionen Teile Luft). In nur einem Jahrhundert dagegen, vom Beginn der industriellen Revolution bis heute, ist die Konzentration des Kohlendioxids auf ____(11)____ ppm (= Teile je Millionen Teile Luft) angestiegen. Wenn die Menschen an ihrem verschwenderischen Lebensstil festhalten, wird die Kohlendioxidkonzentration in weniger als ____(12)____ Jahren ____(13)____ ppm erreichen. Klimatologen sagen für diesen Fall einen so rasanten, globalen Temperaturanstieg voraus, wie ihn die Menschheit noch nicht erlebt hat.

2 Zusammenfassung)) **B**

Lesen Sie die beiden Texte zum Thema Treibhauseffekt noch einmal. Schreiben Sie anschließend eine Zusammenfassung von ungefähr 75 Wörtern. Gehen Sie auf folgende Fragen ein:

- Wodurch wird der Treibhauseffekt verursacht?
- Welche Gase sind dafür verantwortlich?
- Was wird geschehen, wenn die Konzentration des Kohlendioxids in der Erdatmosphäre weiter steigt?

B

KLIMAVERÄNDERUNG: Die Folge des Treibhauseffekts

*I*n einem im Dezember 1995 verabschiedeten Bericht des von der UNO eingesetzten IPCC* gehen die Wissenschaftler davon aus, dass sich das Weltklima durch Treibhausgase bis zum Jahr 2100 um bis zu 3,5°C erwärmen wird. Der Meeresspiegel könnte dadurch um bis zu einem Meter ansteigen. Das würde bedeuten, dass zahlreiche Flussmündungen wie die des Rheins in den Niederlanden, die der Rhône in Frankreich, die des italienischen Pos und die des ägyptischen Nils überflutet und unbewohnbar werden; mehr als 70 Millionen Menschen wären direkt betroffen.

Als weitere negative Folgen werden auch Entwaldung und eine noch stärkere Trockenheit der Wüstenregionen prognostiziert.

IPCC* = Intergovernmental Panel on Climate Change

C

Wissenschaftler bezweifelt „Treibhaus-These"

LEIPZIG (dpa) – Bei einem Leipziger Umwelt-Symposium kritisierte gestern Prof. Dr. Herbert Peymann „die Horrormeldungen von einer drohenden Klimakatastrophe" in der deutschen und internationalen Presse. Laut Prof. Dr. Peymann seien die „apokalyptischen Prognosen populärwissenschaftlicher Veröffentlichungen" nichts Weiteres als „ein Sturm im Wasserglas". Mit Halbwahrheiten werde die Bevölkerung unnötigerweise in Angst und Schrecken versetzt. Prof. Dr. Peymann bestritt die Prognose eines 1995 verabschiedeten UNO-Berichts, wonach sich das Weltklima durch Treibhausgase bis zum Jahr 2100 um bis zu 3,5°C erwärmen werde.

Prof. Dr. Peymann behauptete, dass die Temperatur der unteren Luftschichten und der Ozeane weit mehr von Schwankungen in der Energieabstrahlung der Sonne als von der CO_2-Konzentration in der Atmosphäre abhänge. Der gemessene Konzentrationsanstieg des atmosphärischen CO_2 sei also nicht die Ursache, sondern die Folge eines Temperaturanstiegs: Das Gas würde durch die Erwärmung der oberen Wasserschichten aus den Ozeanen freigesetzt. ∎

Grammatik: Die indirekte Rede

In der indirekten Rede werden Aussagen einer Person durch eine andere Person an eine dritte Person weitergegeben.

Zum Beispiel:

*Dr. Schmidt behauptet, dass die Dritte Welt an der Klimakatastrophe schuld **sei**.*

Der Sprecher (oder Schreiber) betont damit, dass er Dr. Schmidts Meinung berichtet und nicht unbedingt seine eigene.

Im folgenden Beispiel ist der Unterschied noch deutlicher:

*Dr. Schmidt behauptet, dass die Dritte Welt an der Klimakatastrophe schuld **sei**. In Wirklichkeit jedoch sind die Industrienationen daran schuld.*

Präsens

Die Endungen:

ich	-e	wir	-en
du	-est	Sie	-en
		ihr	-et
er/sie/es	-e	sie	-en

Bei starken Verben ändert sich der Stammvokal im Singular nicht, z.B.:

geben

Indikativ	*Konjunktiv*
ich gebe	ich gebe
du gibst	du geb(e)st
er/sie/es gibt	er/sie/es gebe

fahren

Indikativ	*Konjunktiv*
ich fahre	ich fahre
du fährst	du fahr(e)st
er/sie/es fährt	er/sie/es fahre

Imperfekt

■ Lektion 5, S.123

Perfekt

Konjunktiv Präsens von *haben/sein* + *Partizip Perfekt*, z.B.:

Indikativ	*Konjunktiv*
er hat angerufen	er habe angerufen
er ist gefahren	er sei gefahren

Futur

Konjunktiv Präsens von *werden* + Infinitiv, z.B.:

Indikativ	*Konjunktiv*
er wird anrufen	er werde anrufen

Gebrauch des Konjunktivs in der indirekten Rede

Gewöhnlich ist die Zeitform die gleiche wie in der direkten Rede:

Tom rief gestern an und sagte: „Ich bin krank."
(Direkte Rede: Präsens des Indikativs)
Tom rief gestern an und sagte, dass er krank sei.
(Indirekte Rede: Präsens des Konjunktivs)

Vergleichen Sie:

Tom war gestern krank.
(Tatsache: **Imperfekt** des Indikativs, weil in der Vergangenheit)

■ Grammatik zum Nachschlagen, S.183

■ Verbtabellen, S.185

---

3 Konjunktivformen

Unterstreichen Sie alle Konjunktivformen im Text. Wie lauten die entsprechenden Indikativformen?

	Konjunktiv	Indikativ
Beispiel	seien	sind

4 Was hat er gesagt?

Was hat Prof. Dr. Peymann gesagt? Was stand im UNO-Bericht? Vervollständigen Sie die Aussagen in direkter Rede.

1 Prof. Dr. Peymann: „Die apokalyptischen Prognosen …"

2 Prof. Dr. Peymann: „Mit Halbwahrheiten …"

3 Der UNO-Bericht: „Das Weltklima …"

4 Prof. Dr. Peymann: „Die Temperatur …"

5 Prof. Dr. Peymann: „Der gemessene Konzentrationsanstieg …"

6 Prof. Dr. Peymann: „Das Gas …"

Energiekrise: Klimakatastrophe

Welche dieser Energiequellen sind Ihrer Meinung nach „umweltfreundlich"? Ordnen Sie sie entsprechend zu:

1 sehr umweltschädlich
2 ziemlich umweltschädlich
3 ziemlich umweltfreundlich
4 sehr umweltfreundlich

Erdöl	Wind
Steinkohle	Sonne
Braunkohle	Kernenergie (Kernspaltung)
Erdgas	Kernenergie (Fusion)
Wasser	

1 Umwelt-Definitionen

Finden Sie für jedes Wort (1–12) eine passende Definitionen (a–l).

1 Biotop   a eine Maschine, mit der man aus fließendem Wasser Energie gewinnt

2 Gewässer   b finanziell unterstützen

3 Natureingriff   c ein natürlicher Lebensraum für bestimmte Tiere und Pflanzen

4 Anlage   d erreichen

5 Wehr   e eine industrielle Einrichtung

6 Turbine   f etwas entstellen

7 Laichplatz   g eine Mauer, mit der das Wasser in einem Fluss gestaut wird

8 verunstalten   h wenn man die Natur zerstört

9 subventionieren   i Ort, an dem Fische ihre Eier ablegen

10 zerstückeln   j in kleine Stücke schneiden

11 gelangen zu   k eine natürliche Ansammlung von Wasser, z.B. ein Meer oder ein Fluss

12 überwinden   l mit einem Hindernis fertig werden

2 Anders gesagt ...

Bringen Sie folgende Aussagen in die Reihenfolge, in der sie im Text vorkommen.

1 Immer mehr Kleinwasserkraftanlagen werden in Deutschland gebaut.

2 Besonders die Wasserfauna wird durch diese Entwicklung gefährdet.

3 Im Namen des Naturschutzes fügt man der Natur große Schäden zu.

4 Moderne Wasserkraftanlagen sind hässlich.

5 Kleinwasserkraftanlagen erzeugen verhältnismäßig wenig Strom.

6 Die Wasserkraft ist eine bedeutende Energiequelle in Deutschland.

B))) Interview: Windfarmen im Erzgebirge

4 Richtig oder falsch?

Hören Sie das Interview und lesen Sie dann die Aussagen unten. Was ist richtig? Was ist falsch? Korrigieren Sie die falschen Aussagen.

1 Der Bau von Windkraftanlagen wird durch staatliche Mittel gefördert.

2 Die Windkraft leistet schon einen großen Beitrag zum deutschen Energiehaushalt.

3 Der Naturschutzverein Sachsens ist prinzipiell gegen den Bau von Windkraftanlagen.

4 Der Naturschutzverein Sachsens protestiert gegen Windfarmen, die im Erzgebirge gebaut worden sind.

5 Es gibt wenige unbenutzte Landstriche in Deutschland, die für den Bau von weiteren Windfarmen geeignet sind.

WASSERKRAFT? Nein, danke!

Unter dem Deckmantel »alternativer« Energiegewinnung werden große Schäden in Sachsens Natur und Landschaft angerichtet. Das Schlagwort »Klimaschutz« dient als Begründung für zahlreiche Eingriffe in die Natur – die obendrein noch in Millionenhöhe von der Regierung subventioniert werden.

Hier ist von den sogenannten »Kleinwasserkraftanlagen« (KWKAs) die Rede, die sich nicht nur in Sachsen, sondern bundesweit an Flüssen und Bächen ausbreiten. Derzeit hat Bayern über 4000, Baden-Württemberg über 1700 und Sachsen immerhin knappe 300 KWKAs.

Während die Wasserkraft mit weitem Abstand Deutschlands wichtigste »alternative« Energiequelle ist (4,6 Prozent der Energiegewinnung), stammt der Löwenanteil aus wenigen großen Wasserkraftanlagen in Süddeutschland. Dagegen haben KWKAs einen völlig unbedeutenden Anteil – ganze 0,5 bis 0,7 Prozent – an der deutschen Stromerzeugung. Wegen ihrer großen Zahl stellen KWKAs jedoch einen schweren Natureingriff dar. Zum Beispiel:

- Moderne Wasserkraftanlagen mit ihren Turbinenhäusern, großen Betonflächen und Strommasten verunstalten die Landschaft.

- Wertvolle Biotope gehen verloren. Manche von Sachsens Flüssen (z.B. die Flüsse Flöha, Preßnitz, Pockau und Zschopau) bestehen nur noch aus einer Aufeinanderfolge von KWKAs. Da ist kein natürlich fließendes Gewässer mehr, sondern nur noch eine Anreihung von Stauräumen, Wehren und Ausleitungsstrecken.

- Fischarten sterben aus. Von Sachsens 45 Fischarten gelten 31 als gefährdet. Die Hauptschuld daran hat die Wasserkraftnutzung. Besonders Sachsens einziger Wanderfisch, der europäische Flussaal, ist durch die Turbinen der KWKAs bedroht: Um zu seinen Laichplätzen in der Saragossasee zu gelangen, muss der Aal flussabwärts bis zum Meer schwimmen. Dabei muss er zahlreiche KWKAs überwinden. Eine einzige KWKA tötet (anders gesagt: zerstückelt lebendigen Leibes) jedoch 50% bis 90% aller Aale, die durch sie hindurch schwimmen.

> *Damit unsere Flüsse und Bäche mit ihrer einmaligen Flora und Fauna geschützt werden, muss der Bau von neuen Kleinwasserkraftanlagen verboten werden. Der Fluss muss Vorrang vor der Wasserkraft haben!*

---

4 Flugblatt-Aktion

Verfassen Sie ein Flugblatt gegen den Bau von Windkraftanlagen in Sachsen. Nehmen Sie **A** und **B**))) als Muster. Sie brauchen *Informationen*, *Vokabeln* und eine *Struktur*:

Informationen

Machen Sie sich Notizen, während Sie den Bericht noch einmal hören.

Vokabeln

Unterstreichen Sie Ausdrücke im Text **A**, die Sie in Ihrem Flugblatt wiederverwenden können.

Struktur

1	Überschrift	Kräftig anfangen – kurz und beeindruckend.
2	Einleitung	Den Leser überraschen oder sogar schockieren.
3	Problemstellung	Das Problem allgemein beschreiben, mit Zahlen und Fakten.
4	Beispiele	Durch konkrete Beispiele den Leser überzeugen.
5	Schluss	Forderungen stellen.

Pinnwand

Die Autoschlangen

Gerhard Ochs

Ausgewachsene Autoschlangen haben mitunter ungewöhnliche Längen. Siebentausend Meter sind keine Seltenheit. Neulich rollte eine durch die Stadt, die war sogar neuntausend Meter lang. Ihr wollt selbst ein solches Ungeheuer sehen? Bitte, das könnt ihr, von einem Fernsehturm aus oder wenn ihr auf dem Flachdach eines Hochhauses steht. Der Wind wirbelt durch die Haare. Schaut hinunter! Seht ihr eine Autoschlange? Ich habe schon eine entdeckt, nein, zwei, drei. Drei Autoschlangen sehe ich. Und ihr? Ihr habt sie auch gesehen? Gut. Ob Autoschlangen gefährlich sind? Und wie gefährlich sie sind! Von hier oben sehen sie zwar harmlos aus. Ihr schlanker Blechleib schillert grün, gelb, orange und blau. Aber aus der Nähe betrachtet, fauchen und prusten und zischeln diese Monster, dass einem angst und bange wird. Darüber hinaus stinken sie erbärmlich, weil sie sich mit giftigen Gaswolken einhüllen, die aus ihren Eingeweiden kommen. Das ist aber nicht das Schlimmste. Stellt euch nur vor, einem Kind rollt der Ball aus der Hand und auf die Straße. Das Kind läuft hinterher, es will seinen Ball wiederhaben und läuft in die Autoschlange. Sie kann das Kind auf der Stelle töten. Woher die vielen Autoschlangen kommen? Das ist so: In manchen Städten gibt es Autoschlangennester. Das sind die Autofabriken. Die jungen Autoschlangen rollen aus den Autofabriken auf die Straßen der Stadt, dann hinaus aus der Stadt über Autobahnen und Landstraßen in eine andere Stadt und so fort. So eine Autoschlange hat schreckliche Angewohnheiten. Da kann es geschehen, dass sie plötzlich keine Lust mehr hat, weiterzurollen. Sie bleibt einfach liegen und rührt sich nicht mehr vom Fleck. Manchmal, nach Stunden erst, geht ein mächtiger Ruck durch sie hindurch, und sie rollt weiter. Das ist richtig: Auch Autoschlangen müssen sterben. Die Menschen schleppen dann die toten Autoschlangen unter großer Anstrengung zu den Autoschlangenfriedhöfen. Keiner weiß, wie man Autoschlangen für immer loswerden könnte.

# Grammatik

1 Nouns

1.1 Gender

Nouns in German belong to one of three genders: **masculine**, **feminine** or **neuter**. A noun's gender is 'invisible' until one or more of the following things happens:

- it is preceded by a determiner (■ 2)
- it is preceded by one or more adjectives (■ 3.1)
- it is replaced by a personal pronoun (■ 5.1)
- it is referred to by a relative pronoun (■ 5.3)

Then the gender of the noun is reflected in the form of the determiner, adjective or pronoun.

Remember that the gender of a noun is **not** the same thing as the **sex** of the person or animal the noun may refer to, although the two often coincide. Gender is simply a grammatical convention. Thus, each of the following people could be male or female:

der Mensch – human being   *die Person* – person   *das Kind* – child
– whereas *das Mädchen* is neuter by gender but female in sex.

Although a few nouns contain reliable clues to their gender (e.g. nouns ending in *-ung* are always feminine), as a rule you need to learn the gender of each noun when you learn the noun itself. The easiest way to do this is to memorise it with its definite article (*der, die* or *das*).

1.2 Singular and plural

There is a variety of plural forms in German. As with gender, you should try to learn the plural when you learn the noun. German nouns take one of the following plural endings:

-(e)n   This group never takes an umlaut in the plural.
der Muskel – die Muskeln   *die Frau – die Frauen*   *das Auge – die Augen*

no ending   Some members of this group take an umlaut in the plural.

der Wagen – die Wagen   *die Tochter – die Tochter*   *das Muster – die Muster*
der Apfel – die Äpfel   *die Mutter – die Mütter*   *das Kloster – die Klöster*

-e   Some members of this group take an umlaut in the plural. Many masculine nouns belong to this group.
der Arm – die Arme   *das Brot – die Brote*
der Rock – die Röcke   *die Hand – die Hände*   *das Floss – die Flösse**

   * the only neuter noun in this group that takes an umlaut in the plural

-er   This group always takes an umlaut in the plural when possible. It includes about 12 masculine nouns, no feminine, but many neuter nouns.
der Geist – die Geister   *das Kind – die Kinder*
der Rand – die Ränder   *das Haus – die Häuser*

-s   This group never takes an umlaut in the plural. It includes many recent borrowings from English and French.
der Streik – die Streiks   *die Party – die Partys*   *das Taxi – die Taxis*

1.3 Noun phrase

In a sentence, a noun is frequently accompanied by other parts of speech which give further information about it. These may include any or all of the following: an article; one or more adjectives; a relative clause; a following prepositional phrase. The noun together with any of these other elements which happen to be present is called a **noun phrase**. For example:

Eine junge Kollegin von mir, die neulich auf Ibiza Urlaub machte, hat viele Deutsche kennen gelernt.

article   adjective   noun   prepositional phrase   relative clause

noun phrase

1.4 Case

Unlike English, German likes to make it very clear exactly what function each noun is playing in a sentence. It does this by adding **endings** to the other elements in the noun phrase (■1.3) and sometimes to the noun itself (■1.5, 1.6, 1.7, 1.8). These functions are called **cases**. A noun in a sentence is always in one of four cases: **nominative**, **accusative**, **genitive** or **dative**.

The following table contains the basic rules for determining the case of a noun in a sentence.

Case	Usage	Examples
Nominative	i Subject of a verb	*Herr Schmidt kauft eine Ferienwohnung.*
	ii **Complement** after these verbs which don't take an object: *sein, bleiben, heißen, werden*	***Große Hotels** wurden in den 60er Jahren dort gebaut.* *Diese Stadt ist **ein Ferienort**.* *Travemünde ist **ein eleganter Ferienort** geblieben.*
Accusative	iii Direct object of a verb	*Sie bauten dort **einen großen Supermarkt**.*
	iv Always after these prepositions: *durch, für, gegen, ohne, um*	*Korfu ist toll für **Sonnenanbeter**.*
	v After these prepositions: *an, auf, entlang, hinter, in, neben, über, unter, vor, zwischen*	*Ohne **deinen Führerschein** kannst du kein Auto mieten.*
	a when they indicate movement	a *Sie stürzte sich ins **Wasser**.* *Wir joggten die **Strandpromenade** entlang.*
	b in certain set expressions: *sich freuen auf, sich ärgern über*	b *Ich freue mich schon auf **die Ferien**.*
Genitive	vi After another noun, to show possession or belonging	*Berlin ist die Hauptstadt **der BRD**.* *Das Dorf liegt an der anderen Seite **des Flusses**.*
	vii Always after these prepositions: *(an)statt, trotz, während, wegen; beiderseits, diesseits, jenseits; außerhalb, innerhalb, oberhalb, unterhalb; unweit*	*Trotz des **schlechten Wetters** fanden wir Hiddensee schön.* *Travemünde lag unweit **der Grenze** zwischen der BRD und der DDR.*
Dative	viii Indirect object of a verb, e.g.: *geben, zeigen*	*Wir zeigten **ihm** das berühmte Holstentor von Lübeck.*
	ix The only object of certain verbs, e.g.: *begegnen, danken, folgen, helfen*	*Während der Reise bin ich **vielen interessanten Menschen** begegnet.*
	x Always after these prepositions: *aus, außer, bei, gegenüber, mit, nach, seit, von, zu*	*Seit **dem 18. Jahrhundert** gibt es Seebäder an der Ostsee.*
	xi After these prepositions: *an, auf, entlang, hinter, in, neben, über, unter, vor, zwischen*	
	a when they indicate position, not direction	a *An **der Ostsee** kann es ganz schön kalt werden!*
	b in certain fixed expressions, e.g.: *teilnehmen an, sich fürchten vor*	b *Viele Boote nahmen an **der Regatta** teil.*

1.5 Genitive singular

The vast majority of masculine and neuter nouns in the genitive singular take the ending *-(e)s*:

> *der Mann – des Mann(e)s*   *das Kind – des Kind(e)s*
> *der Fuß – des Fußes*   *das Schloss – des Schlosses*

Exceptions are: weak masculine nouns (■ 1.7); *das Herz – des Herzens*; neuter nouns ending in *-nis*, which take *-ses*:

> *das Ereignis – des Ereignisses*

– and proper names ending in *-s, -ß, -x, -z* or *-tz*:

> *Marx' Theorien (commoner: die Theorien von Marx)*

1.6 Dative plural

Almost all nouns in German take the additional ending *-(e)n* in the dative plural:

The exceptions are:

> Nouns which take the plural ending *-s*: *den Clubs*
> Nouns which already take a plural ending *-(e)n* in the nominative, accusative and genitive: *die Frauen – den Frauen*

1.7 Weak masculine nouns

Certain masculine nouns take the ending *-(e)n* in every case except the nominative singular:

	singular	plural
nominative	*der Held*	*die Helden*
accusative	*den Helden*	*die Helden*
genitive	*des Helden*	*die Helden*
dative	*dem Helden*	*den Helden*

They are called **weak masculine nouns**. With the exception of *der Käse*, all masculine nouns ending in *-e* belong to this group, as do a number of others, including:

> *der Herr – des Herrn*   (but plural: *die Herren*)
> *der Bauer – des Bauern*
> *der Mensch – des Menschen*

a large number of masculine nouns borrowed from other languages, especially nouns ending in *-and, -ant, -arch, -at, -ent, -ist, -krat* and *-nom*: *der Elefant – des Elefanten* etc.

Weak nouns should not be confused with **adjectival nouns** (■ 1.8).

1.8 Adjectival nouns

All German adjectives can be used as nouns. In this role, they begin with a capital letter, but take the normal adjective endings (■ 3.1). Here are some examples:

der/die Abgeordnete	der Beamte (BUT die Beamtin)
der/die Angestellte	der/die Deutsche

Note the following differences in ending between masculine adjectival (*der Deutsche*) and weak masculine (*der Brite*) nouns:
- with definite article – same endings
- with indefinite article – same endings except nominative singular:
ein Brite   *ein Deutscher*
- with no article, in plural (because the singular hardly ever occurs like this)

nominative	zehn Briten	zehn Deutsche
accusative	zehn Briten	zehn Deutsche
genitive	zehn Briten	zehn Deutscher
dative	zehn Briten	zehn Deutschen

Note that *der Beamte* is the only masculine adjectival noun to have a corresponding feminine form ending in *-in*, whereas this is common amongst weak masculine nouns: *der Brite – die Britin; der Franzose – die Französin* etc.

1.9 Compound nouns

German has a strong tendency to form compound nouns. In a compound noun, the gender and the plural form are determined by the **final** element:

der Gast	die Gäste
der Bruder – der Gastbruder	die Brüder – die Gastbrüder
die Familie – die Gastfamilie	die Familien – die Gastfamilien
das Kind – das Gastkind	die Kinder – die Gastkinder

Compound nouns can in fact be formed from a noun with any other part of speech:

schreiben + der Tisch	➤	der Schreibtisch
schnell + der Imbiss	➤	der Schnellimbiss
für + die Sorge	➤	die Fürsorge

Sometimes *-s-* is placed between the elements:

die Tätigkeit + s + der Bereich	➤	der Tätigkeitsbereich

Sometimes the plural of the first element is used:

(das Wort) die Wörter + das Buch	➤	das Wörterbuch
BUT: das Wort + der Schatz	➤	der Wortschatz

1.10 Verbal nouns

The infinitive of any verb can be used as a neuter noun:
Das Spielen von Musik ist verboten.
Das Abnehmen fällt ihm schwer.

This is particularly useful in combination with certain prepositions:
beim + noun = 'while doing something', e.g.:
Beim Surfen ist er beinahe ertrunken.
zum + noun = 'for doing something', e.g.:
Zum Trinken ist das Wasser nicht rein genug.
geraten / kommen ins + noun = 'to start -ing', e.g.:
Er geriet **ins Stolpern** und stürzte fast zu Boden.

2 Determiners

These are words such as definite and indefinite articles, and demonstrative, possessive and interrogative adjectives. All of these elements take endings which show the **gender**, **number** and **case** of the noun they describe. Their presence or absence determines the endings taken by any **adjectives** which are present in the noun phrase (■ 3.1).

2.1 Definite article

The definite article in English is 'the'. Here are the forms of the definite article in German:

	masculine	feminine	neuter	plural
nominative	der	die	das	die
accusative	den	die	das	die
genitive	des	der	des	der
dative	dem	der	dem	den

The definite article can also be used as a pronoun. This is especially common in informal speech, although *das* as a pronoun is widely used in all contexts:

Der ist wirklich zu dumm!
Den habe ich nie gemocht.
Die geht mir auf die Nerven.
Das ist keine gute Idee.

The forms are exactly the same as for the article.

2.2 Indefinite article

The indefinite article in English is 'a(n)'. Here are its forms in German:

	masculine	feminine	neuter
nominative	ein	eine	ein
accusative	einen	eine	ein
genitive	eines	einer	eines
dative	einem	einer	einem

Note that there is also a pronominal form of *ein* (■ 5.4.2).

2.3 *Kein*

The negative article *kein* (= *nicht ein*; English 'no', 'not any') is declined like the indefinite article:

	masculine	feminine	neuter	plural
nominative	kein	keine	kein	keine
accusative	keinen	keine	kein	keine
genitive	keines	keiner	keines	keiner
dative	keinem	keiner	keinem	keinen

Note that there is also a pronominal form of *kein* (■ 5.4.3).

2.4 Demonstrative adjectives

The demonstrative adjectives *dieser* ('this') and *jener* ('that') are declined exactly like strong adjectives (■ 3.1.3):

	masculine	feminine	neuter	plural
nominative	dieser	diese	dieses	diese
accusative	diesen	diese	dieses	diese
genitive	dieses/diesen*	dieser	dieses/diesen*	dieser
dative	diesem	dieser	diesem	diesen

* The optional *-en* variant is frequently used when the noun has the ending *-es*.

The demonstrative adjective *jener* is mainly used in formal contexts. In informal speech, if you wished to distinguish between 'this …' and 'that …', you would use *dieser … hier* and *dieser … da*. Alternatively, you could use the definite article as a demonstrative: *der/die/das … hier* and *der/die/das … da*.

Note that there are also pronominal forms of the demonstratives (■ 5.5).

2.5 Possessive adjectives

The possessive adjectives are *mein* (my), *dein* (your, informal singular), *sein* (his, its) *ihr* (her), *unser* (our), *euer* (your, informal plural), *Ihr* (formal singular and plural) and *ihr* (their). They are declined like *ein* and *kein* (■ 2.2, 2.3). For example:

	masculine	feminine	neuter	plural
nominative	*ihr*	*ihre*	*ihr*	*ihre*
accusative	*ihren*	*ihre*	*ihr*	*ihre*
genitive	*ihres*	*ihrer*	*ihres*	*ihrer*
dative	*ihrem*	*ihrer*	*ihrem*	*ihren*

However, *euer* usually drops the *-e-* when it takes an ending: *eure*, *euren* etc.

Note that there are also pronominal forms of the possessives (■ 5.6).

2.6 Interrogative adjectives

2.6.1 *welcher* – which

Like *dieser* and *jener* (■ 2.4), *welcher* takes the endings of the strong adjective declension (■ 3.1.3):

	masculine	feminine	neuter	plural
nominative	*welcher*	*welche*	*welches*	*welche*
accusative	*welchen*	*welche*	*welches*	*welche*
genitive	*welches/welchen**	*welcher*	*welches/welchen**	*welcher*
dative	*welchem*	*welcher*	*welchem*	*welchen*

* The optional *-en* variant is frequently used when the noun has the ending *-es*.

2.6.2 *wie viel, wie viele* – how much, how many

The singular form *wie viel* is not declined. The plural form *wie viele* takes the same endings as *viele*, i.e. the strong adjective endings:

nominative	*wie viele*
accusative	*wie viele*
genitive	*wie vieler*
dative	*wie vielen*

2.6.3 *was für (ein)* – what sort of

Unlike the preposition *für*, the *für* element in *was für (ein)* does not send the noun which follows it into the accusative. Instead, the noun takes whatever case it would have taken without *was für*; *ein* is declined as usual:

| *Was für **ein** Wagen war das?* | What sort of car was that? |
| *Mit was für **einem** Hund hast du ihn gesehen?* | What sort of dog did you see him with? |

Note that there are also pronominal forms of the interrogatives (■ 5.7).

3 Adjectives

3.1 Adjectival endings

When adjectives are part of the noun phrase (■ 1.3), they take endings which show the **gender**, **number** and **case** of the noun they describe:
> **Deutscher** *Wein schmeckt mir nicht besonders.*

When they are used in other roles, e.g. as the complement of a verb such as *sein*, *werden* or *bleiben*, they do not take endings:
> *Dieser Wein ist **italienisch**.*
> *Dieser Wein wird schnell **sauer**.*
> *Ich bleibe dir immer **treu**.*

There are three sets of adjectival endings. Which set applies depends on whether or not the adjective is preceded by any determiners (■ 2), and if so, by which determiners in particular.

The basic principle is this: if the determiner carries a lot of grammatical information (i.e. it is one which has a full set of endings, e.g. *dieser* (■ 2.4) or *welcher* (■ 2.6.1)), then the adjective doesn't need to carry much information, and takes a reduced set of endings (the 'weak' declension). However, some determiners carry less grammatical information (e.g. *ein* ■ 2.2: *ein* could be masculine nominative or neuter nominative or accusative), so an adjective following them needs to carry more, and thus takes a more complex set of endings (the 'mixed' declension). In the most extreme situation there is no determiner: all the grammatical information must therefore be carried by the adjective, which takes the most complex set of endings (the 'strong' declension).

If the noun phrase contains a string of adjectives, they all take the same endings:

*die vielen schwierig**en**, sinnlos**en** Aufgaben*	(weak declension, after die)
viele schwierige, sinnlose Aufgaben	(strong declension)
*ein ausgezeichnet**es** schwer**es** bayerisch**es** Bier*	(mixed declension, after ein)
*keine jung**en** ledig**en** österreichisch**en** Männer*	(mixed declension, after keine)

A few adjectives borrowed from foreign languages do not decline. Many of these are colours:
> *beige, lila, orange, rosa, türkis; chic, macho, prima*

Incidentally, note that the colours in the following sentence are **nouns**, not adjectives:

Meine Lieblingsfarben sind **Beige**, **Rot** *und* **Lila**.

3.1.1 Weak adjective declension

After: *der/die/das* (■ 2.1); *dieser, jener* (■ 2.4); *welcher* (■ 2.6.1); *aller, beide* (plural), *einiger* (only in the singular), *folgender* (only in the singular), *irgendwelcher, jeder, jeglicher, mancher, sämtlicher, solcher*

	masculine	feminine	neuter
Nominative		e	
Accusative			
Genitive		en	
Dative			
Plural			
Nominative			
Accusative		en	
Genitive			
Dative			

Die letzte Marktforschung zeigt uns die neuesten Entwicklungen.

3.1.2 Mixed adjective declension

After: *ein* (■ 2.2); *kein* (■ 2.3); *mein, dein, sein, ihr, unser, euer, Ihr* (■ 2.5); *irgendein*:

	masculine	feminine	neuter
Nominative	er	e	es
Accusative			
Genitive		en	
Dative			
Plural			
Nominative			
Accusative		en	
Genitive			
Dative			

Mein neuer Computer hat ein gutes Textverarbeitungsprogramm.

3.1.3 Strong adjective declension

Not preceded by any of the words listed in 3.1.1. and 3.1.2:

	masculine	feminine	neuter
Nominative	er	e	
Accusative	en		es
Genitive		er	en
Dative	em		em
Plural			
Nominative		e	
Accusative		e	
Genitive		er	
Dative		en	

Mehr als dreißig neue Computerfirmen verkaufen preiswerte Software online.

3.2 Comparative and superlative of adjectives

German adjectives form their comparative and superlative by adding *-er* and *-(e)st* respectively to the uninflected form. The following take an umlaut; note that *groß, hoch* and *nah(e)* are slightly irregular:

		comparative		superlative
alt	➤	älter	➤	ältest-
arm	➤	ärmer	➤	ärmst-
dumm	➤	dümmer	➤	dümmst-
gesund	➤	gesünder	➤	gesündest-
groß	➤	größer	➤	**größt-**
hoch	➤	**höher**	➤	höchst-
jung	➤	jünger	➤	jüngst-
klug	➤	klüger	➤	klügst-
kurz	➤	kürzer	➤	kürzest-
lang	➤	länger	➤	längst-
nah(e)	➤	näher	➤	**nächst-**
scharf	➤	schärfer	➤	schärfst-
schwach	➤	schwächer	➤	schwächst-
stark	➤	stärker	➤	stärkst-
warm	➤	wärmer	➤	wärmst-

The following are completely irregular:

gut	➤	besser	➤	best-
viel	➤	mehr	➤	meist-

Comparative and superlative adjectives which are part of a noun phrase take the same endings as other adjectives (■ 3.1) – **in addition to** their comparative or superlative endings:

*Wir genießen größer**e** Freiheit.*

*Deutsch gilt als eines der schwierigst**en** Fächer.*

English '-est' with no following noun is expressed by *am -sten*:

Ingwer ist **scharf**; *Pfeffer ist* **schärfer**; *Chili ist* **am schärfsten**.

4 Adverbs and adverbials

4.1 Types of adverb and adverbial

4.1.1 Adverbs

Adverbs modify the meaning of a verb or an adjective.

When modifying a verb, they usually provide information about **when**, **why**, **how** (i.e. in what way) or **where** the action takes place or the situation occurs:

Ich sah den Film **gestern**.	(**Wann** sahst du den Film?)
Deshalb bin ich so müde.	(**Warum** bist du so müde?)
Er grüßte **höflich**.	(**Wie** grüßte er?)
Ich saß **draußen**.	(**Wo** saßest du?)

In fact, the four question words *wann*, *warum*, *wie* and *wo* are themselves adverbs (known as **interrogative adverbs**).

When modifying an adjective (or another adverb), adverbs usually provide information about **how** (i.e. to what extent) the adjective applies to the noun it describes.

Er ist **ziemlich** begabt.   (**Wie** begabt ist er?)

Because they 'quantify' the adjective, such adverbs are sometimes also known as **quantifiers**. The commonest are: *sehr* (very); *besonders* (very, especially); *kaum* (hardly); *recht* (really, very); *wenig* (not very); *ziemlich* (rather, quite).

Rather than modifying the sense of the verb, **negative adverbs** completely reverse it. The commonest are: *nicht* (not); *auch nicht* (not … either); *gar nicht* (not … at all); *nicht einmal* (not even); *nicht mehr* (no longer); *noch nicht* (not yet); *keineswegs* (in no way).

German has a range of short adverbs which express the speaker's attitude. As their adverbial function is not entirely clear (do they modify the verb, or the whole sentence?), they are sometimes referred to as **particles**. The commonest are: *doch, eben, denn, ja, mal, schon, wohl*. There is often no specific equivalent in English, but these examples show how they might be rendered in translation:

*Du solltest nicht so viele Chips essen. Zu viel Fett ist **doch** ungesund.*
You shouldn't eat so many crisps. **After all**, too much fat is bad for you.
*Es wundert mich nicht, dass sie nicht gekommen ist. Sie ist **eben** vergesslich.*
I'm not surprised that she hasn't turned up. She's **just** forgetful.
*Wieso kannst du es nicht ersetzen? Hast du **denn** keine Versicherung?*
How come you can't replace it? Aren't you insured, **then**?
*Es ist sein Geburtstag. Das weißt du **ja**.*
It's his birthday. You **know** that.
*Jetzt hör **mal**, so geht das nicht!*
Listen (**a moment**), that really won't do!
*Ach, was, mach dir keine Sorgen. Er wird **schon** kommen.*
Now, now. Don't worry. He **will** turn up.
*Wo kann er **wohl** sein? Er sollte um drei hier sein.*
I **wonder** where he can be? He was supposed to be here at three.

4.1.2. Adverbials

A phrase or even a whole clause may have the function of an adverb. Such expressions are known as **adverbial phrases** or **adverbial clauses**, or for short just as **adverbials**. For example:

Vorher (adverb)	
Vor dem Spiel (adverbial phrase)	*hatten Fußballrowdys Passanten angegriffen.*
Bevor das Spiel begonnen hatte, (adverbial clause)	

4.2 Formation of adverbs

In German, any adjective can in theory also be used as an adverb:

Es war ein **heiterer** Herbsttag.   (adjective)
„Grüß dich, Stefan!" rief er **heiter**.   (adverb)

In practice, some adjectives (e.g. colours) are extremely unlikely to occur as adverbs. (How often does 'greenly' occur in English?)

Adverbs can also be formed from some adjectives by adding the suffix *-erweise*. This expresses the speaker's / writer's attitude to the event or situation described:

Glücklicherweise hat er die Prüfung bestanden.   (fortunately)

Compare this with the adverbial use of *glücklich* itself:

Sie lächelte **glücklich**.   (happily)

Adverbs can be formed from many nouns by adding -(s)weise, the resultant adverb has the meaning 'as a ...':

Ausnahme	*ausnahmsweise*	(as an exception)
Beispiel	*beispielsweise*	(as an example)
Gruppen	*gruppenweise*	(in groups)
Paar	*paarweise*	(in pairs)
Teil	*teilweise*	(partially)
Versuch	*versuchsweise*	(as an experiment)

4.3 Comparative and superlative of adverbs

The comparative and superlative forms of adverbs are formed in the same way as those of adjectives (■ 3.2) – where it is possible by sense for the adverb to have such forms:

> *Harald schwimmt* **schnell**; *Doris schwimmt* **schneller**; *Jana schwimmt am* **schnellsten**.
> *Ich stehe* **früh** *auf; Manfred steht* **früher** *auf; Anna steht* **am frühsten** *auf.*

Note that *gern* has an irregular comparative and superlative:

> *gern* ➤ *lieber* ➤ *am liebsten*

4.4 Order of adverbs and adverbials in the clause

When there are a number of adverbs and/or adverbials in a clause, their normal order is 'time, reason, manner, place' (or: *wann? warum? wie? wo?*). However, it would be quite a contrived clause that contained adverbs or adverbials in all of these categories. Here is an example with adverbs / adverbials of time, manner and place:

> *Dieser Verteidiger hat den Ball* **letzte Woche** *dummerweise vorm Tor verloren.*
>   time   manner   place

However, the order can be varied for **special emphasis**, the most emphatic position being the beginning of the clause, the second most emphatic being the end:

> **Dummerweise** *hat dieser Verteidiger den Ball* **letzte Woche vorm Tor** *verloren.*

5 Pronouns

Pronouns literally stand 'for a noun'. Therefore, they must agree in gender, number and case with the noun they replace or refer to.

5.1 Personal pronouns

5.1.1 Forms of the personal pronouns

The genitive forms occur very infrequently, but are included here for the sake of completeness. The polite *Sie*-forms are both singular and plural.

	Singular				Plural			
	nominative	accusative	genitive	dative	nominative	accusative	genitive	dative
1	*ich*	*mich*	*meiner*	*mir*	*wir*	*uns*	*unser*	*uns*
2	*du*	*dich*	*deiner*	*dir*	*ihr*	*euch*	*euer*	*euch*
					Sie	*Sie*	*Ihrer*	*Ihnen*
3	*er*	*ihn*	*seiner*	*ihm*				
	sie	*sie*	*ihrer*	*ihr*	*sie*	*sie*	*ihrer*	*ihnen*
	es	*es*	*seiner*	*ihm*				
	man	*einen*	*(seiner)*	*einem*				

Man is used much more in everyday German than the equivalent 'one' in English:

> *Vielleicht klappt's:* **Man** *weiß ja nie.*   Perhaps it'll work: **you** never know.

5.1.2 Modes of address: *du*, *ihr*, *Sie*

Du and *ihr* are used to address:

- relatives, close friends, children (up to around 16) and animals
- fellow pupils (but teachers address pupils as *Sie* in the top three or four forms of secondary school)
- fellow students (but lecturers address students as *Frau / Herr ...* and use *Sie*)
- the reader in novels etc.

In all other cases, *Sie* should be used (verb: *siezen*) unless the senior party in the conversation proposes switching to *du* (verb: *duzen*).

This rule is less strictly observed than it used to be, but the non-native speaker should always err on the side of caution: to use *du* and *ihr* inappropriately suggests at best cultural and linguistic incompetence, and at worst offensive over-familiarity and lack of respect.

5.2 Reflexive pronoun

5.2.1 Forms of the reflexive pronoun

The reflexive pronoun exists in both the accusative and the dative case (■ 6.4). It only differs in form from the personal pronoun (■ 5.1) in the third person, where there is only one form:

	Singular		Plural	
	accusative	dative	accusative	dative
1	mich	mir	uns	uns
2	dich	dir	euch	euch
			Sie	Ihnen
3	sich	sich	sich	sich

5.2.2 Position of the reflexive pronoun in the clause

In normal main clause word order (■ 9.1), the reflexive pronoun follows immediately after the finite verb:

> Sie beschwerte **sich** über den Lärm.

With inversion (■ 9.1.1) and in a subordinate clause (■ 9.2) the reflexive pronoun usually comes before a noun subject, but **must follow** immediately after a pronoun subject:

> Heute Morgen beschwerte **sich** meine Mutter über den Lärm.
> Heute Morgen beschwerte sie **sich** über den Lärm.
> Als **sich** meine Mutter über den Lärm beschwerte, …
> Als sie **sich** über den Lärm beschwerte, …
> … , die **sich** über den Lärm beschwert hatte.

– except einer, etwas, jeder, jedermann, jemand, nichts, niemand or collectives such as alles, einiges, mehreres, vieles:

> In letzter Zeit hat **sich** vieles geändert.
> An die Regeln muss **sich** jeder halten.

In infinitive constructions, the reflexive pronoun comes first:

> Ich war fest entschlossen, **mich** über den Lärm zu beschweren.
> Das Wichtigste: **sich** auf dem Laufenden halten.

5.3 Relative pronoun

5.3.1 Forms of the relative pronoun

The forms of the relative pronoun are very similar to those of the definite article (■ 2.1). The forms which are different are in bold:

	masculine	feminine	neuter	plural
nominative	der	die	das	die
accusative	den	die	das	die
genitive	**dessen**	**deren**	**dessen**	**deren**
dative	dem	der	dem	**denen**

5.3.2 Use of the relative pronoun

The relative pronoun always stands at the beginning of the relative clause (■ 9.2) – it may only be preceded in this clause by a preposition (see examples below).

The relative pronoun takes its **gender** and its **number** from the noun which it describes (its 'antecedent'), but its **case** is dependent on its function in the relative clause:

> Max ist ein guter Freund, **der** mich jede Woche anruft.
> (nominative: subject of anruft)
> Max ist ein guter Freund, **den** ich seit vielen Jahren kenne.
> (accusative: direct object of kennen)
> Max ist ein guter Freund, **dessen** Hilfe mir unentbehrlich ist.
> (genitive: possessor of Hilfe)
> Max ist ein guter Freund, mit **dem** ich seit vielen Jahren befreundet bin.
> (dative: after mit)

5.4 Indefinite pronouns

5.4.1 jemand

nominative	jemand
accusative	jemand(en)
genitive	jemand(e)s
dative	jemand(em)

Niemand is declined in exactly the same way.

5.4.2 einer

	masculine	feminine	neuter
nominative	einer	eine	ein(e)s
accusative	einen	eine	ein(e)s
genitive	eines	einer	eines
dative	einem	einer	einem

– and in a few set expressions, e.g.:

Du bist mir **eine(r)**!	(You're a right one!)
Eins *wollte ich noch sagen.*	(I wanted to say one more thing.)
Es ist mir alles **eins**.	(It's all the same to me.)
Er redet in **einem** *fort.*	(He talks without stopping.)

This pronoun is mostly used to avoid repetition of a noun:

Ich hatte damals zwei **Katzen**. *Jetzt habe ich nur noch* **eine**.
Meine Schwester bekam zwei **Geschenke**, *ich nur* **eins**.

5.4.3 keiner

The negative *keiner* can be used in the same way as *einer*:

Keiner *kennt ihn.*
Jetzt hat er viel Geld und ich habe **keins**.

5.5 Demonstrative pronouns

Jener as a pronoun is identical with the adjectival form (■ 2.4); *dieser* differs from the adjectival form only in the neuter nominative and accusative:

	masculine	feminine	neuter	plural
nominative	dieser	diese	**dies**(es)	diese
accusative	diesen	diese	**dies**(es)	diese
genitive	dieses/diesen*	dieser	dieses/diesen*	dieser
dative	diesem	dieser	diesem	diesen

The definite article can also be used as a demonstrative pronoun, with or without *da* (■ 2.1).

Another demonstrative pronoun is *derjenige*. In its inflection, *derjenige* behaves like a definite article *(der-)* followed by an adjective *(-jenige)*, with both parts changing according to gender, case and number:

	masculine	feminine	neuter	plural
nominative	derjenige	diejenige	dasjenige	diejenigen
accusative	denjenigen	diejenige	dasjenige	diejenigen
genitive	desjenigen	derjenigen	desjenigen	derjenigen
dative	demjenigen	derjenigen	demjenigen	denjenigen

Derjenige most often occurs as an antecedent to a relative pronoun:

Das ist **derjenige**, *der mir geholfen hat.*   (That's the one (man, boy) who helped me.)

5.6 Possessive pronouns

The possessive pronouns differ from the possessive adjectives only in the forms shown in bold:

	masculine	feminine	neuter	plural
nominative	**ihrer**	ihre	**ihres**	ihre
accusative	ihren	ihre	**ihres**	ihre
genitive	ihres	ihrer	ihres	ihrer
dative	ihrem	ihrer	ihrem	ihren

In the neuter nominative and accusative, *meins*, *deins* and *seins* are commoner than *meines*, *deines* und *seines*.

5.7 Interrogative pronouns

nominative	wer		nominative	was
accusative	wen		accusative	was
genitive	wessen		genitive	wessen
dative	wem		dative	–

There is no dative form of *was*; instead *was* + preposition is used. When a form of *was* is used with the following prepositions, the usual form is *wo-* + preposition:

> *an, auf, aus, bei, durch, für, gegen, hinter, in, mit, nach, über, um, unter, von, vor, zu*
> **Wovon** *sprichst du?* **Wozu** *brauchen wir das?*

If the preposition begins with a vowel, *-r-* is placed between *wo-* and the preposition:

> **Woran** *erkennst du das?* **Worüber** *streitet ihr?*

Wodurch, wonach, wovon and *wozu* are not used to express movement. Instead, *durch was, wohin* (for *nach* and *zu*) and *von was* are used:

> *Komm, wir fahren nach Basel. –* **Wohin** *fahren wir?!*

Welcher can also be used pronominally; its forms are exactly the same as those of the adjective (■ 2.6.1).

6 Verbs

6.1 Verb conjugations

German verbs are of two types, **weak** and **strong**. For examples of verb conjugation and the principal parts of common strong and irregular verbs (■ 11).

6.1.1 Weak verbs

Weak verbs form their present tense by adding the following endings to the stem (which is found by removing the *-(e)n* ending of the infinitive):*

ich	**-e**	wir	**-en**
du	**-st**	ihr	**-t**
		Sie	**-en**
er/sie/es	**-t**	sie	**-en**

> e.g. kauf~~en~~   ich kaufe, du kauf**st** etc.

Their **imperfect tense** is formed by adding the following endings to the stem:*

ich	**-te**	wir	**-ten**
du	**-test**	ihr	**-tet**
		Sie	**-ten**
er/sie/es	**-te**	sie	**-ten**

> e.g. kauf~~en~~   ich kauf**te**, du kauf**test** etc.

Weak verbs form their past participle by adding *ge-* and *-t* to the stem: *gekauft, gezögert* etc.*

In **regular** weak verbs, the stem vowel remains the same throughout all forms.

There are 15 **irregular** weak verbs. They all take the normal weak endings, but have variations in the stem:

- *dürfen, können, mögen, müssen, sollen, wollen, wissen*: the present singular resembles the imperfect of a strong verb, in that the *ich* and *er/sie/es* forms do not take an ending, and the stem vowel changes (except *sollen*); the plural is regular. In the imperfect and the past participle, all seven verbs take the weak endings, but those verbs with an umlaut in the infinitive drop it throughout, and the *-i-* in wissen changes to *-u-*. When used as auxiliaries, the six modal verbs (*dürfen, können, mögen, müssen, sollen, wollen*) have a past participle which is identical with the infinitive (■ 6.9.2).
- *haben*: *-b-* disappears in the *du* and *er/sie/es* forms of the present tense, and throughout the imperfect, where the *-t-* of the ending is doubled; the past participle is regular.
- *brennen, kennen, nennen, rennen, senden*: the present tense is regular, but the stem vowel changes to *-a-* in the imperfect and past participle.
- *bringen, denken*: the present tense is regular, but *-ing-* changes to *-ach-* in the imperfect and past participle.

The last seven verbs above are sometimes referred to as the **mixed verbs**.

6.1.2 Strong verbs

Strong verbs change their stem vowel in the imperfect; in the past participle, the stem vowel may change again, or may be the same as that of the infinitive or the imperfect.

In the *du* and *er/sie/es* forms of the present tense, the stem vowel *-e-* often changes to *-i(e)-*, *-a(u)-* to *-ä(u)-* and *-o-* to *-ö-*. The endings of the present tense are the same as those for weak verbs (■ 6.1.1).

Strong verbs do not take an ending in the first and third person singular of the imperfect. The full set of endings is:*

ich	-	wir	**-en**
du	**-st**	ihr	**-t**
		Sie	**-en**
er/sie/es	-	sie	**-en**

The past participle is formed by adding *ge-* and *-en* to the stem (as well as the vowel change described above).

6.2 Separable verbs

These are verbs which have a separable prefix, which gives the verb a new or modified meaning, e.g. *kommen* – 'to come'; *an kommen* – 'to arrive'. Separable prefixes always carry the main stress: ***an** kommen*, ***teil** nehmen*, ***frei** lassen* etc.

Separable prefixes are usually words which exist as independent parts of speech, e.g.:

Prepositions:	*an + kommen*
Adverbs:	*dazwischen + treten*
Nouns:	*teil + nehmen*
Adjectives:	*frei + lassen*

However, a very few only exist as prefixes, e.g. *hinzu + fügen*.

The prefix is attached to the front of the verb in the following situations:

1   in the infinitive: *ankommen*   3   in the past participle: *angekommen*
2   in the present participle: *ankommend*   4   in a subordinate clause: *wenn er ankommt*

Note that when the infinitive of a separable verb is used with *zu*, the latter comes between the prefix and the verb:

*Um rechtzeitig an**zu**kommen, müssen wir bis dreizehn Uhr losfahren.*

In all other situations, the prefix stands alone at the end of the clause:

*Jana **kam** um dreizehn Uhr in Leipzig **an**.*
*Wann **kommst** du in Freiburg **an**?*
***Kommen** Sie bitte rechtzeitig **an**!*

6.3 Inseparable verbs

Inseparable verbs have a prefix which is permanently attached to the front of the verb. With the exception of *miss-*,* an inseparable prefix never carries the main stress.

The following eight prefixes are **inseparable**: *be-, emp-, ent-, er-, ge-, miss-, ver-, zer-*. Unlike most of the separable prefixes (■ 6.2), they do not exist as independent parts of speech.

Verbs with an inseparable prefix do not take the prefix *ge-* in the past participle:

*Wir haben zu viel Kohle und Öl **verbrannt**.*

Neither do verbs which end in *-ieren*, e.g. *fotografieren – ich habe fotografiert.*

The following eight prefixes are **variable**, i.e. they can form both inseparable and separable verbs: *durch-, hinter-, über-, um-, unter-, voll-, wider-, wieder-*.

Amongst these eight variable prefixes, there are often both separable and inseparable variants of the same prefix with the same verb – giving different meanings. For example, *durchdringen* and *überlegen*:

separable:	*Die Protestaktion **drang** schließlich bis zum Minister **durch**.*
	*Sie hat ihrem Kind eine Decke **übergelegt**.*
inseparable:	*Die Strahlen **durchdringen** die Ozonschicht nicht.*
	*Wir haben uns den Plan genau **überlegt**.*

*In *missverstehen* the main stress is on *miss-*. Although the verb is otherwise inseparable, *zu* comes between prefix and verb: *um ihn nicht misszuverstehen*.

6.4 Reflexive verbs

Reflexive verbs consist of a verb and a reflexive pronoun (■ 5.2). There are two types:

verb + accusative reflexive pronoun:	*sich fühlen*	*Ich fühle **mich** einsam.*
verb + dative reflexive pronoun:	*sich leisten*	*Das kann ich **mir** nicht leisten.*

A number of German verbs, whose English counterparts are not reflexive, are reflexive e.g.:

*Er **beschwerte** sich über das Essen.*	He **complained** about the food.
*Ich kann **mir** kein neues Fahrrad **leisten**.*	I can't **afford** a new bike.

6.5 Auxiliary verbs

This is a small group of verbs which are used in combination with other verbs for various purposes:

haben, sein   Used as auxiliaries in forming the **perfect**, **pluperfect** and **future perfect** tenses (■ 6.9.2, 6.9.4, 6.9.6).

werden   Used as an auxiliary in forming the **future** and **future perfect** tenses (■ 6.9.5, 6.9.6) and all tenses in the passive voice (■ 6.16).

Würde   (imperfect subjunctive of *werden*) is used to form the 'conditional' (6.12.3).

dürfen, können, mögen, müssen, sollen, wollen   The modal verbs, which modify the verb they are used with (■ 6.5.1).

lassen   Used as an auxiliary in a way similar to the modal verbs (■ 6.5.2).

All the above verbs can also be used alone as non-auxiliary verbs ('**full verbs**'), e.g.:

*Er **ist** ein Genie. Er **wurde** ein erfolgreicher Schauspieler. Er **wollte** jedoch den Ruhm nicht.*

6.5.1 Modal verbs

The modal verbs are: *dürfen, können, mögen, müssen, sollen* and *wollen*. Modal verbs are used as auxiliaries (hence '**modal auxiliaries**') with the infinitive of the full verb. Here are examples in the present, imperfect and perfect tense respectively:

*Ich **will** ein paar Mark mehr verdienen.*
*Sie **wollte** sich entschuldigen.*
*Sie **haben** ihre Tat verteidigen wollen.*

Note that the infinitive is used **without** *zu*.

Modal auxiliaries express necessity (*müssen*), obligation (*sollen*), desire (*mögen, wollen*), permission (*dürfen*) and ability (*können*) to carry out the action of the full verb.

Mögen is commonly used as a modal auxiliary only in its imperfect subjunctive form *möchte*:

*Ich **möchte** dich um Rat bitten.*

6.5.2 Auxiliary lassen

Lassen can be used as an auxiliary in much the same way as the modal verbs (■ 6.5.1). In this capacity, it conveys one of two senses:

1	to let:	*Ich **ließ** ihn weiterreden.*	I let him carry on speaking.
2	to have, get:	*Ich **ließ** ihn meine Schuhe putzen.*	I had him polish my shoes.
		*Ich **lasse** es holen.*	I'll have it brought.
		*Ich **lasse** meine Haare schneiden.*	I'm getting my hair cut.

In the first two examples above, it would only be clear from the context which of the two senses was intended.

6.6 Infinitive constructions

Zu + infinitive is often used in the following situations:

* After *Es ist wichtig/ möglich/ schwer* etc. (impersonal constructions ■ 6.8):
  *Es ist wichtig, einander **zu vertrauen**.***

* After certain verbs, e.g.: *helfen, hoffen, brauchen, beginnen, versuchen, vergessen*:
  *Ich hoffe, eine Beziehung **zu haben**.***
* After *ohne*:
  *… , ohne es **zu sehen**.***
* After *etwas, nichts, viel* etc.:
  *Es gab etwas **zu sehen** / nichts **zu tun** / viel **zu essen**.*
* In the construction *um … zu …* ('in order to …'):
  *Um neue Freunde **zu finden**, …***

**Under the new spelling rules (■ 10), it is a matter of personal choice whether to separate the infinitive phrase from the main clause by a comma.

6.7 Verbs with a dative object

Note that the following verbs take a dative object only: *helfen, begegnen, gefallen, folgen*:

*Ich bin **ihr** mehrmals auf der Straße begegnet.*

6.8 Impersonal constructions

Impersonal constructions have the pronoun *es* as their subject. There are two kinds:

1   *Es* doesn't stand for anything specific; examples include:

Es gibt …	*Es klopfte an der Tür.*
Es macht nichts.	*Es gefällt mir gut hier.*
Es geht um / handelt sich um …	*Es geht ihm gut.*

– and a number of weather expressions, e.g. *es regnet, es ist heiß*

2   *Es* anticipates the true subject, which occurs later in the sentence; note that the verb agrees with the true subject and not with *es*:

Es *fanden gelegentlich heftige Demonstrationen statt.*

The true subject may be a whole clause:

Es *ist wahr,* **dass wir unsere Umwelt gefährden**.   *Es würde mich freuen,* **dich bald wiederzusehen**.

This construction is frequently used with passives:

Es *wurde viel getanzt.*   (There was a lot of dancing. / People danced a lot.)

In impersonal constructions of the first type, *es*, although devoid of meaning, is the true subject of the sentence and cannot be omitted if the sentence is reordered. Compare these pairs of sentences:

Es *gibt hier viele Rentner.* ➤ *Viele Rentner gibt* **es** *hier.*

Es *geht hier um ein wichtiges Prinzip.* ➤ *Hier geht* **es** *um ein wichtiges Prinzip.*

Es *gefällt mir gut hier.* ➤ *Gut gefällt es mir hier.*

In impersonal constructions of the second type, *es* can be omitted if the sentence is reordered. Compare these pairs:

Es *fanden gelegentlich heftige Demonstrationen statt.* ➤ *Gelegentlich fanden heftige Demonstrationen statt.*

Es *würde mich freuen, dich bald wiederzusehen.* ➤ *Dich bald wiederzusehen, würde mich freuen.*

Es *ist wahr, dass wir unsere Umwelt gefährden.* ➤ *Dass wir unsere Umwelt gefährden, ist wahr.*

6.9   The tenses

It is important to understand the difference between **tense** and **time**. Tense is a matter of grammatical form, and the number, forms, uses and names of tenses vary greatly between languages, whereas past, present and future time are universals. Thus the 'present tense' is commonly used in German to refer to future time, and in certain circumstances to refer to time starting in the past but continuing into the present (■ 6.9.1). Do not assume that a present tense construction in English should always be translated by a present tense construction in German, or vice versa.

6.9.1 Present tense

(Present tense endings ■ 6.1 and 11)

The present tense in German has a variety of functions, for which English uses a variety of tenses and structures:

1   To describe what's happening now (English: present continuous)

Was machst du jetzt? – Ich sehe gerade fern.

2   To describe what sometimes or usually happens (English: present simple)

Ich brauche immer so lange, um meine Hausaufgaben zu machen.

3   To describe what is going to happen (English: 'going to')

Ich fahre morgen nach Frankfurt.

4   With *seit* or *seitdem* to describe what has been happening up to now and continues to happen
(English: present perfect or present perfect continuous – 'have been -ing'):

Trudi wohnt seit zehn Jahren in Oxford. Seitdem sie hier wohnt, spricht sie kaum noch Deutsch.

6.9.2 Perfect tense

(Form of the past participle ■ 6.1 and 11)

The perfect tense is formed from the present tense of the auxiliary *haben* / *sein* and the past participle of the full verb.
In a main clause, the auxiliary occupies second position and the participle goes to the end of the clause; in a subordinate clause, the auxiliary takes final position directly after the participle:

Die Luftqualität in der Stadt **hat** *sich nicht* **gebessert***, obwohl wir vor einem Jahr neue strenge Maßnahmen* **eingeführt haben**.

The auxiliary *sein* is used in place of *haben*:

•   with all intransitive verbs of motion, e.g. *gehen, fahren, schwimmen, begegnen* (which takes a dative object ■ 6.7)

•   with intransitive verbs which describe a change of state, e.g. *aufwachen, einschlafen, schmelzen, sterben, verschwinden, werden, gelingen*

•   with the verbs *sein* and *bleiben*

For a series of events leading up to the present, e.g. with *seitdem*, the perfect **must** be used:

Seitdem habe ich ihn mehrmals gesehen.

Otherwise, there is little difference in sense between the perfect and the imperfect tense, so that the two can be considered interchangeable. However, the perfect is less used than the imperfect in writing, because of its inherent stylistic disadvantages: it is less concise, and the full verb (and thus a vital part of the clause's meaning) is delayed until the end of the clause. In southern Germany, Switzerland and Austria, the perfect is much more widely used than the imperfect in speech.

Perfective tenses of modal verbs

When used as auxiliaries in the perfect, pluperfect and future perfect tenses, modal verbs have a past participle which is identical with the infinitive. As always when used with a modal auxiliary, the full verb is in the infinitive. The past participle of the modal verb takes final position, with the infinitive of the full verb directly before it:

Ich **habe** *ihn nicht* **erreichen können**.

(Compare: *Ich* **habe** *ihn nicht* **erreicht**.)

In subordinate clauses, the word order is as follows, with the finite verb coming directly before the non-finite verbs (■ 9.2):

Obwohl ich ihn nicht **habe erreichen können***, ...*

present tense of auxiliary *haben*   infinitive of full verb *erreichen*   past participle of auxiliary *können*

6.9.3 Imperfect tense

(Imperfect tense endings ■ 6.1 and 11)
For the reasons stated above (■ 6.9.2), the imperfect is the preferred tense for written narrative in the past. In addition, the imperfect of *haben*, *sein* and the modal verbs is frequently used in both speech and writing.
The term 'imperfect' is often considered inappropriate by linguists, so the terms 'preterite' and 'simple past' are also used for this tense in grammar books.

6.9.4 Pluperfect tense

(Form of the past participle ■ 6.1 and 11; modal verbs ■ 6.9.2)
The pluperfect tense is the third past tense, and is much less used than either the perfect or the imperfect. It places the action described at one remove further back into the past, and so often occurs in sentences which contain sequencing conjunctions like *bis* and *bevor*.
*Ich **hatte** niemals über den Treibhauseffekt **nachgedacht**, bis ich diese Sendung sah.*

6.9.5 Future tense

The future tense is formed from the present tense of the auxiliary *werden* and the infinitive of the full verb:
*Man **wird** gegen das neue Gesetz **demonstrieren**.*

The future tense is mostly used to make predictions or estimates, or to emphasise the speaker's determination that something **shall** happen:
*Der Treibhauseffekt **wird** die Erdkugel **erwärmen**.*
*Ihr **werdet** euren Energieverbrauch **verringern**, ob ihr es wollt oder nicht.*

Otherwise, the present tense is often used in place of the future tense (■ 6.9.1), especially if it is clear that future time is meant (e.g. there is an adverb of time such as *morgen* or *nächstes Jahr* in the sentence).

6.9.6 Future perfect tense

(Form of the past participle ■ 6.1 and 11; modal verbs ■ 6.9.2)
The future perfect tense is formed from the present tense of the auxiliary *werden*, the past participle of the full verb and the infinitive of the auxiliary *haben* or *sein*:
*Er **wird** vor Montag sein ganzes Geld **ausgegeben haben**.*
*Wir kommen um zehn an. Der Zug **wird** schon längst **abgefahren sein**.*
As in the above examples, the future perfect is used to refer to events which will have been completed by a certain point in the future.

6.10 Passive voice

(Conjugation of werden ■ 11)
The effect of the passive is to direct attention to the action described, rather than who or what carries it out.
In the **active** voice, the subject is in some sense the 'doer' of the verb:
Autoabgase verschmutzen die Luft.
subject   active verb

In the passive voice, the subject is the one to whom / which the action of the verb is done:
Die Luft wird (durch Autoabgase) verschmutzt.
subject   passive verb

As in the above example, the 'doer' of the action need not be stated in the passive. However, if the 'doer' is stated, then it is introduced by *durch* (if it is the means by which the action is done) or *von* (if it is the person or thing which does the action).

It is important to realise that the passive is **not** a tense. In fact, all the tenses described above also exist in the passive (though only the present, imperfect, perfect and pluperfect are frequently used).
Present: *Die Luft **wird** verschmutzt.*
Imperfect: *Die Luft **wurde** verschmutzt.*
Perfect: *Die Luft **ist** verschmutzt worden.*
Pluperfect: *Die Luft **war** verschmutzt worden.*
In all tenses, the corresponding tense of the auxiliary *werden* is used together with the past participle of the full verb. Note that when used as an auxiliary, *werden* has the past participle *worden* instead of its past participle as a full verb *geworden*.

6.11 Imperative

The imperative is the command form of the verb. The pronoun *Sie* is always used, whereas the pronouns *du* and *ihr* are omitted:
Hör auf zu schreien!
Hört auf zu schreien!
Hören Sie auf zu schreien!

6.12 Subjunctive mood

All the tense forms you encountered up to GCSE are **indicative** forms. However, there is another 'mood' of the verb, called the subjunctive. Whereas the indicative expresses fact, the **subjunctive** expresses hypothesis and doubt: it is used to talk about what 'would' happen 'if' a certain situation occurred, or to report what someone 'said' had happened. The subjunctive has all the same tenses, active and passive, as the indicative, although many of them are rarely used.

6.12.1 Forms of the subjunctive

Present subjunctive
(Present subjunctive of haben and sein ■ 11)
The present subjunctive endings are:

ich	**-e**	wir	**-en**
du	**-est**	Sie	**-en**
		ihr	**-et**
er/sie/es	**-e**	sie	**-en**

Note that the *-e-* of the *du* and *ihr* forms is **never** omitted:

indicative:	*du lachst, ihr lacht*
subjunctive:	*du lach**e**st, ihr lach**e**t*

– except in the verb *sein*: *du sei(e)st*

There are no vowel changes in the present subjunctive of strong verbs, e.g. *geben*:

Indicative: *ich gebe, du gibst, er/sie/es gibt*   Subjunctive: *ich gebe, du gebest, er/sie/es gebe*

Imperfect subjunctive
Weak verbs: endings are exactly the same as for the indicative. **Strong verbs**: endings as for the present subjunctive. In addition, stem vowels *-a-, -o-, -u-, -au-* of strong verbs take an umlaut, e.g. *geben*:

ich gäbe	wir gäben
du gäbest	ihr gäbet
	Sie gäben
er/sie/es gäbe	sie gäben

There are some irregular forms (■ 11).

Perfect
Present subjunctive of *haben / sein* + past participle, e.g.:
 er habe angerufen
 er sei gefahren

Pluperfect
Imperfect subjunctive of *haben / sein* + past participle, e.g.:
 ich hätte gesehen
 du wär(e)st gegangen

Future
Present subjunctive of *werden* + infinitive, e.g.:
 er werde anrufen

6.12.2 Imperfect subjunctive of modal verbs

Note that the imperfect subjunctive does **not** refer to the past: it refers instead to the present or future. The use of the imperfect subjunctive modifies the meanings of the modal verbs:

dürfte	should (likelihood)	*Es dürfte keine Probleme geben.*
könnte	could	*Ich könnte es selber machen.*
möchte	would like	*Ich möchte dich um Rat bitten.*
müsste	ought to, might (also likelihood)	*Ich müsste es wissen. Er müsste da sein.*
sollte	ought to	*Ich sollte etwas tun.*

6.12.3 *Würde* + infinitive

Würde (imperfect subjunctive of *werden*) + infinitive is used as an alternative to the imperfect subjunctive:
 *Sie **würden** mit Italienisch keinerlei Schwierigkeiten **haben**.*   *Birgit **würde** es schwer **fallen**, ihre Freundinnen zurückzulassen.*
 *Sie **hätten** mit Italienisch keinerlei Schwierigkeiten.*   *Birgit **fiele** es schwer, ihre Freundinnen zurückzulassen.*
There is no difference in meaning between the two. *Würde* + infinitive is sometimes referred to as the **conditional**.

6.12.4 Conditional clauses

Conditional clauses express conditions, i.e. what needs to happen in order for something else to happen. In English they are usually introduced by 'if', in German by *wenn*. There are three types of conditional clause:

1   'Open' condition:
 *Wenn er nach Berlin **kommt**,*   *triffst du ihn.*
 If he comes to Berlin,   you'll meet him.
 The **indicative** is used both in the conditional clause and in the main clause.

2   Improbable condition:
 *Wenn er nach Berlin **käme**,*   *würdest du ihn treffen.*
      träfest du ihn.
 If he came to Berlin,   you would meet him.
 The **imperfect subjunctive** is used in the conditional clause, followed by either the **imperfect subjunctive** or *würde* + **infinitive** (less

formal) in the main clause.

3   Impossible condition:
*Wenn er nach Berlin gekommen **wäre**,*   *hättest du ihn getroffen.*
If he had come to Berlin,   you would have met him.
The **pluperfect subjunctive** is used in the conditional clause, followed by the **pluperfect subjunctive** in the main clause.

6.12.5 Indirect speech

Indirect speech is used to report what someone has said, without the need to quote him or her word-for-word. For example:
direct speech: *He said 'It's all your fault, Karen.'*
indirect speech: *He said it was all my fault.*

In German, the **subjunctive** is used in indirect speech. This makes it very clear that the speaker or writer is reporting someone else's words:
*Dr. Schmidt behauptet, dass die Dritte Welt an der Klimakatastrophe schuld **sei**.*
As in the above example, the conjunction *dass* is often used to introduce the reported statement.

In German, the tense of the reported statement is usually the same as that of the original statement:
*Tom rief gestern an und sagte: „Ich **bin** krank."*
*Tom rief gestern an und sagte, dass er krank **sei**.*

7 Prepositions

Prepositions are said to 'govern' a particular case, i.e. they put a following noun into that case.

7.1 Fixed case

The prepositions below always govern the case shown:
Accusative: *bis, durch, für, gegen, ohne, um*
Genitive: *(an)statt, trotz, während, wegen; beiderseits, diesseits, jenseits; außerhalb, innerhalb, oberhalb, unterhalb; unweit*
Dative: *aus, außer, bei, gegenüber, mit, nach, seit, von, zu*

7.2 Dual case

The following prepositions govern either the accusative or the dative:
an, auf, entlang, hinter, in, neben, über, unter, vor, zwischen
Accusative: a   when they indicate direction, not position
          b   in certain set expressions, e.g. *sich freuen auf, sich ärgern über*
Dative: a   when they indicate position, not direction
          b   in certain fixed expressions, e.g. *teilnehmen an, sich fürchten vor*

8 Conjunctions

Conjunctions provide a link between clauses. **Subordinating** conjunctions introduce a **subordinate** clause, **coordinating** conjunctions introduce another **main** clause:
Coordinating: *Jan ernährte sich bisher immer gesund, **aber** er isst jetzt nur noch Pizza.*
Subordinating: *Jan isst nur noch Pizza, **obwohl** das bestimmt nicht sehr gesund ist.*

Common coordinating conjunctions are:
aber   denn   jedoch   nicht (nur) … , sondern (auch)   oder   und   weder … noch
Clauses beginning with *oder* or *und* are not separated from the previous clause by a comma, and there is no comma between *weder* and *noch*.

Common subordinating conjunctions are:
als   als ob   bevor   bis   da   damit   dass   alls   indem   nachdem   obwohl   seit(dem)   so dass   sobald   sofern
solange   soweit   trotzdem   während   weil   wenn
Subordinate clauses are always separated from the previous clause by a comma.

9 Clause structures

9.1 Main clause word order (Statements)

A main clause is a clause that can stand alone as a complete sentence. In a main clause, the **finite verb** is always the **second** element:
*Thomas **ging** die Straße hinunter.*

Note that a noun phrase or an adverbial phrase is counted as one element even though it may consist of several words. Thus in the following examples the verb is always the second element:
*Mein sehbehinderter Nachbar **geht** erst morgen zur Augenklinik.*
*Erst morgen **geht** mein sehbehinderter Nachbar zur Augenklinik.*
*Zur Augenklinik **geht** mein sehbehinderter Nachbar erst morgen.*

If there is a preceding subordinate clause, this is treated as the first element in the main clause, so that the finite verb form comes directly after the comma:

> ***Dass ich die Prüfung bestanden habe**, erstaunt ihn.*
> ***Als er anrief**, lernte ich gerade für die Prüfung.*

In the first example above, the *dass-clause* takes the role of subject; in the second example, the *als*-clause has the role of an adverbial of time, and the subject is *ich*. (For the word order of this sentence, see the notes on inversion below ■ 9.1.1.)

A preceding infinitive phrase is treated in the same way:

> ***Ihm bei seinen Hausaufgaben zu helfen**, habe ich nie versprochen.*

9.1.1 Inversion

In a main clause, the **subject** typically occupies the first position. In 'inversion', however, the subject is moved from first position, to be replaced by another element. The subject then comes directly after the verb. This is especially common with adverbs and adverbials of time, though many different items may be used in the same way:

> ***Speziell im Sommer laden die Strände der Kieler Bucht** zu Sonnenbädern ein.*
> adverbial phrase   finite verb   subject

In a main clause following a coordinating conjunction, the conjunction is **not** counted as the first element in the clause:

> *Der Mai ist zu unbeständig **und die Urlauber sind** nicht spontan genug.*   (NOT: ... und sind die Urlauber ...)
> conjunction   1st element   2nd element

9.2 Subordinate clause word order

Subordinate clauses cannot stand alone as complete sentences: they must always refer to a main clause. Subordinate clauses are introduced either by subordinating conjunctions (■ 8) or by relative pronouns (■ 5.3). The conjunction or relative pronoun is the first element in the clause, and the finite verb form is the last:

> *Es stört sie nicht, **wenn** sie vielleicht bestraft **werden**.*
> *Es ist einfach schön, jemand zu haben, **dem** man vertrauen **kann**.*

The exception to this rule is when a modal verb is used in a compound tense (perfect, pluperfect, future or future perfect ■ 6.9.2). Here, the finite verb form (the auxiliary *haben*, *sein* or *werden*) comes before the non-finite verb forms (infinitive, past participle):

> *Es wundert mich, dass er bei dieser Kälte **hat** schwimmen wollen.*

9.3 Question word order

In questions which require a 'yes'/'no' answer, the finite verb is the first element, and the subject is the second:

> ***Stört es** dich, wenn ich rauche?*

In questions with a question word, the question word is the first element and the verb is the second:

> ***Was meint** ihr dazu?*

The question word may be an interrogative pronoun (*wer/ wen/ wessen/ wem, was, welche/ r/ s* etc.) an interrogative adverb or adverbial (*wie, wann, wo, warum, um wie viel Uhr* etc.) or an interrogative adjective + noun phrase: (*welche deutsche Frau, wie viele Männer, was für ein Buch* etc.)

10 The new German spelling

On 1 August 1998 the German spelling reform came into force in Germany, Austria and Switzerland. However, until 2005 it will be permissible to use the older German spelling, and of course all publications printed before August 1998 contain the older spelling. In this book, the new German spelling reforms have been adhered to.

The most important rules included in the 1998 reform are as follows:

ß or ss?
After a long vowel or diphthong, always **ß**: *Fußball, grüßen, heiß*
After a short vowel, always **ss**: *Flussbett, wusste, floss*

(Old rule: **ß** after a long vowel or diphthong, but also at the end of a word or before a consonant: *Flußbett, wußte, floß*.)

One word or two?
Many combinations of adjective / adverb / noun + verb are now written separately, e.g.: *übrig bleiben, überhand nehmen, Rad fahren.*
All combinations of infinitive + verb are now written separately, e.g. *bestehen bleiben, kennen lernen, sitzen bleiben, spazieren gehen.*
Combinations of zu + adjective / adverb are now written separately: *zu viel, zu wenig.*

(Old rule: all the above examples were written as one word.)

Comma
Main clauses beginning with the coordinating conjunctions *und* and *oder* need not be separated from the preceding clause by a comma.
(Old rule: comma before *und* and *oder* if the second clause has its own subject.)
In addition to the above, there are many minor changes, e.g. slight changes to spelling of individual words, especially recent borrowings from foreign languages. Consult an up-to-date dictionary or grammar book for details.

11 Verb tables

Weak verbs: *KAUFEN* – TO BUY

present tense

ich kaufe	*wir kaufen*
du kaufst	*ihr kauft*
	Sie kaufen
er/sie/es kauft	*sie kaufen*

imperfect tense

ich kaufte	*wir kauften*
du kauftest	*ihr kauftet*
	Sie kauften
er/sie/es kaufte	*sie kauften*

perfect tense

(present of *sein* / *haben* + past participle)

ich habe gekauft	*wir haben gekauft*
du hast gekauft	*ihr habt gekauft*
	Sie haben gekauft
er/sie/es hat gekauft	*sie haben gekauft*

pluperfect tense

(imperfect of *sein* / *haben* + past participle)

ich hatte gekauft	*wir hatten gekauft*
du hattest gekauft	*ihr hattet gekauft*
	Sie hatten gekauft
er/sie/es hatte gekauft	*sie hatten gekauft*

future tense

(present of *werden* + infinitive)

ich werde kaufen	*wir werden kaufen*
du wirst kaufen	*ihr werdet kaufen*
	Sie werden kaufen
er/sie/es wird kaufen	*sie werden kaufen*

future perfect

(present of *werden* + past participle + *haben* / *sein*)

ich werde gekauft haben	*wir werden gekauft haben*
du wirst gekauft haben	*ihr werdet gekauft haben*
	Sie werden gekauft haben
er/sie/es wird gekauft haben	*sie werden gekauft haben*

Irregular weak verbs: *HABEN* – TO HAVE

Indicative

present tense

ich habe	*wir haben*
du hast	*ihr habt*
	Sie haben
er/sie/es hat	*sie haben*

imperfect

ich hatte	*wir hatten*
du hattest	*ihr hattet*
	Sie hatten
er/sie/es hatte	*sie hatten*

All the compound tenses are formed in the usual way: see *kaufen* above.

Subjunctive

present tense

ich habe	*wir haben*
du habest	*ihr habet*
	Sie haben
er/sie/es habe	*sie haben*

imperfect

ich hätte	*wir hätten*
du hättest	*ihr hättet*
	Sie hätten
er/sie/es hätte	*sie hätten*

Irregular weak verbs: *MÜSSEN* – TO HAVE TO

Indicative

present tense

ich muss	*wir müssen*
du musst	*ihr müsst*
	Sie müssen
er/sie/es muss	*sie müssen*

imperfect

ich musste	*wir mussten*
du musstest	*ihr musstet*
	Sie mussten
er/sie/es musste	*sie mussten*

All the compound tenses are formed in the usual way: see *kaufen* above. Note that, as all modals, *müssen* has two past participles (■ 6.9.2).

Subjunctive

present tense

ich müsse	*wir müssen*
du müssest	*ihr müsset*
	Sie müssen
er/sie/es müsse	*sie müssen*

imperfect

ich müsste	*wir müssten*
du müsstest	*ihr müsstet*
	Sie müssten
er/sie/es müsste	*sie müssten*

Irregular strong verbs: *SEIN* – TO BE

Indicative

present tense

ich bin	*wir sind*
du bist	*ihr seid*
	Sie sind
er/sie/es ist	*sie sind*

imperfect

ich war	*wir waren*
du warst	*ihr wart*
	Sie waren
er/sie/es war	*sie waren*

All the compound tenses are formed in the usual way: see *kaufen* above (auxiliary *sein*, not *haben*).

Subjunctive

present tense

ich sei	*wir seien*
du seiest	*ihr seiet*
	Sie seien
er/sie/es sei	*sie seien*

imperfect

ich wäre	*wir wären*
du wärest	*ihr wäret*
	Sie wären
er/sie/es wäre	*sie wären*

Irregular strong verbs: *WERDEN* – TO BECOME

Indicative

present tense

ich werde	*wir werden*
du wirst	*ihr werdet*
	Sie werden
er/sie/es wird	*sie werden*

imperfect tense

ich wurde	*wir wurden*
du wurdest	*ihr wurdet*
	Sie wurden
er/sie/es wurde	*sie wurden*

All the compound tenses are formed in the usual way: see *kaufen* above (auxiliary *sein*, not *haben*). Note that *werden* has two past participles (■ 6.10).

Subjunctive

present tense

ich werde	*wir werden*
du werdest	*ihr werdet*
	Sie werden
er/sie/es werde	*sie werden*

imperfect tense

ich würde	*wir würden*
du würdest	*ihr würdet*
	Sie würden
er/sie/es würde	*sie würden*

Common strong and irregular verbs – principal parts

Verbs which take auxiliary *sein* in the perfect, pluperfect and future perfect are marked * after the past participle.

infinitive	present indicative 3rd pers. sing.	imperfect indicative 3rd pers. sing.	imperfect subjunctive 3rd pers. sing.	imperative singular	past participle
backen	bäckt	backte	backte	back(e)	gebacken
befehlen	befiehlt	befahl	befähle	befiehl	befohlen
beginnen	beginnt	begann	begänne	beginn(e)	begonnen
beißen	beißt	biss	bisse	beiß(e)	gebissen
bergen	birgt	barg	bärge	birg	geborgen
biegen	biegt	bog	böge	bieg(e)	gebogen* 7
bieten	bietet	bot	böte	biet(e)	geboten
binden	bindet	band	bände	bind(e)	gebunden
bitten	bittet	bat	bäte	bitt(e)	gebeten
blasen	bläst	blies	bliese	blas(e)	geblasen
bleiben	bleibt	blieb	bliebe	bleib(e)	geblieben*
braten	brät	briet	briete	brat(e)	gebraten
brechen	bricht	brach	bräche	brich	gebrochen* 3
brennen	brennt	brannte	brennte	brenn(e)	gebrannt
bringen	bringt	brachte	brächte	bring(e)	gebracht
denken	denkt	dachte	dächte	denk(e)	gedacht
dringen	dringt	drang	dränge	dring(e)	gedrungen* 3
dürfen	darf	durfte	dürfte	–	gedurft1 / dürfen2
empfehlen	empfiehlt	empfahl	empföhle	empfiehl	empfohlen
essen	isst	aß	äße	iss	gegessen
fahren	fährt	fuhr	führe	fahr(e)	gefahren* 3
fallen	fällt	fiel	fiele	fall(e)	gefallen*
fangen	fängt	fing	finge	fang(e)	gefangen
finden	findet	fand	fände	find(e)	gefunden
fliegen	fliegt	flog	flöge	flieg(e)	geflogen*
fliehen	flieht	floh	flöhe	flieh(e)	geflohen*
fließen	fließt	floss	flösse	fließ(e)	geflossen*
fressen	frisst	fraß	fräße	friss	gefressen
frieren	friert	fror	fröre	frier(e)	gefroren* 3
gebären	gebiert	gebar	gebäre	gebier	geboren
geben	gibt	gab	gäbe	gib	gegeben
gedeihen	gedeiht	gedieh	gediehe	gedeih(e)	gediehen*
gehen	geht	ging	ginge	geh(e)	gegangen*
gelingen	gelingt	gelang	gelänge	–	gelungen*
gelten	gilt	galt	gälte	–	gegolten
genießen	genießt	genoss	genösse	genieß(e)	genossen
geschehen	geschieht	geschah	geschähe	geschieh	geschehen*
gewinnen	gewinnt	gewann	gewänne	gewinn(e)	gewonnen
gießen	gießt	goss	gösse	gieß(e)	gegossen
gleichen	gleicht	glich	gliche	gleich(e)	geglichen
gleiten	gleitet	glitt	glitte	gleit(e)	geglitten*
graben	gräbt	grub	grübe	grab(e)	gegraben
greifen	greift	griff	griffe	greif(e)	gegriffen
haben	hat	hatte	hätte	hab(e)	gehabt
halten	hält	hielt	hielte	halt(e)	gehalten
hängen	hängt	hing	hinge	häng(e)	gehangen4
heben	hebt	hob	höbe	heb(e)	gehoben
heißen	heißt	hieß	hieße	heiß(e)	geheißen
helfen	hilft	half	hülfe	hilf	geholfen
kennen	kennt	kannte	kennte	kenn(e)	gekannt
klingen	klingt	klang	klänge	kling(e)	geklungen
kneifen	kneift	kniff	kniffe	kneif(e)	gekniffen
kommen	kommt	kam	käme	komm(e)	gekommen*
können	kann	konnte	könnte	–	gekonnt1 / können2
kriechen	kriecht	kroch	kröche	kriech(e)	gekrochen*
laden	lädt	lud	lüde	lad(e)	geladen
lassen	lässt	ließ	ließe	lass	gelassen1 / lassen2
laufen	läuft	lief	liefe	lauf(e)	gelaufen*
leiden	leidet	litt	litte	leid(e)	gelitten
leihen	leiht	lieh	liehe	leih(e)	geliehen
lesen	liest	las	läse	lies	gelesen
liegen	liegt	lag	läge	lieg(e)	gelegen
löschen	lischt	losch	lösche	lisch	geloschen
lügen	lügt	log	löge	lüg	gelogen
messen	misst	maß	mäße	miss	gemessen
misslingen	misslingt	misslang	misslänge	–	misslungen*
mögen	mag	mochte	möchte	–	gemocht1 / mögen 2
müssen	muss	musste	müsste	–	gemusst 1 / müssen 2
nehmen	nimmt	nahm	nähme	nimm	genommen
nennen	nennt	nannte	nennte	nenn(e)	genannt
pfeifen	pfeift	pfiff	pfiffe	pfeif(e)	gepfiffen
preisen	preist	pries	priese	preis(e)	gepriesen

raten	rät	riet	riete	rat(e)	geraten
reiben	reibt	rieb	riebe	reib(e)	gerieben
reißen	reißt	riss	risse	reiß(e)	gerissen* 3
reiten	reitet	ritt	ritte	reit(e)	geritten* 3
rennen	rennt	rannte	rennte	renn(e)	gerannt* 3
riechen	riecht	roch	röche	riech(e)	gerochen
rufen	ruft	rief	riefe	ruf(e)	gerufen
saufen	säuft	soff	söffe	sauf(e)	gesoffen
schaffen	schafft	schuf	schüfe	schaff(e)	geschaffen 5
scheiden	scheidet	schied	schiede	scheide	geschieden* 3
scheinen	scheint	schien	schiene	schein(e)	geschienen
schieben	schiebt	schob	schöbe	schieb(e)	geschoben
schießen	schießt	schoss	schösse	schieß(e)	geschossen* 3
schlafen	schläft	schlief	schliefe	schlaf(e)	geschlafen
schlagen	schlägt	schlug	schlüge	schlag(e)	geschlagen
schleichen	schleicht	schlich	schliche	schleich(e)	geschlichen*
schließen	schließt	schloss	schlösse	schließ(e)	geschlossen
schmeißen	schmeißt	schmiss	schmisse	schmeiß(e)	geschmissen
schmelzen	schmilzt	schmolz	schmölze	schmilz	geschmolzen* 3
schneiden	schneidet	schnitt	schnitte	schneid(e)	geschnitten
schreiben	schreibt	schrieb	schriebe	schreib(e)	geschrieben
schreien	schreit	schrie	schriee	schrei(e)	geschrie(e)n
schreiten	schreitet	schritt	schritte	schreit(e)	geschritten*
schweigen	schweigt	schwieg	schwiege	schweig(e)	geschwiegen
schwellen	schwillt	schwoll	schwölle	schwill	geschwollen*
schwimmen	schwimmt	schwamm	schwämme	schwimm(e)	geschwommen* 3
schwören	schwört	schwor	schwüre	schwör(e)	geschworen
sehen	sieht	sah	sähe	sieh(e)	gesehen1 / sehen2
sein	ist	war	wäre	sei	gewesen*
senden	sendet	sendte	sendete	send(e)	gesandt 6
singen	singt	sang	sänge	sing(e)	gesungen
sinken	sinkt	sank	sänke	sink(e)	gesunken*
sitzen	sitzt	saß	säße	sitz(e)	gesessen
sollen	soll	sollte	sollte	–	gesollt 1 / sollen 2
sprechen	spricht	sprach	spräche	sprich	gesprochen
springen	springt	sprang	spränge	spring(e)	gesprungen*
stechen	sticht	stach	stäche	stich	gestochen
stehen	steht	stand	stände	steh	gestanden
stehlen	stiehlt	stahl	stähle	stiehl	gestohlen
steigen	steigt	stieg	stiege	steig	gestiegen*
sterben	stirbt	starb	stürbe	stirb	gestorben*
stinken	stinkt	stank	stänke	stink(e)	gestunken
stoßen	stößt	stieß	stieße	stoß(e)	gestoßen* 7
streichen	streicht	strich	striche	streich(e)	gestrichen* 7
streiten	streitet	stritt	stritte	streit(e)	gestritten
tragen	trägt	trug	trüge	trag(e)	getragen
treffen	trifft	traf	träfe	triff	getroffen
treiben	treibt	trieb	triebe	treib	getrieben* 3
treten	tritt	trat	träte	tritt	getreten* 3
trinken	trinkt	trank	tränke	trink	getrunken
trügen	trügt	trog	tröge	trüg(e)	getrogen
tun	tut	tat	täte	tu(e)	getan
verderben	verdirbt	verdarb	verdärbe	verdirb	verdorben* 3
vergessen	vergisst	vergaß	vergäße	vergiss	vergessen
verlieren	verliert	verlor	verlöre	verlier(e)	verloren
vermeiden	vermeidet	vermied	vermiede	vermeid(e)	vermieden
verschwinden	verschwindet	verschwand	verschwände	verschwind(e)	verschwunden*
verzeihen	verzeiht	verzieh	verziehe	verzeih(e)	verziehen
wachsen	wächst	wuchs	wüchse	wachs(e)	gewachsen*
waschen	wäscht	wusch	wüsche	wasch(e)	gewaschen
weichen	weicht	wich	wiche	weich(e)	gewichen*
weisen	weist	wies	wiese	weis(e)	gewiesen
werben	wirbt	warb	würbe	wirb	geworben
werden	wird	wurde	würde	werde	geworden* 8 / worden* 9
werfen	wirft	warf	würfe	wirf	geworfen
wiegen	wiegt	wog	wöge	wieg(e)	gewogen
winden	windet	wand	wände	wind(e)	gewunden
wissen	weiß	wusste	wüsste	wisse	gewusst
wollen	will	wollte	wollte	–	gewollt 1 / wollen 2
ziehen	zieht	zog	zöge	zieh(e)	gezogen* 7
zwingen	zwingt	zwang	zwänge	zwing(e)	gezwungen

1   When not preceded by an infinitive.
2   After an infinitive.
3   Auxiliary *sein* with the intransitive verb only.
4   Intransitive only. The transitive verb is weak and regular.
5   *Schaffen* 'to create'. The verb *schaffen* 'to manage' etc. is weak and regular.
6   *Senden* 'to send'. The verb *senden* 'to transmit' is a regular weak verb.
7   Auxiliary sein only with the intransive verb in certain meanings: Consult a dictionary.
8   When not preceded by the past participle of another verb.
9   After the past participle of another verb.